本书获

2024年度贵州省出版传媒事业发展专项资金资助
2022年贵州出版集团有限公司出版专项资金资助

中國改革開放

孙晓云

第二卷

（1989—2002）

沈传亮／主编　　李庆刚／著

贵州出版集团
贵州人民出版社
北京出版集团
北京出版社

图书在版编目（CIP）数据

中国改革开放. 第二卷, 1989—2002 / 沈传亮主编；李庆刚著. -- 贵阳：贵州人民出版社；北京：北京出版社, 2025. 3. -- ISBN 978-7-221-18976-9

Ⅰ. D61

中国国家版本馆CIP数据核字第2025R5G071号

ZHONGGUO GAIGE KAIFANG　DI-ER JUAN（1989—2002）

中国改革开放　第二卷（1989—2002）

沈传亮　主编　李庆刚　著

出 版 人　朱文迅
出版统筹　谢丹华　戴　俊　王显永
策划编辑　田　军　王　娜　丁林枫
特邀编辑　陶宇辰　白　云　王　娜
责任编辑　梁　丹　汪琨禹
封面设计　田　晗

出版发行　贵州出版集团　贵州人民出版社
地　　址　贵阳市观山湖区中天会展城会展东路SOHO公寓A座
印　　刷　唐山才智印刷有限公司
版　　次　2025年3月第1版
印　　次　2025年3月第1次印刷
开　　本　710毫米×1000毫米　1/16
印　　张　25.75
字　　数　386千字
书　　号　ISBN 978-7-221-18976-9
定　　价　89.00元

目录

第一章

捍卫中国特色社会主义，确立经济体制改革目标

党的十三届四中全会后，党中央全面坚持党的基本路线，继续抓住经济建设这个中心，在国际局势剧变的情况下，按照冷静观察、沉着应付的方针，坚持把注意力集中在办好我们自己的事情上，成功地稳住了改革和发展的大局，捍卫了中国特色社会主义伟大事业。根据邓小平南方谈话精神，1992 年 10 月，党的十四大就事关中国改革开放和现代化建设全局的一系列重大问题，特别是建立社会主义市场经济体制作出决策部署。以此为标志，中国改革开放和社会主义现代化建设进入新的发展阶段。1993 年 11 月，党的十四届三中全会通过了《中共中央关于建立社会主义市场经济体制若干问题的决定》，开创性地把市场经济的一般规律同社会主义制度和中国国情有机地结合起来，为最终实现战略转移提供了施工蓝本，并成功实施了社会主义市场经济条件下的首次宏观调控，实现了宏观经济的“软着陆”。

第一节　新的中央领导集体的形成与捍卫中国特色社会主义

20 世纪 80 年代末 90 年代初，世界社会主义发展出现严重曲折，中国国内发生严重政治风波，在复杂严峻的形势下，1989 年 6 月 23 日至 24 日，中国共产党第十三届中央委员会第四次全体会议在北京召开，全会选举江泽民为中共中央总书记。新的中共中央政治局常委会由江泽民、李鹏、乔石、姚依林、宋平、李瑞环组成。全会强调，要继续坚决执行党的十一届三中全会后制定的路线、方针和政策，继续坚决执行党的十三大确定的"一个中心、两个基本点"的基本路线。江泽民指出："我们党已经制定和形成了一条建设有中国特色社会主义的路线和一系列基本政策。概括地说，就是小平同志多次指出、最近再次强调的，以经济建设为中心，坚持四项基本原则，坚持改革开放。这是我们有信心做好工作的根本的、坚实的基础。""党的十一届三中全会以来的路线和基本政策没有变，必须继续贯彻执行。在这个最基本的问题上，我要十分明确地讲两句话：一句是坚定不移，毫不动摇；一句是全面执行，一以贯之。"① 这一鲜明的政治宣示，对于帮助广大党员干部全面理解、自觉执行党的路线方针政策，保证改革开放和现代化建设事业沿着中国特色社会主义道路健康发展，具有重大意义。

党的十三届四中全会刚结束，6 月 28 日，新的中央领导集体举行党外人士座谈会，向党外人士通报十三届四中全会情况。江泽民重申，中国共产党将继续坚持和扩大爱国统一战线，有关统一战线的各项方针不变，"一国两制"的方针不变，对台湾、香港、澳门的方针不变，既定的民族政策、宗教政策、侨务政策也不变。12 月 30 日，《中共中央关于坚持和完善中国共产党领导的多党合作和政治协商制度的意见》发布。该文件明确指出，

---

① 江泽民：《江泽民文选》第一卷，人民出版社 2006 年版，第 57 页。

中国共产党领导的多党合作和政治协商制度是我国的一项基本政治制度，“长期共存、互相监督、肝胆相照、荣辱与共”是中国共产党同各民主党派合作的基本方针。

9月26日，中共中央政治局常委江泽民、李鹏、乔石、姚依林、宋平、李瑞环等举行中外记者招待会。在回答记者提问时，江泽民重申，十一届三中全会以来的路线、方针、政策，总的战略目标不变。其中包括以经济建设为中心、坚持四项基本原则的方针不变，改革开放政策不变，实行“一国两制”的构想不变。9月29日，在首都各界庆祝中华人民共和国成立40周年大会上，江泽民强调：“我们要更加坚定不移地把马克思主义普遍真理同我国具体实际结合起来，走自己的路，建设有中国特色的社会主义。邓小平同志关于建设有中国特色社会主义的理论，是经过十年实践检验而为亿万人民所认识和接受的科学理论，是指引我们继续前进的旗帜。在整个社会主义初级阶段，我们必须坚定不移地执行党的十三大制定的基本路线。”①

10月31日，邓小平在会见美国前总统尼克松时指出：“我可以肯定地告诉你，谁也不能阻挡中国的改革开放继续下去。为什么？道理很简单，不搞改革开放就不能继续发展，经济要滑坡。走回头路，人民生活要下降。改革的趋势是改变不了的。不管我在不在，不管我是否还担任职务，十年来由我主持制定的一系列方针政策绝对不会改变。我相信我的同事们会这样做。”②

党的十三届四中全会后，邓小平的“同事们”正是这样做的。

在党的十三届四中全会前后，邓小平就多次表示，等新的领导班子一经建立威信，就要坚决退出中央领导岗位。1989年5月在组建中央领导班子时，他就对李鹏、姚依林明确表示，新的领导集体要有一个核心。他说：

① 江泽民：《江泽民文选》第一卷，人民出版社2006年版，第69页。
② 邓小平：《邓小平文选》第三卷，人民出版社1993年版，第332页。

“新的领导班子一经建立了威信，我坚决退出，不干扰你们的事。希望大家能够很好地以江泽民同志为核心，很好地团结。只要这个领导集体是团结的，坚持改革开放的，即使是平平稳稳地发展几十年，中国也会发生根本的变化。关键在领导核心。”①

1989 年 9 月 4 日，邓小平致信中共中央政治局，请求批准他辞去中央军委主席的要求。他说：“党的十三届四中全会选出的以江泽民同志为首的领导核心，现已卓有成效地开展工作。经过慎重考虑，我想趁自己身体还健康的时候辞去现任职务，实现夙愿。这对党、国家和军队的事业是有益的。恳切希望中央批准我的请求。我也将向全国人民代表大会提出辞去国家军委主席的请求。”② 邓小平指出：“作为一个为共产主义事业和国家的独立、统一、建设、改革事业奋斗了几十年的老党员和老公民，我的生命是属于党、属于国家的。退下来以后，我将继续忠于党和国家的事业。我们党、我们国家和我们军队所取得的成就是几代人努力的结果。我们的改革开放事业刚刚起步，任重而道远，前进中还会遇到一些曲折。但我坚信，我们一定能够战胜各种困难，把先辈开创的事业一代代发扬光大。中国人民既然有能力站起来，就一定有能力永远岿然屹立于世界民族之林。”③

同一天，邓小平还就自己退休的问题同几位中央负责人进行了谈话。他说，退的决心我已经下了好几年了。我退休的时间是不是就确定在五中全会。我退休时的职务交代，军委要有个主席，我提议江泽民同志当军委主席。

1989 年 11 月 6 日至 9 日，党的十三届五中全会举行。经过慎重考虑，全会同意邓小平辞去中央军委主席的职务。全会认为，邓小平从党和国家的根本利益出发，在自己身体还健康的时候辞去现任职务，实现他多年来一再提出的从领导岗位上完全退下来的夙愿，表现了一个无产阶级革命家的广阔胸怀。全会对他身体力行地为废除干部领导职务终身制作出的表率，

---

① 邓小平：《邓小平文选》第三卷，人民出版社 1993 年版，第 301 页。
② 邓小平：《邓小平文选》第三卷，人民出版社 1993 年版，第 322—323 页。
③ 邓小平：《邓小平文选》第三卷，人民出版社 1993 年版，第 323 页。

表示崇高的敬意。全会在充分酝酿的基础上，决定江泽民任中央军委主席（1990 年 3 月，七届全国人大三次会议接受邓小平辞去中华人民共和国中央军事委员会主席职务的请求，选举江泽民为中华人民共和国中央军事委员会主席）。全会高度评价了邓小平几十年革命生涯建立的卓越功勋，要求全党一定要认真学习邓小平的著作，使它今后在我国社会主义现代化建设的伟大进程中发挥更大的指导作用。

11 月 12 日，邓小平和新任中央军委主席江泽民一道，看望参加军委扩大会议的全体同志。邓小平充满激情地即席讲道："军委领导更换了人。我认为，确定以江泽民同志为核心的党中央，是我们全党做出的正确的选择。江泽民同志是合格的军委主席，因为他是合格的党的总书记。希望大家在以江泽民同志为核心的党中央的领导下，在以他为主席的中央军委的领导下，把我们军队建设得更好，为捍卫我们国家的独立和主权，捍卫我们国家的社会主义事业，捍卫我们党的十一届三中全会以来制定的一系列路线、方针、政策，做出更多更大的贡献。"①

经过党的十三届四中、五中全会，中央领导集体顺利实现了新老交替，这对于保证党的政策的稳定性、连续性，实现党和国家事业的长治久安，具有极为重大的意义。

发展是政治和社会稳定的基础。把国内的事情办好，关键是把经济建设搞好。党的十三届五中全会认真分析面临的问题，审议通过了《中共中央关于进一步治理整顿和深化改革的决定》，确定在前段时间遏制通货膨胀、稳定经济形势的基础上，从 1989 年算起，再用三年或更长一点时间，基本完成治理整顿的任务。全会要求继续压缩社会总需求和坚持财政信贷"双紧"方针，加强农业等基础产业，积极调整产业结构，认真整顿经济秩序，特别是流通领域的秩序，千方百计提高经济效益，继续深化改革和扩大对外开放，并切实加强党对治理整顿和深化改革的领导。

---

① 邓小平：《邓小平文选》第三卷，人民出版社 1993 年版，第 334—335 页。

治理整顿的主要目标是逐步降低通货膨胀率，使全国零售物价上涨幅度逐步下降到 10% 以下，扭转货币超经济发行状况，实现财政收支平衡，在提高效益的基础上保持 5% ～ 6% 的年增长率，改善产业结构，进一步深化和完善改革措施。改革要围绕治理整顿进行。治理整顿大体分两步进行：第一步是在调整经济结构的同时，以启动市场、争取经济适度发展为侧重点；第二步是将治理整顿、深化改革的重点逐步转到调整产业结构、提高经济效益上来。

经过努力，治理整顿取得了较好效果。到 1991 年底，通货膨胀得到控制，流通领域混乱现象得到整顿，经济秩序有所好转。农业生产连续两年丰收，扭转了前四年的徘徊局面。工业生产从 1990 年下半年开始逐步恢复到正常年份的增长速度。1991 年外商直接投资达 119.77 亿美元，比 1989 年增长 1 倍多。外贸实现顺差。同时，在改革开放方面也有重大举措。其中最引人注目的是上海浦东的开发。1990 年 4 月，上海浦东开始实行经济技术开发区和某些经济特区的政策。在很短的时间内，浦东地区奇迹般地崛起拥有成百座高楼大厦和其他现代化设施的城市，成为国际化的经济和金融中心之一。上海的国内生产总值在五年内翻了一番，等于再造了一个上海。

在对外关系上，针对政治风波后以美国为首的西方国家对中国实行“制裁”的形势，邓小平提出了冷静观察、稳住阵脚、沉着应付、韬光养晦、善于守拙、决不当头、有所作为的战略策略方针。中国在国际上坚持原则，顶住压力，利用矛盾，多做工作，不断开拓对外工作的新局面。中国积极发展了与周边国家的睦邻友好关系，进一步发展了与第三世界国家的传统友好合作，实现了中苏关系向中俄关系的顺利过渡，并同原苏联各加盟共和国和东欧国家建立或发展了正常关系。从 1990 年下半年起，一些西方国家开始逐步改善同我国的关系。同年 7 月，日本政府恢复对华贷款。随后，西欧国家恢复对华政府贷款、经济合作与科技交流等。10 月，欧洲共同体外长会议决定取消对华“制裁”。中美关系也逐步得到改善，并就保护知识产权和市场准入问题达成协议。到 1992 年，中国同 154 个国家建立了外交关系，同200多个国家和地区发展了贸易、科技、文化交流与合作。这样，西方国家的“制裁”完全破产了。

在治理整顿和深化改革的推动下，到1990年底，“七五”计划胜利完成。当年国民生产总值达到17400亿元，国民收入达到14300亿元，均超过计划规定的指标。全国绝大多数地区解决了温饱问题，开始向小康社会过渡。

1990年12月，党的十三届七中全会审议通过了《中共中央关于制定国民经济和社会发展十年规划和“八五”计划的建议》（以下简称《建议》）。《建议》提出，今后十年，要实现社会主义现代化建设的第二步战略目标，把国民经济的整体素质提高到一个新的水平，这是我国现代化建设的一个更重要的发展阶段。全会在总结历史和现实经验教训的基础上，确定了制定和实施十年规划和“八五”计划的基本指导方针。《建议》强调，要坚定不移地走建设有中国特色的社会主义道路，并对建设有中国特色的社会主义的基本理论和基本实践作了概括，提出了12条主要原则。《建议》还强调，要坚定不移地推进改革开放，坚定不移地执行国民经济持续、稳定、协调发展的方针，坚定不移地执行独立自主、自力更生、艰苦奋斗、勤俭建国的方针，坚定不移地执行物质文明建设和精神文明建设一起抓的方针等。根据中共中央建议，国务院制定了《中华人民共和国国民经济和社会发展十年规划和第八个五年计划纲要（草案）》，经1991年3月至4月举行的七届全国人大四次会议批准后付诸实施。

总之，在经受住严峻考验后，社会主义的中国步伐更加扎实地向前迈进。

第二节　党的十四大召开和改革开放进入新阶段

治理整顿任务和“七五”计划的顺利完成，十年规划和“八五”计划纲要的制定和实施，标志着改革开放和社会主义现代化建设事业即将进入一个新的阶段。

在这样一个重要时刻，1992 年 1 月至 2 月，邓小平发表了著名的南方谈话。南方谈话，是把改革开放和社会主义现代化建设推向新阶段的又一个宣言书。

1992 年 2 月 28 日，党中央将邓小平的谈话要点作为中央 1992 年二号文件下发，并要求尽快逐级传达到全体党员干部。

“东方风来满眼春。”在邓小平南方谈话的推动下，理论界展开了新一轮关于计划与市场关系的大讨论。在讨论中，对于建立社会主义经济的新体制，逐渐形成了三种有代表性的提法：一是建立计划与市场相结合的社会主义商品经济体制；二是建立社会主义有计划的市场经济体制；三是建立社会主义的市场经济体制。究竟哪一种提法更能适应改革开放深入发展的要求，有利于进一步解放和发展生产力？这是摆在党中央面前必须回答的问题。

1992 年 3 月 9 日至 10 日，江泽民主持中央政治局会议。会议完全赞同邓小平南方谈话的内容，认为谈话对当前的改革和建设、对开好党的十四大具有十分重要的指导作用。在计划与市场关系的问题上，会议指出：“计划与市场，都是经济手段。要善于运用这些手段，加快发展社会主义商品经济。”

4 月 30 日，江泽民在主持召开中央政治局常委会会议时提出，党的十四大在计划与市场的关系上要前进一步，这是关系改革开放和现代化建设全局的一个重大问题。5 月 16 日，中央政治局会议通过了《中共中央关于加快改革，扩大开放，力争经济更好更快地上一个新台阶的意见》，就贯彻落实邓小平南方谈话精神作出部署。5 月 28 日，中央政治局常委会会议正式决定，在党的十四大上要对计划与市场的关系作出新的论述。

为了进一步用邓小平南方谈话精神统一全党思想，迎接党的十四大的召开，1992 年 6 月 9 日，江泽民在中央党校省部级干部进修班上发表《深刻领会和全面落实邓小平同志的重要谈话精神，把经济建设和改革开放搞得更快更好》的讲话。在谈到加快经济体制改革问题时，江泽民明确指出："加快经济体制改革的根本任务，就是要尽快建立社会主义的新经济体制。而建立新经济体制的一个关键问题，是要正确认识计划和市场问题及其相互关系，就是要在国家宏观调控下，更加重视和发挥市场在资源配置中的作用。"[①] 当谈到即将召开的党的十四大时，江泽民指出："在党的十四大报告中，总得最后确定一种大多数同志都赞同的有关经济体制的比较科学的提法，以利于进一步统一全党同志的认识和行动，以利于加快我国社会主义的新经济体制的建立。我个人的看法，比较倾向于使用'社会主义市场经济体制'这个提法。"[②] 他指出，不管党的十四大报告中最后确定哪一种提法，都需要阐明我国社会主义的新经济体制的主要特征。主要特征应该有这样几个：一是在所有制结构上，坚持以公有制经济为主体，个体经济、私营经济和其他经济成分为补充，多种经济成分共同发展；二是在分配制度上，坚持以按劳分配为主体，其他分配方式为补充，允许和鼓励一部分地区、一部分人先富起来，逐步实现共同富裕，防止两极分化；三是在经济运行机制上，把市场经济和计划经济的长处有机结合起来，充分发挥各自的优势作用，促进资源优化配置，合理调节社会分配。

江泽民在讲话中指出，要加快新经济体制的建立，当前必须抓紧解决好几个关键性问题：一是转变政府职能，切实实行政企职责分开；二是抓紧企业特别是国有大中型企业经营机制的转换，真正推动企业走上市场，使它们成为市场竞争的主体，成为真正的法人实体，真正实现自主经营、自负盈亏、自我发展、自我约束和自担风险，达到责权利相统一；三是适应商品经济和价值规律的要求，切实更新计划观念，转变计划管理职能和方式，使计划能够真正反映市场的供求变化；四是大力培育和发展市场，

① 江泽民：《江泽民文选》第一卷，人民出版社 2006 年版，第 198 页。
② 江泽民：《江泽民文选》第一卷，人民出版社 2006 年版，第 202 页。

建立统一的完备的社会主义市场；五是加强经济法规和经济运行所必需的其他基础设施建设。

6月12日，江泽民向邓小平讲了他的这个想法。邓小平当即表示，赞成这个提法。邓小平说："实际上我们是在这样做，深圳就是社会主义市场经济。不搞市场经济，没有竞争，没有比较，连科学技术都发展不起来。产品总是落后，也影响到消费，影响到对外贸易和出口。"[①]在中央征求意见时，各省、自治区和直辖市党委都同意"社会主义市场经济体制"这个提法。这就为党的十四大召开作了重要的思想理论准备。

1992年7月，江泽民在接见济南军区和北海舰队部分师以上领导干部时讲话指出："我们要搞的市场经济是社会主义市场经济，社会主义这几个字不能去掉。""我们要搞的市场经济是同我们的社会主义制度紧密联系并结合在一起的，因而具有自身的本质特征，所以我们把它叫做社会主义市场经济。"[②]

在此基础上，1992年10月12日至18日，中国共产党第十四次全国代表大会在北京召开，江泽民在大会上作了题为《加快改革开放和现代化建设步伐，夺取有中国特色社会主义事业的更大胜利》的报告。江泽民的报告系统总结了改革开放十四年的基本实践和基本经验，全面阐述了邓小平建设有中国特色社会主义理论，明确了建立社会主义市场经济体制的改革目标，提出了20世纪90年代加快改革开放、推动经济发展和社会全面进步的主要任务，阐述了党和国家的对外政策，对新形势下加强党的建设和改善党的领导作出了战略部署。大会作出了三项具有深远意义的重大决策：一是确立邓小平建设有中国特色社会主义理论在全党的指导地位；二是确定了我国经济体制改革的目标是建立社会主义市场经济体制；三是抓住机遇，加快发展，集中精力把经济建设搞上去。

---

① 中共中央文献研究室编《邓小平年谱》第五卷，中央文献出版社2020年版，第645—646页。

② 中共中央文献研究室编《江泽民论有中国特色社会主义（专题摘编）》，中央文献出版社2002年版，第68页。

第一，确立邓小平建设有中国特色社会主义理论在全党的指导地位。

报告指出，十四年来，我们从事的事业，就是坚持党的基本路线，通过改革开放，解放和发展生产力，建设有中国特色的社会主义。它的实质和目标，是要从根本上改变束缚我国生产力发展的经济体制，建立充满生机和活力的社会主义新经济体制，同时相应地改革政治体制和其他方面的体制，以实现中国的社会主义现代化。十四年来，社会主义在中国的新局面和新成就，更使我们从历史的比较和国际的观察中认识到，我们党建设有中国特色社会主义的理论是正确的，是符合最广大人民的利益和要求的。这个理论，第一次比较系统地初步回答了中国这样的经济文化比较落后的国家如何建设社会主义、如何巩固和发展社会主义的一系列基本问题，用新的思想、观点，继承和发展了马克思主义，是马克思主义同中国实际相结合的最新成果，是当代中国的马克思主义，是指引我们实现新的历史任务的强大思想武器。邓小平同志是我国社会主义改革开放和现代化建设的总设计师，对建设有中国特色社会主义理论的创立做出了历史性的重大贡献。

报告指出，建设有中国特色社会主义理论的主要内容是：在社会主义的发展道路问题上，强调走自己的路，不把书本当教条，不照搬外国模式，以马克思主义为指导，以实践作为检验真理的唯一标准，解放思想，实事求是，尊重群众的首创精神，建设有中国特色的社会主义。在社会主义的发展阶段问题上，作出了我国还处在社会主义初级阶段的科学论断，强调这是一个至少上百年的很长的历史阶段，制定一切方针政策都必须以这个基本国情为依据，不能脱离实际，超越阶段。在社会主义的根本任务问题上，指出社会主义的本质是解放生产力，发展生产力，消灭剥削，消除两极分化，最终达到共同富裕。在社会主义的发展动力问题上，强调改革也是一场革命，也是解放生产力，是中国现代化的必由之路，僵化停滞是没有出路的。在社会主义建设的外部条件问题上，指出和平与发展是当代世界两大主题，必须坚持独立自主的和平外交政策，为我国现代化建设争取有利的国际环境。在社会主义建设的政治保证问题上，强调坚持社会主义道路、坚持人民民主专政、坚持中国共产党的领导、坚持马克思列宁主义毛泽东思想。这四项基本原则是立国之本。在社会主义建设的战略步骤问题上，提出基本实现现代化分三步走。在社会主义的领导力量和依靠力量问题上，强调作为工人阶级先锋队的共产党是社会主义事业的领导核心，党必须适应改革开放和现代化建设的需要，不断改善和加强对各方面工作的领导，改善和加强自身建设。在祖国统一的问题上，提出“一个国家、两种制度”的创造性构想。

报告指出，在建设有中国特色社会主义理论的指导下，我们党形成了社会主义初级阶段的基本路线，这就是：领导和团结全国各族人民，以经济建设为中心，坚持四项基本原则，坚持改革开放，自力更生，艰苦创业，为把我国建设成为富强、民主、文明的社会主义现代化国家而奋斗。“一个中心、两个基本点”，是这条路线的简明概括。

报告指出，十四年伟大实践的经验，集中到一点，就是要毫不动摇地坚持以建设有中国特色社会主义理论为指导的党的基本路线。坚持党的基本路线不动摇，关键是坚持以经济建设为中心不动摇，必须把改革开放同四项基本原则统一起来，必须巩固和发展团结稳定的政治局面。

大会提出了用邓小平建设有中国特色社会主义理论武装全党的任务。大会通过的党章修正案，写入了建设有中国特色社会主义理论和党在社会主义初级阶段的基本路线。这对于统一全党的思想和行动，夺取有中国特色社会主义事业的更大胜利，具有十分重大的意义，也为继续推进党的理论创新奠定了重要基础。

第二，确定了我国经济体制改革的目标是建立社会主义市场经济体制。

报告明确提出，我国经济体制改革的目标是建立社会主义市场经济体制。报告指出，我国经济体制改革确定什么样的目标模式，是关系整个社会主义现代化建设全局的一个重大问题。这个问题的核心，是正确认识和处理计划与市场的关系。实践的发展和认识的深化，要求我们明确提出，我国经济体制改革的目标是建立社会主义市场经济体制，以利于进一步解放和发展生产力。我们要建立的社会主义市场经济体制，就是要使市场在社会主义国家宏观调控下对资源配置起基础性作用，使经济活动遵循价值规律的要求，适应供求关系的变化；通过价格杠杆和竞争机制的功能，把资源配置到效益较好的环节中去，并给企业以压力和动力，实现优胜劣汰；运用市场对各种经济信号反应比较灵敏的优点，促进生产和需求的及时协调。同时也要看到市场有其自身的弱点和消极方面，必须加强和改善国家对经济的宏观调控。

报告指出，社会主义市场经济体制是同社会主义基本制度结合在一起的。在所有制结构上，以公有制包括全民所有制和集体所有制经济为主体，个体经济、私营经济、外资经济为补充，多种经济成分长期共同发展，不同经济成分还可以自愿实行多种形式的联合经营。国有企业、集体企业和其他企业都进入市场，通过平等竞争发挥国有企业的主导作用。在分配制度上，以按劳分配为主体，其他分配方式为补充，兼顾效率与公平。在宏观调控上，我们社会主义国家能够把人民的当前利益与长远利益、局部利益与整体利益结合起来，更好地发挥计划和市场两种手段的长处。

把社会主义制度与市场经济结合起来，建立和完善社会主义市场经济体制，是前无古人的伟大创举，是中国共产党人对马克思主义的重大发展，也是社会主义发展史上的重大突破。

第三，抓住机遇，加快发展，集中精力把经济建设搞上去。

报告指出，我国经济能不能加快发展，不仅是重大的经济问题，而且是重大的政治问题。现在国内条件具备，国际环境有利，既有挑战，更有机遇，是加快发展的好时机。集中力量把经济建设搞上去，力争国民经济在讲求效益的前提下有一个较高的增长速度，是完全正确和可能的。因此，报告对我国在 20 世纪 90 年代经济发展速度作出调整，从原定的国民生产总值平均每年增长6%调整为8%～9%；到20世纪末，我国国民经济整体素质和综合国力将迈上一个新的台阶，国民生产总值将超过原定比1980年翻两番的要求，人民生活由温饱进入小康。报告指出，当前，有条件能搞快一些的就快一些，只要是质量高、效益好、适应国内外市场需求变化的，就应当鼓励发展。要坚持从实际出发，注意量力而行，搞好综合平衡，不要一讲加快发展，就一哄而起，走到过去那种忽视效益，片面追求产值，争相攀比，盲目上新项目，一味扩大基建规模的老路上去。要真抓实干，大胆而又细致地工作，齐心协力办好几件大事，走出一条既有较高速度又有较好效益的国民经济发展路子。

报告还对加快经济发展作出战略部署，提出了必须努力实现关系全局的十个方面的主要任务。其中，第一方面明确指出，围绕社会主义市场经济体制的建立，加快经济改革步伐。建立社会主义市场经济体制，要认真抓好几个相互联系的重要环节：一是转换国有企业特别是大中型企业的经营机制，把企业推向市场，增强它们的活力，提高它们的素质。这是建立社会主义市场经济体制的中心环节，是巩固社会主义制度和发挥社会主义优越性的关键所在。通过理顺产权关系，实行政企分开，落实企业自主权，企业真正成为自主经营、自负盈亏、自我发展、自我约束的法人实体和市场竞争的主体，并承担国有资产保值增值的责任。当前实行的经营承包制应当进一步完善。股份制有利于促进政企分开、转换企业经营机制和积聚社会资金，要积极试点，总结经验，抓紧制定和落实有关法规，使之有秩序地健康发展。鼓励有条件的企业联合、兼并，合理组建企业集团。国有小型企业，有些可以出租或出售给集体或个人经营。二是加快市场体系的培育。继续大力发展商品市场特别是生产资料市场，积极培育包括债券、股票等有价证券的金融市场，发展技术、劳务、信息和房地产等市场，尽快形成全国统一的开放的市场体系。加强市场制度和法规建设，坚决打破条条块块的分割、封锁和垄断，促进和保护公平竞争。价格改革是市场发育和经济体制改革的关键，应当根据各方面的承受能力，加快改革步伐，积极理顺价格关系，建立起以市场形成价格为主的价格机制。三是深化分配制度和社会保障制度的改革。统筹兼顾国家、集体、个人三者利益，理顺国家与企业、中央与地方的分配关系，逐步实行利税分流和分税制。加快工资制度改革，逐步建立起符合企业、事业单位和机关各自特点的工资制度与正常的工资增长机制。积极建立待业、养老、医疗等社会保障制度，努力推进城镇住房制度改革。四是加快政府职能的转变。这是上层建筑适应经济基础和促进经济发展的大问题。不在这方面取得实质性进展，改革难以深化，社会主义市场经济体制难以建立。转变的根本途径是政企分开。凡是国家法令规定属于企业行使的职权，各级政府都不要干预。下放给企业的权利，中央政府部门和地方政府都不得截留。政府的职能，主要是统筹规划、掌握政策、信息引导、组织协调、提供服务和检查监督。进一步改革计划、投资、财政、金融和一些专业部门的管理体制，同时强化审计和经济监督，健全科学的宏观管理体制与方法。合理划分中央与省、自治区、直辖市的经济管理权限，充分发挥中央和地方两个积极性。

报告指出，对外开放的地域要扩大，形成多层次、多渠道、全方位开放的格局。继续办好经济特区、沿海开放城市和沿海经济开放区。扩大开放沿边地区，加快内陆省、自治区对外开放的步伐。以上海浦东开发开放为龙头，进一步开放长江沿岸城市，尽快把上海建成国际经济、金融、贸易中心之一，带动长江三角洲和整个长江流域地区经济的新飞跃。加速广东、福建、海南、环渤海地区的开放和开发。力争经过二十年的努力，使广东及其他有条件的地方成为我国基本实现现代化的地区。报告还指出，科学技术是第一生产力。振兴经济首先要振兴科技。只有坚定地推进科技进步，才能在激烈的竞争中取得主动。当前，我国经济正面临着加速发展、调整结构、提高效益的重大任务，尤其需要全社会提高科技意识，多方面增加科技投入，真正依靠科技进步。努力提高科技进步在经济增长中所占的含量，促进整个经济由粗放经营向集约经营转变。

大会决定，不再设立中央顾问委员会。从党的十二大到十四大，中央顾问委员会协助党中央，为维护党的团结和社会稳定，推进改革开放和现代化建设，做了大量卓有成效的工作，在新的历史时期为党、国家和人民建立了历史性功绩，出色地完成了自己的使命。

1992 年 10 月 19 日，党的十四届一中全会选举产生了新一届中央政治局和中央书记处。选举江泽民、李鹏、乔石、李瑞环、朱镕基、刘华清、胡锦涛为中央政治局常委，江泽民为中央委员会总书记；决定江泽民为中央军事委员会主席；批准尉健行为中央纪律检查委员会书记。19 日下午，作为大会特邀代表的邓小平来到人民大会堂，与在党的十四届一中全会上新当选的中央领导人一起出席党的十四大的代表见面会并合影留念。代表们的掌声经久不息，表达了对这位改革开放和社会主义现代化建设的总设计师的敬意和热爱之情。1993 年 3 月，第八届全国人民代表大会第一次会议选举江泽民为中华人民共和国主席、中华人民共和国中央军事委员会主席，乔石为全国人大常委会委员长；决定李鹏为国务院总理。

以邓小平南方谈话和党的十四大召开为标志，中国改革开放和社会主义现代化建设进入新阶段。

第三节　加快建立社会主义市场经济体制步伐

按照党的十四大关于建立社会主义市场经济体制的重大决策，党中央、国务院作出一系列相应的体制改革和政策调整，同时抓紧制定总体规划，并有计划、有步骤地加以实施。

1992 年 10 月 19 日，江泽民在党的十四届一中全会上的讲话中强调，要注意研究和解决一些深层次的问题和新出现的问题。比如，重复建设，盲目上新项目、铺新摊子，片面追求产值和指标，不注重提高质量和效益。他指出：“我们要继续在改革上下功夫，通过改革来推动经济发展。现在已经明确提出要建立社会主义市场经济体制。这就要求我们在思想认识、管理制度、领导方法等方面都必须相应地来一个很大的转变。过去有许多做法和经验已经不适用了，要根据新的实践要求，重新学习，不断创新，与时俱进。”[①]

12月14日至18日，全国计划会议在北京召开。这次会议是党的十四大之后国务院召开的全面部署1993年经济工作的一次重要会议。会议的中心议题是，认真贯彻落实党的十四大精神，研究确定1993年改革开放和经济建设的任务，安排好国民经济和社会发展计划，并就“八五”计划的必要调整交换意见。与以往计划会议不同的是，这次计划会议改变了过去偏重定指标、分投资、分物资的做法，重点放在正确分析当前经济形势与第二年发展趋势，以及国内外市场环境上，合理确定宏观经济目标、发展重点和重大建设项目，以及相应的方针政策和改革措施，引导资源合理配置和市场健康运行。中共中央总书记江泽民、国务院总理李鹏出席闭幕会并发表讲话。江泽民指出，一定要处理好发挥市场作用与加强宏观调控的关系。目前宏观调控的重点，是从严控制经济总量，特别是要把好金融、货币总闸门。国家计划是宏观调控的重要手段之一。当然，宏观调控不单单是计划手段，还有好多手段，包括金融、财政等。李鹏在讲话中指出，社会主义市场经济包括了市场和计划两种调控手段，必须十分重视和发展各类市场，发挥市场在资源配置中的基础作用。同时，也必须加强和改进国家宏观调控，改革计划管理，更好地发挥市场和计划两种手段的作用。

与此同时，为适应市场经济发展的需要，正确反映我国所有制结构，适应宏观决策和业务管理的需要，国家统计局和国家工商行政管理局在调查研究的基础上，以生产资料的所有制性质和国家有关法规作为划分经济类型的依据，对1980年确定的经济类型划分标准进行了修订、补充，并联合印发了修订后的《关于经济类型划分的暂行规定》，要求各地区及有关部门按照新的经济类型划分标准组织贯彻执行。新的标准将我国经济成分划分为9种类型，即国有经济、集体经济、私营经济、个体经济、联营经济、

① 江泽民：《江泽民文选》第一卷，人民出版社2006年版，第256页。

股份制经济、外商投资经济、港澳台投资经济和其他经济。[①]

1992 年 12 月 21 日至 23 日，国务院召开全国经济工作会议。国务院总理李鹏在会上指出，当前和今后一个时期内，要把培育和发展市场体系作为加快经济发展的一项战略性任务来抓，着重抓好几件事：一是切实转变政府职能。二是紧紧抓住转换企业经营机制这个环节，把企业推向市场。既要建立激励机制，又要有约束机制。三是抓好市场建设，重点抓好生产资料市场建设，促进相关市场的发育和形成。四是为了适应建立社会主义市场经济体制和加快经济发展的需要，要逐步建立符合经济规律的价格机制。五是按照社会主义市场经济的要求，抓紧建立健全有关法律、法规，逐步形成一套适合我国国情的市场经济管理法规体系和执行监督体系，促进市场经济运行的规范化和法制化。六是加强国家对经济的宏观调控。加强信息系统建设，加强对市场运行情况的监测和供需预测，以保证国家调控的科学性、准确性。

建立市场经济体制的改革，涉及社会生活的方方面面，牵一发而动全身，不可能一帆风顺，但只能用深化改革来冲破发展中的障碍，用发展的办法来解决前进中的问题。

1993 年 1 月 10 日，李鹏在全国经济体制改革工作会议闭幕会上讲话指出，今年的改革工作，要紧紧围绕建立社会主义市场经济体制的改革目标，进一步解决经济发展和经济体制改革中的深层次问题，既在体制转换的一些重要领域取得实质性进展，又能促进国民经济更好地发展。3 月 7 日，江泽民在党的十四届二中全会上指出，加快经济发展，关键是继续深化改革、扩大开放，努力探索建立社会主义市场经济体制的具体路子。建立社会主义市场经济体制，是一项巨大的社会系统工程。在这个过程中，我们要积极探索如何综合地、协同地运用经济手段、法律手段和必要的行政手段，建立起适应社会主义市场经济发展要求的新的宏观调控体系。3 月 13

① 张国荣：《我国经济类型划分新标准出台》，《人民日报》1992 年 12 月 19 日。

日，在八届全国人大一次会议、全国政协八届一次会议党员负责人会议上的讲话中，江泽民再次强调，社会主义市场经济体制的建立和完善必须要有法律作保障。他指出："法制是市场经济运行的依托。没有健全的社会主义法制，就没有社会主义市场经济的健康发展。经济的发展离不开法制，只有法制完备，社会和经济秩序井然，才能使经济发展快、效益好，在激烈的国际竞争中站得住脚。在本世纪内，我们应努力把适应社会主义市场经济的法律体系初步建立起来。"①

1993 年 3 月 15 日至 31 日，第八届全国人民代表大会第一次会议在北京举行。会议接受中共中央的建议，同意把"社会主义市场经济体制"写进《中华人民共和国宪法》修正案的第七条中，这标志着实行社会主义市场经济体制以国家根本大法的形式被确定下来。

6 月 14 日，江泽民在西北五省区经济工作座谈会上强调，加快建立国家经济宏观调控体系，是建立社会主义市场经济体制的重要内容，也是深化改革的重要方面。他指出："那种以为搞市场经济就可以离开国家的宏观指导和调控，放任自流、自行其是、随心所欲，完全是一种误解。市场经济不仅不排斥宏观调控，而且必须有完备的有力的宏观调控体系的支持。"②

经过广泛深入的专题调研，1993 年 11 月 11 日至 14 日，党的十四届三中全会召开。江泽民在会上作了《更好地组织和推进社会主义市场经济体制的建立》的讲话，他明确提出要"正确处理加强宏观调控和发挥市场作用的关系"。他指出："社会主义市场经济体制是同社会主义基本制度结合在一起的。建立社会主义市场经济体制，就是要使市场在国家宏观调控下对资源配置起基础性作用。国家宏观调控和市场机制的作用，都是社会主义市场经济体制的本质要求，二者是统一的，是相辅相成、相互促进的。""建立社会主义市场经济体制，必须从充分发挥市场机制作用和加强宏

① 中共中央文献研究室编《江泽民论有中国特色社会主义（专题摘编）》，中央文献出版社 2002 年版，第 329—330 页。

② 江泽民：《论社会主义市场经济》，中央文献出版社 2006 年版，第 90 页。

观调控这两个方面共同努力。每个时期工作的着重点可以有所不同，根据不同的实际情况，有的时候强调市场作用多一些，有的时候强调国家宏观调控多一些，但切不可在强调一个方面的时候，忽视以至放松了另外一个方面。”[①] 这一讲话很有针对性，是符合中国国情的。

全会审议通过了《中共中央关于建立社会主义市场经济体制若干问题的决定》(以下简称《决定》)。《决定》共50条，分10个部分，包括：(一)中国经济体制改革面临的新形势和新任务；(二)转换国有企业经营机制，建立现代企业制度；(三)培育和发展市场体系；(四)转变政府职能，建立健全宏观经济调控体系；(五)建立合理的个人收入分配和社会保障制度；(六)深化农村经济体制改革；(七)深化对外经济体制改革，进一步扩大对外开放；(八)进一步改革科技体制和教育体制；(九)加强法律制度建设；(十)加强和改善党的领导，为20世纪末初步建立社会主义市场经济体制而奋斗。

《决定》指出，在邓小平建设有中国特色社会主义的理论指导下，经过十多年改革，中国经济体制发生了巨大变化。以公有制为主体的多种经济成分共同发展的格局初步形成，农村经济体制改革不断深入，国有企业经营机制正在转换，市场在资源配置中的作用迅速扩大，对外经济技术交流与合作广泛展开，计划经济体制逐步向社会主义市场经济体制过渡。改革解放和发展了社会生产力，推动中国经济建设、人民生活和综合国力上了一个大台阶。改革开放迈出新的步伐，宏观调控取得积极成效，经济蓬勃发展，社会政治稳定。要紧紧抓住国内国际的有利时机，加快建立社会主义市场经济体制的进程，实现国民经济持续、快速、健康发展。

《决定》指出：“社会主义市场经济体制是同社会主义基本制度结合在一起的。建立社会主义市场经济体制，就是要使市场在国家宏观调控下对资源配置起基础性作用。为实现这个目标，必须坚持以公有制为主体、多

---

① 中共中央文献研究室编《江泽民论有中国特色社会主义（专题摘编）》，中央文献出版社2002年版，第73—74页。

种经济成分共同发展的方针，进一步转换国有企业经营机制，建立适应市场经济要求，产权清晰、权责明确、政企分开、管理科学的现代企业制度；建立全国统一开放的市场体系，实现城乡市场紧密结合，国内市场与国际市场相互衔接，促进资源的优化配置；转变政府管理经济的职能，建立以间接手段为主的完善的宏观调控体系，保证国民经济的健康运行；建立以按劳分配为主体，效率优先、兼顾公平的收入分配制度，鼓励一部分地区一部分人先富起来，走共同富裕的道路；建立多层次的社会保障制度，为城乡居民提供同我国国情相适应的社会保障，促进经济发展和社会稳定。这些主要环节是相互联系和相互制约的有机整体，构成社会主义市场经济体制的基本框架。必须围绕这些主要环节，建立相应的法律体系，采取切实措施，积极而有步骤地全面推进改革，促进社会生产力的发展。”①

《决定》指出，建立社会主义市场经济体制是一项开创性的伟大事业。要毫不动摇地坚持邓小平建设有中国特色社会主义的理论和党在社会主义初级阶段的基本路线，以是否有利于发展社会主义社会的生产力，是否有利于增强社会主义国家的综合国力，是否有利于提高人民的生活水平，作为决定各项改革措施取舍和检验其得失的根本标准。在推进改革的过程中，注意把握好以下几点：

——解放思想，实事求是。要转变计划经济的传统观念，提倡积极探索，敢于试验。既继承优良传统，又勇于突破陈规，从中国国情出发，借鉴世界各国包括资本主义发达国家一切反映社会化生产和市场经济一般规律的经验。要警惕右，主要是防止“左”。

——以经济建设为中心，改革开放、经济发展和社会稳定相互促进，相互统一。发展是硬道理。只有抓住有利时机，深化改革，扩大开放，加快发展，才能巩固安定团结的政治局面。只有坚持四项基本原则，坚持两手抓，保持社会政治稳定，才能有力地保证改革开放和经济发展的顺利推

---

① 中共中央文献研究室编《十四大以来重要文献选编》（上），中央文献出版社 2011 年版，第453 页。

进。在积极发展经济和改革开放的过程中，注意稳妥，避免大的损失和社会震动。

——尊重群众首创精神，重视群众切身利益。及时总结群众创造出来的实践经验，尊重群众意愿，把群众的积极性引导好、保护好、发挥好。在深化改革和发展经济的过程中，妥善处理积累和消费、全局和局部、长期利益和近期利益的关系，不断提高群众生活水平，使改革赢得广泛而深厚的群众基础。

——整体推进和重点突破相结合。改革从农村起步逐渐向城市拓展，实现城乡改革结合，微观改革与宏观改革相配套，对内搞活和对外开放紧密联系、相互促进，是符合中国国情的正确决策。重大的改革举措，根据不同情况，有的先制订方案，在经济体制的相关方面配套展开；有的先在局部试验，取得经验后再推广。既注意改革的循序渐进，又不失时机地在重要环节取得突破，带动改革全局。[①]

《决定》指出，建立社会主义市场经济体制，加快现代化建设步伐，必须坚持和改善党的领导，加强党的自身建设。要用邓小平建设有中国特色社会主义的理论武装全党，提高贯彻执行党的基本路线和发展社会主义市场经济方针政策的坚定性和自觉性。适应建立社会主义市场经济体制和经济发展的要求，积极推进政治体制改革，加强社会主义民主政治和法制建设。坚持两手抓、两手都要硬的方针，加强社会主义精神文明建设。深入开展反腐败斗争，切实抓好廉政建设。加强社会治安综合治理，巩固和发展安定团结的政治局面。

《决定》把党的十四大确定的经济体制改革的目标和基本原则进一步系统化、具体化，制定了社会主义市场经济体制的总体规划。它既总结了我国改革开放的基本经验，也借鉴了市场经济发达国家的有益经验，回答了

---

① 中共中央文献研究室编《十四大以来重要文献选编》（上），中央文献出版社 2011 年版，第 454—455 页。

改革实践中提出的许多重大问题，在理论上和政策上都有新的突破，是20世纪90年代我国进行社会主义经济体制改革的行动纲领，对中国改革开放和社会主义现代化建设产生了重大而深远的影响。

第四节　加强调控，实现经济发展“软着陆”

正如江泽民所强调的那样，推进社会主义市场经济体制的建立，必须正确处理加强宏观调控和发挥市场作用的关系。经过20世纪80年代末90年代初的治理整顿后，中国经济自1991年开始出现回升，GDP（国内生产总值）增长从1990年3.9%的谷底上升到8%。1992年邓小平南方谈话发表后，经济增长迅速加快，全年GDP实际增长超过14%。在沿海经济发达地区，增长更为迅猛。比如，江苏达到27%、广东达到18.7%、浙江达到17%、山东达到16.9%、福建达到16.3%、上海达到14.4%。

但值得注意的是，许多地方对邓小平的“发展是硬道理”等理论没有真正理解，在贯彻执行时搞偏了，不管有没有条件，到处搞开发区。不少地方出现了开发区热、房地产热以及乱拆借、乱集资，金融秩序混乱等现象。就房地产来说，1991年全国约有3000家大小房地产企业，1992年猛增到1.2万家，商品房投资1992年比1991年增长94%，1993年上半年又比1992年同期增长143%，分别比全社会固定资产投资增幅高出60个百分点和72个百分点；据对25个省市的统计数据显示，共批准各类开发区1993个，规划面积9150平方公里，加上未经批准县乡自定的开发区，数量更多，其中不少开发区大量“跑马圈地”，又引不进项目和资金，大片土地撂荒。大量流入股市、房地产市场的资金，有相当部分主要被用于投机炒作，股价、房价、地价急剧上升，更使巨额投资陷入泡沫的泥坑。而急需增加投入的农业、能源、交通运输等部门却得不到应有的支持。这些部门在全国投资总额中的比重不仅没有提高，反而有所下降。特别是作为国民经济基础的农业，“七五”期间国家基本建设对农业支出的资金占同期全部投资的比重由“六五”期间的5%下降到3.3%。1990年、1991年分别为3.9%和4%，1992年下降为3.7%，1993年又下降为2.8%。农田水利等基础设施欠账不断增多，加上大量土地资源被开发区和房地产建设占用，农村资金和劳动力也受比较利益的影响加速外流，使棉、粮等主要农产品的市场出现滑坡，农业“腿短”，引起物价上涨。

对于出现的这种不良苗头，1992年4月4日，江泽民在给中央政治局常委等同志的信中强调，要把干部群众的积极性引导好、保护好、发挥好，要抓紧有利时机，力争实现和保持比较高的发展速度，但是务必结合各地区、各部门的实际，区分不同情况，具体加以落实；要在深化改革上狠下功夫，避免只在扩大投资规模上做文章，以防出现新的重复建设和产品积压。10月，江泽民在党的十四大报告中指出，要坚持从实际出发，注意量力而行，搞好综合平衡，不要一讲加快发展，就一哄而起，走到过去那种忽视效益，片面追求产值，争相攀比，盲目上新项目，一味扩大基建规模的老路上去。要真抓实干，大胆而又细致地工作，齐心协力办好几件大事，走出一条既有较高速度又有较好效益的国民经济发展路子。

在党的十四大精神的指导下，1992年底，经济学家们在预测中国1993年经济形势时普遍认为，进入1993年后经济增长势头会有所减弱，全年经济增长在10%左右。然而，1993年刚开始不久，人们就惊讶地发现经济增长形势有些出乎意料。第一季度国内生产总值比1992年同期增长14.1%，工业生产总值增长22.4%，国有单位固定资产投资增长70%，社会商品零售总额增长16.2%。第二季度经济继续超高速增长：上半年工业生产总值增长25.1%，其中6月份达到创纪录的30.2%；全社会固定资产投资增长61%；其中国有企业投资增长70.7%；社会商品零售总额增长21.6%；国内生产总值增长13.9%。显然，全年的经济增长肯定不会在10%打住。

随着经济增长速度迅速攀升，国内外不少人士指出，中国经济又一次出现过热现象。判断经济是否过热，不是看经济的绝对增长速度有多快，而是要看资源供应是否适应经济增长需要和是否产生了明显的通货膨胀。而 1993 年中国的经济增长恰恰是伴生了明显的通货膨胀，同时，能源、重要原材料，尤其是交通运输的“瓶颈”也日益突出。

就物价来说，1993 年上半年，全国零售物价比 1992 年同期增长 10.5%，城乡居民生活费用价格指数上涨 13%，35 个大中城市居民生活费用价格上涨 17.4%。就“瓶颈”来看，最细的一个“瓶颈”是铁路运输。1992 年，铁路运输货物满足率仅有 50% 左右。到 1993 年，铁路运输紧张程度有增无减。铁道部虽采取了种种措施，有的地方甚至出现“停三开四”现象，但都不过是杯水车薪。原材料也日趋紧张。1992 年生产材料价格上涨幅度达 25% 左右，而 1993 年一季度，全国生产资料价格总水平又比 1992 年同期上涨 38%。[①]

受此影响，1993 年上半年货币投放过量，全社会资金增量约 5400 亿元，金融秩序混乱；居民储蓄下降，1993 年 3 月比上年减少 44 亿元，大量资金体外循环，银行正常贷款不能保证，有的基层银行甚至出现支付困难。同时，财政困难加剧，企业生产成本上升，出口增长乏力。

经济发展中的“过热”苗头，很快引起党中央和国务院领导的重视。1993 年 3 月，在党的十四届二中全会上，江泽民强调，发挥市场的积极作用，离不开国家的宏观调控。这不仅是我国，也是当今世界发达国家的经验所证明了的。国家有效的宏观调控，是建立和完善社会主义市场经济体制所必需的。要在充分发挥市场配置资源的基础性作用的同时，加强国家宏观调控，使国民经济更好地健康发展。他指出，目前我们宏观调控的重点，是控制投资规模，管好信贷规模和货币发行量这两个闸门，调控国家财政收支，保持重大经济比例关系的基本平衡，按经济规律办事。全会审议通过了《中共中央关于调整“八五”计划若干指标的建议》，将国民经济增长速度由原定的平均每年 6% 调整到 8% ~ 9%。

① 包月阳：《一九九三中国经济软着陆》，《经贸世界》1994 年第 1 期。

1993 年 3 月 17 日，在中央财经领导小组会议上，江泽民又一次指出，“在肯定成绩的同时，要清醒地看到不良的苗头、倾向和潜伏的问题，以及这些问题发展下去可能造成的严重后果”[①]，要“采取必要的政策措施，加强宏观调控”[②]。他说：“必须按计划严格控制固定资产投资和消费基金的增长幅度。除了计划内的重点项目，今年原则上不准再上新的项目。对在建项目，要进行一次认真的排队，按照产业政策和资金、物资的可能，确保建设重点。特别要注意严格控制计划外的项目，鉴于目前项目审批权限下放，要从资金来源上把好关。开发区不能一哄而起，一定要量力而行。去年，各地开发区办得过多，应该认真进行清理，每个省区市应该集中力量办好一两个。对那些没有项目的、准备不充分的、目前还在‘晒太阳’的已征耕地，要种上庄稼。各地对开发区的优惠政策，不能违反国家的统一规定。工资和奖金的增加，一定要与经济效益挂钩，其增长幅度不得超过效益的增长。要严格控制社会集团消费过快增长。”[③]

4 月 1 日，江泽民在中央经济情况通报会上强调：“我们要注意认真总结历史的经验教训，特别是要注意汲取历史上造成几次较大经济波折的经验教训，善于掌握带有规律性的东西。力求在经济建设上，既保持一个较快的增长速度，又争取有一个较为合理的经济结构、产业结构，实现速度和效益的同步增长；既坚持微观放开搞活，又加强宏观调控，实现总量的基本平衡；既抓好沿海地区和重点行业的发展，又考虑到中西部地区和其他行业的发展。……中央提出防止经济过热，就是为了提醒大家注意稳妥，避免大的起伏，避免大的损失，把经济发展的好势头保持下去。”[④]

根据中央和江泽民讲话的精神，4 月中下旬，国务院先后发布《国务院关于坚决制止乱集资和加强债券发行管理的通知》《国务院关于严格审批和认真清理各类开发区的通知》等文件。

---

① 江泽民：《江泽民文选》第一卷，人民出版社 2006 年版，第 295 页。
② 江泽民：《江泽民文选》第一卷，人民出版社 2006 年版，第 296 页。
③ 江泽民：《江泽民文选》第一卷，人民出版社 2006 年版，第 296—297 页。
④ 江泽民：《论社会主义市场经济》，中央文献出版社 2006 年版，第 49 页。

5 月 11 日，在华东六省一市经济工作座谈会上，江泽民在讲话中指出，当前我国经济发展中出现的一些矛盾和问题，从根本上讲，是经济体制转换过程中发生的问题。解决这些问题，不能沿用过去的老办法，而应通过改革，主要运用经济手段、法律手段，辅之以必要的行政手段，加强宏观调控力度，对经济运行进行有效的驾驭，使经济生活中的矛盾得以缓解，努力保持和发展经济运行的好形势。

5 月 13 日，一批知名的国际政治活动家汇聚上海，参加第十一届国际行动理事会。他们大都是各国退休的国家元首或政府首脑。这次会议的主题是关于中国的经济发展问题。中国的经济过热现象引起了他们的注意。会议特别邀请刚刚在八届全国人大一次会议上出任国务院副总理的朱镕基到会阐述中国改革开放政策和经济形势。朱镕基表示，中国政府有信心来解决这个问题。

5 月 19 日，江泽民给国务院领导同志写信，强调指出，对于经济中存在的突出问题，要抓紧时机解决，否则解决问题的时机就会稍纵即逝，倘若问题积累，势必酿成大祸。对于江泽民提出的加强宏观调控、突出抓金融工作的意见，邓小平表示非常支持。

加强对经济的宏观调控逐渐成为中央工作的重中之重。

1993 年 5 月下旬，党中央作出深化改革、加强和改善宏观调控的重大决策，强调要把解放思想和实事求是统一起来，把加快发展的注意力集中到深化改革、转换机制、优化结构、提高效益上来。坚持从全局出发、从长远的持续发展出发，协调行动步伐，处理好局部与全局的关系。

6 月 20 日，江泽民就经济运行中存在的问题向邓小平作了汇报，建议由国务院副总理朱镕基兼任中国人民银行行长。

6 月 24 日，《中共中央、国务院关于当前经济情况和加强宏观调控的意见》（以下简称《意见》）颁布。《意见》指出，我国经济在继续大步前进中，也出现了一些新的矛盾和问题，某些方面的情况还比较严峻。一是货币过量投放，金融秩序混乱；二是投资需求和消费需求都出现膨胀的趋势；三是财政困难状况加剧；四是由于工业增长速度越来越快，基础设施和基础工业的“瓶颈”制约进一步强化；五是出口增长乏力，进口增长过快，国家外汇结存下降较多；六是物价上涨越来越快，通货膨胀呈现加速之势。上述情况表明，当前的宏观经济环境绷得很紧，有些矛盾和问题还在继续发展，如果不抓住时机，进一步深化改革，抓紧实施宏观调控措施，势必导致社会供需总量严重失衡，通货膨胀进一步加剧，甚至会引起经济大的波动，影响社会安定。为此，文件提出一系列加强和改善宏观调控的十六条措施（以下简称“十六条”），有三分之二的内容属于整顿经济秩序，而且以金融、财税为主。其中包括：（1）严格控制货币发行，控制基础货币投放闸门；（2）纠正违章拆借资金，人民银行停止对非银行金融机构发放贷款，已发放的要限期收回，专业银行之间的正常资金拆借要严格按人民银行规定的用途、期限、利率进行，全面清理、收回不合理的拆借资金；（3）限期清理、制止各种乱集资，制定集资管理条例，规范集资行为；（4）严格控制信贷总规模，对产品无销路、效益不好或挪用资金参与乱集资、炒房地产、炒股票的企业要减少以至停止贷款，对囤积外汇额度或不按规定及时结汇的外贸公司，从严控制贷款发放；（5）建立存款支付责任制，在全国范围统一调度资金，保证对储蓄存款的支付；（6）严格执行人民银行公布的法定利率，清理在利率外收取手续费或其他变相提高利率的行为；（7）完善有价证券发行和规范市场管理，取缔有价证券黑市交易；（8）改进外汇管理，加强结汇纪律，对留成的外汇额度和现汇实行限期使用，取缔炒买炒卖外汇等投机活动；（9）强化税收征管，各地超越权限自行制定的各项减免政策，一律先停止执行，再逐项审核，做出处理；（10）组织全国财税大检查，重点检查偷税漏税和越权免税；等等。《意见》指出，在解决问题时，要切实贯彻“在经济工作中要抓住机遇，加快发展，同时要注意稳妥，避免损失，特别要避免大的损失”的重要指导思想，把加快发展的注意力集中到深化改革、转换机制、优化结构、提高效益上来。

“十六条”一出，表明了中央的决心，震撼全国。据时任中华人民共和国国家计划委员会（简称“国家计委”）主任陈锦华回忆：“十六条”也不是一开始就明确要搞的。起初是一步一步采取措施，但制止不住经济过热。如果此前已经见效，也就不用发这个文件了。1992 年全国计划会议就开始强调加强宏观调控，1993 年 3 月，开书记、省长会讲防止经济过热，4 月，国务院发文件，制止乱集资、乱拆借，强调加强债券管理。到 5 月，国务院又发文件，清理开发区，控制固定资产投资规模。但所有这些，都未能收到明显成效。国务院派工作组下去考察，回来汇报说，问题还在发展。这样才不得不搞“十六条”。最初这个文件想叫《中共中央关于当前稳定经济的决定》，后来考虑，“决定”这个词重了一点，又考虑过叫“通知”，但又感觉轻了一点，最后叫《中共中央、国务院关于当前经济情况和加强宏观调控的意见》。文件下发后，又组织了七个工作组，都是正部长带队，到各地检查落实。①

为集思广益，6 月 29 日，中共中央召开党外人士座谈会，与党外人士座谈当前经济工作，听取各方面意见。

为加强对金融工作的领导，7 月 2 日，八届全国人大常委会第二次会议决定，国务院副总理朱镕基兼任中国人民银行行长。朱镕基一上任，对金融混乱状况立即重拳出击。

7 月 5 日至 7 日，全国金融工作会议在北京举行。朱镕基在会上强调，要坚决贯彻落实党中央、国务院关于当前经济工作的一系列重要决策，推进金融改革，整顿金融秩序，强化宏观调控。他说，强化宏观调控，不是实行全面紧缩，而是进行结构调整。当前我国经济的高速发展从总体上讲是健康的，前进过程中发生的问题通过加快和深化改革就可以解决，没有必要实行全面紧缩，今后也不会采取全面紧缩的政策。优化产业结构、解决“瓶颈”制约，是当务之急。必须根据国家产业政策，迅速调整资金投

---

① 陈锦华：《关于二十世纪九十年代确立社会主义市场经济体制和加强国家宏观调控问题有关情况的回顾》，《党的文献》2008 年第 4 期。

向，确保工农业生产和基础设施建设的需要，促进国民经济持续、稳定发展。金融改革的重点是，强化中央银行的职能，加快形成统一、有效的宏观调控机制。通过改革，建立一个在国务院领导下的独立执行货币政策的中央银行体系，建立一个中央银行监管下的以国家政策性银行和国有商业银行为主体的、多种金融机构并存的金融组织体系，建立一个统一、开放、高效、有序的金融市场体系。

7 月 20 日至 23 日，全国财政工作会议和全国税务工作会议在北京同时召开。23 日，朱镕基在会上发表了《整顿财税秩序，严肃财经纪律，强化税收征管，加快财税改革》的讲话，强调通过整顿和改革来强化宏观调控。同时，国家对金融部门和财税部门提出“约法三章”，要求他们除坚决执行停止违章拆借、不再提高和变相提高利率，严格控制税收减免，严格控制财政赤字外，立即与自己所办的各种经济实体脱钩，使这些部门加强自律，从混乱局面中解脱出来，更好地执行整顿金融和财税的任务。8 月 16 日，《国务院批转国家计委关于加强固定资产投资宏观调控具体措施的通知》发布，文件强调，在加快投资体制改革的同时，要加强对固定资产投资的宏观调控。

8 月 25 日至 27 日，江泽民在大连主持召开华北、东北八省（区、市）经济工作座谈会，听取华北、东北八省（区、市）负责人贯彻落实中央关于加强宏观调控的政策措施情况的汇报。江泽民指出，这次中央采取宏观调控措施，主要是运用符合市场经济规律的经济手段、法律手段和必要的行政手段，解决经济生活中的一些突出矛盾和问题，目的是深化改革，转换机制，优化结构，提高效益。为了实现这一目标，必须统一思想，统一行动，做到令行禁止，确保中央的各项政策措施落到实处。

一个月后，9 月 27 日至 29 日，江泽民又在广州主持召开中南、西南十省区经济工作座谈会。他指出，抓住机遇，加快发展，集中力量把经济建设搞上去，是我们坚定不移的方针。各地都要从实际出发，既要有紧迫感，不丧失发展的时机；又要尊重客观规律，量力而行，注意稳妥，避免损失，特别是大的损失。

1993 年 11 月，党的十四届三中全会通过了《中共中央关于建立社会主义市场经济体制若干问题的决定》，制定了比较具体的建立市场经济体制的方针政策。其中，转变政府职能，建立健全宏观经济调控体系是主要内容。

1993 年 12 月 1 日至 4 日，中央经济工作会议在北京召开。李鹏在会议开幕时指出，我国国民经济今年继续保持快速发展的势头，总的形势是好的。对于经济快速发展中出现的突出矛盾和问题，党中央和国务院及时采取了加强和改善宏观调控的措施，经过各级政府和各个部门的共同努力，已经取得了积极成效。江泽民在会议闭幕时指出，要全面正确地分析和把握形势，形势越好，越要保持清醒，善于及时发现和解决前进中出现的新问题，特别是带有倾向性的问题，越要注意把干部和群众的积极性引导好、保护好、发挥好，注意协调好各方面的关系，调动一切积极因素，为国民经济健康发展创造有利的条件。

12 月 25 日，国务院发布《国务院关于金融体制改革的决定》，提出金融体制改革的目标是：建立在国务院领导下，独立执行货币政策的中央银行宏观调控体系；建立政策性金融与商业性金融分离，以国有商业银行为主体、多种金融机构并存的金融组织体系；建立统一开放、有序竞争、严格管理的金融市场体系。

在党中央、国务院的正确领导下，经过各地区、各部门的共同努力，1993 年宏观调控的各项政策、措施得以全面贯彻落实，并取得了积极成效。过快的工业增长速度开始回落，从 6 月份当月 30.2% 的最高增幅回落到 10 月份的 16.4%，开发区热、房地产热开始降温。财政收入加快增长，全年国家财政收入比 1992 年增长 24.8%，收支相抵，财政赤字 293 亿元，控制在年初预算确定的目标之内。金融形势趋于好转，初步制止了乱集资、乱拆借，居民储蓄存款回升，全年城乡居民储蓄存款增加 3217 亿元，比 1992 年增加 779 亿元。货币投放得到有效控制，全年货币发行量基本实现了控制目标。人民币汇率趋于稳定，外汇调剂市场人民币对美元的汇价由 1992 年的 11∶1 迅速回落到 8.8∶1 左右。全年国内生产总值增长 13.5%，比 1992 年回落 0.7 个百分点。但是物价涨势仍然较猛，全年商品零售价格上涨 13.2%，比 1992 年提高 7.8 个百分点。[①] 当然，市场价格涨幅过高、固定资产投资在建规模过大、基础产业和基础设施发展缓慢等问题依然存在。这意味着 1994 年的宏观调控任务依旧十分繁重。

既然 1994 年的宏观调控任务依然繁重，为什么不在 1993 年采取更有力的调控手段？这的确事出有因。有人形容，1993 年的中国经济就像一匹瘦弱的小马，在兴奋剂的作用下拉着一辆大车飞奔，如果不尽快停下来，一旦药劲过去，就会连马带车一起，轰然翻倒。[②] 但是怎么才能既让这匹瘦马停下来又不犯心肌梗死？行政命令的老办法固然见效快，可是既伤筋动骨又只能收效一时，况且党的代表大会和中央全会刚刚宣布了要搞市场经济。

这次宏观调控，中央改变了以往刹车过猛的状况，不是全面紧缩，而是适当放慢速度，采取区别对待的政策，鼓励正常发展、正当经营和深化改革，即所谓“软着陆”。后来，朱镕基谈到这次调控时说，跟 1984 年、1985 年那时候有所不同，我们是从金融着手。因为 1993 年这种过热它有一种特点，就是从银行里把资金拆借出去了，大量的票子出去了，所以要治理当时某种程度的过热必须整顿金融。所以，“十六条”里面有七条完全是金融方面的规定，有五条也是跟金融有关系的。所以当时提出约法三章，不许拆借，拆借的钱都收回来，不许高利息储蓄，不许放贷，等等。另外，银行本身不许向有关系的机构贷款，把金融给抓起来，这就抓住了关键。当时实际上只有两个月就把这个现象给制止了。中央这个政策经过实践考验是完全正确的。把这些问题纠正过来了。我们把这个叫作什么东西呢？叫软着陆。

正是因为经济不能一下子降下来，调控要逐步进行，1993 年存在的经

---

① 王春正主编《探索·实践——宏观经济运行与调控》，经济科学出版社 2003 年版，第 178 页。

② 凌志军、马克、邓科：《急刹车　软着陆》，《南方周末》2003 年 3 月 6 日。

济“过热”还会延续一段时间，但是加热的趋势已得到缓解。

进入1994年后，全社会都在关注经济发展形势，并积极建言献策；党中央掌舵定向，处理好改革、发展、稳定的关系。

1994年1月，在全国宣传思想工作会议上的讲话中，江泽民指出，抓住机遇、深化改革、扩大开放、促进发展、保持稳定是今年全党工作的大局。全党同志都要认清这个大局，服从和服务于这个大局，在这个大局下自觉行动，做好各方面的工作。2月6日，《人民日报》发表了全国政协经济委员会宏观经济组撰写的题为《对当前宏观经济的判断和建议》的文章。文章认为：第一，充分发挥市场机制的作用和加强与改善宏观调控，两者都是市场经济体制内在的本质要求和不可缺少的组成部分。第二，我国经济体制改革的基本经验之一，是通过渐进的改革，不断促进经济发展，创造进一步改革的条件，使经济发展和深化改革互相促进。第三，经济高速增长可能带来的最大危险是通货膨胀。因此，快要有个度。这个度就是快到什么程度不致引起严重的通货膨胀，不致造成社会的不稳定。出现严重的通货膨胀，经济的快速增长就不可能持续。要看到，现在通货膨胀加剧的危险依然存在。造成通货膨胀的主要因素是投资规模过大。第四，在90年代以至实现社会主义现代化的整个过程中，必须处理好改革、发展和稳定三者的关系。改革是动力，发展是目标，稳定是前提。改革、发展搞好了，稳定才有基础。但如果没有稳定的政治、社会环境，改革、发展都难以进行。因此，改革、发展，都必须考虑社会的承受能力，要有利于稳定。改革要促进发展，发展必须适应改革的要求。

3月10日至22日，在八届全国人大二次会议上，江泽民深刻指出：“改革、发展、稳定，好比是我国现代化建设棋盘上的三着紧密关联的战略性棋子，每一着棋都下好了，相互促进，就会全局皆活；如果有一着下不好，其他两着也会陷入困境，就可能全局受挫。”[①] 李鹏在《政府工作报告》中

① 中共中央文献研究室编《江泽民论有中国特色社会主义（专题摘编）》，中央文献出版社2002年版，第211页。

指出，抓住机遇、深化改革、扩大开放、促进发展、保持稳定是全党和全国工作的大局。经济建设是一切工作的中心，改革开放是推动发展的动力，发展与改革是社会稳定和国家长治久安的基础，而保持社会稳定则是发展经济和顺利进行改革的必不可少的条件。

随后，国家又在金融、外汇、财税、价格、外贸等方面相继出台了一系列重大改革举措，例如：实行政策性银行和商业银行分离；专业银行向商业化、企业化发展；进行外汇管理体制改革，实现汇率并轨；石油和粮食等基础行业价格放开；等等。这一系列举措促进了社会主义市场经济体制的稳步确立。

经过全社会的努力，1994 年的宏观调控取得明显成效。这一年度，据国家统计局统计，国内生产总值为 46759.4 亿元，比上年增长 12.6%。其中，第一、二、三产业分别增长 4.0%、18.4% 和 9.6%。全社会固定资产投资总额 17042.9 亿元，比上年增长 30.4%，其中，国有单位完成基本建设投资 6436.74 亿元，比上年增长 39.5%。全国财政收入 5218.1 亿元，比上年增长 20%；财政支出 5792.62 亿元，比上年增长 24.8%。全年商品零售价格总指数上升 21.7%。全国外贸进出口总额 2366.2 亿美元，比上年增长 20.9%。实际利用外资 432.13 亿美元，比上年增长 10.9%。社会消费品零售总额 16264.7 亿元，比上年增长 7.2%。城镇居民家庭人均可支配收入 3496.2 元，指数为 276.83；农村居民家庭人均纯收入 1220.98 元，指数为 364.36。国民经济继续快速增长，加快建立社会主义市场经济体制的改革取得显著进展。

1994 年底，朱镕基作了一个阶段性的回顾。他说，去年 6 月中央下发文件，7 月开始宏观调控，“首先是整顿金融秩序，过去的既往不咎，7 月 7 日开始，超出贷款规模乱拆借的银行行长一律撤职，结果（乱拆借）一下子就刹住了”。他指出：“（1993 年）第四季度中央又把银根放松了一些，对企业的流动资金放松了一些，这个放松是大有好处的，否则企业就没法继续生产，就会大起大落。这说明，中央对宏观调控力度的掌握是恰到好处的。”[①]

经过1995年、1996年的连续努力，到1996年底，宏观调控取得显著成效，过度投资得到控制，金融秩序迅速好转，物价涨幅明显回落，通货膨胀得到有效抑制。与此同时，经济发展依然保持较高速度。通货膨胀率降到9%以下；物价涨幅从1994年的21.7%降为1995年的14.8%，再降至1996年的6.1%；国内生产总值维持在年均增长11.6%的速度，年度波动幅度只有一到两个百分点，避免了经济发展的大起大落，实现了从发展过快到“高增长、低通胀”的“软着陆”。

在1996年底召开的中央经济工作会议上，江泽民在讲话中指出，经过三年多的努力，以抑制通货膨胀为主要任务的宏观调控基本达到了预期目标。这标志着从1993年开始的、社会主义市场经济条件下的首次宏观调控取得了重大的成果，成功地实现了宏观经济的“软着陆”。这在中华人民共和国成立之后是没有过的，在世界上也是不多见的。

① 凌志军、马克、邓科：《急刹车　软着陆》，《南方周末》2003年3月6日。

第二章

经济体制改革整体推进和重点突破

按照党的十四届三中全会通过的《中共中央关于建立社会主义市场经济体制若干问题的决定》精神，1994年，我国经济体制改革“整体推进、重点突破”，取得了重大进展，使中国朝着建立社会主义市场经济体制的基本框架迈进了一大步，对推动社会主义市场经济体制的建立，功不可没，意义重大。

第一节　党的十四届三中全会和改革举措相继出台

1993 年 11 月，党的十四届三中全会通过了《中共中央关于建立社会主义市场经济体制若干问题的决定》（以下简称《决定》），提出了经济体制改革“整体推进、重点突破”的新的改革战略，明确了社会主义市场经济体制的基本框架：

（一）转换国有企业经营机制，建立现代企业制度。要坚持以公有制为主体、多种经济成分共同发展的方针，进一步转换国有企业经营机制，建立适应市场经济要求的产权清晰、权责明确、政企分开、管理科学的现代企业制度。建立现代企业制度，是发展社会化大生产和市场经济的必然要求，是中国国有企业改革的方向，是公有制与市场经济相结合的有效实现形式。

（二）培育和发展市场体系，建立主要由市场形成价格的机制。要建立全国统一、开放的市场体系，实现城乡市场紧密结合，国内市场与国际市场相互衔接，创造平等的竞争环境，促进资源的优化配置。在保持价格总水平相对稳定的前提下，放开竞争性商品和服务的价格，取消生产资料价格双轨制，加速生产要素价格市场化进程，建立主要由市场形成价格的机制。

（三）转变政府职能，建立健全宏观经济调控体系。要进一步改革政府机构，转变政府管理经济的职能，建立主要运用经济手段、法律手段以及必要的行政手段管理国民经济的宏观调控体系。同时，加快财税、金融、计划、投资体制的改革。通过有效的宏观调控，保证国民经济健康运行。

（四）建立合理的个人收入分配制度和社会保障制度。要坚持以按劳分配为主体、多种分配方式并存的制度，体现效率优先、兼顾公平的原则，引入竞争机制，打破平均主义，坚持让一部分地区、一部分人先富起来，逐渐实现共同富裕。建立包括社会保险、社会救济、社会福利、优抚安置和社会互助、个人储蓄积累保障等多层次、多形式的社会保障体系，社会保障水平要与中国国情相适应。

（五）稳定农村基本生产关系，建立适应社会主义市场经济的农村经济体制。坚持以家庭联产承包为主的责任制和统分结合的双层经营体制；发展农村社会化服务体系，促进农业专业化、商品化、社会化；在保持粮棉等基本农产品稳定增长的前提下，调整农村产业结构，加快乡镇企业和其他非农产业的发展，为农村剩余劳动力提供更多就业机会。

（六）深化对外经济体制改革，进一步扩大对外开放。建立开放的对外经济贸易体制，积极参与国际竞争与国际经济合作，发挥中国经济的比较优势，使国内经济与国际经济实现互接互补。依照中国国情和国际经济活动的一般准则，规范对外经济活动，正确处理对外经济关系，不断提高国际竞争能力。

（七）进一步改革科技体制和教育体制。根据社会主义市场经济的要求，建立符合科技自身发展规律、科技与经济密切结合的新型体制，促进科技进步，实现经济、科技和社会的综合协调发展。积极发展各种所有制形式和经营方式的科技企业，应用研究和开发研究机构以及科技咨询和信息服务机构要面向市场，促进科技经济一体化。改变政府包揽办学的状况，形成以政府办学为主与社会各界参与办学相结合的新体制。强化义务教育，大力发展职业教育和成人教育，优化教育结构，为社会培养各种专业人才。

（八）加强法律制度建设。市场经济本质上是法制经济。社会主义市场经济体制的建立和完善，必须有完备的法制来规范和保障。中国到20世纪末要初步建立起适应社会主义市场经济要求的法律体系，加速经济法规立法进程，改革和健全司法、执法和监督机制，完善法律服务机构。

以上八个方面，构成了中国社会主义市场经济体制的基本框架，可以说是中国新体制大厦的四梁八柱。[①]

党的十四届三中全会召开后不久，1993 年 12 月 1 日至 4 日，国务院召开全国经济工作会议，江泽民、李鹏先后作重要讲话。江泽民强调指出，我们的国家正处在一个非常重要的历史时期。要牢牢把握经济建设这个中心，把社会主义市场、社会主义民主政治和社会主义精神文明不断地推向前进。他还指出，经济发展要有新思路，要真正转到以提高经济效益为中心的轨道上来，不能继续走盲目追求产值和扩大投资规模的粗放经营的老路。李鹏指出，1994 年是中国经济继续保持好的发展势头的重要一年，也是推进建立社会主义市场经济体制改革的关键一年。1994 年经济工作的方针是：全面贯彻党的十四大和十四届三中全会精神，加快建立社会主义市场经济体制的改革步伐，进一步扩大对外开放，加强和改善宏观调控，大力调整经济结构，提高经济效益，保持国民经济持续、快速、健康发展。李鹏提出，要按照党的十四届三中全会《决定》关于转换国有企业经营机制，建立现代化企业制度的要求，积极推进企业改革。关于财税工作，1994 年要进行三项重大改革：一是进行税制改革，二是实行分税制，三是改革国有企业利润分配制度。李鹏还就银行体制改革、价格改革、对外开放以及政府工作作风的改进谈了国务院的总体计划和安排。

全国经济工作会议结束后，全国计划、体改、财政、经贸工作会议也分别在京召开，具体安排了 1994 年的各项工作。在全国计划会议上，决定在 1994 年的国民经济和社会发展计划安排中，将突出加快改革开放、加大结构调整、加强宏观调控的八个方面的重点。全国经济体制改革工作会议提出 1994 年经济体制改革的主要任务是：以建立现代企业制度和推进宏观调控体制改革为重点，配套进行以要素市场为主的市场体系建设，加快推

---

①　李铁映：《中国经济体制改革和社会主义市场经济体制的建立》，国家体改委对外咨询服务中心编《'94 中国北京国际高级经济论坛会议：中国社会主义市场经济及国际经济合作》，中国科学技术出版社 1994 年版，第 24 页。

进社会保障制度和住房制度改革，搞好其他方面的改革。全国财政工作会议提出，保证各项改革的如期出台并取得预期效果，是1994年财税工作的中心任务。全国经贸工作会议也提出1994年经贸工作的主要任务是：以企业工作为中心，突出企业改革、市场建设、技术改造和企业管理四个重点，加强对经济运行的综合协调，保证国民经济的正常运行。

在以上会议的基础上，国务院分别于1993年12月15日、12月25日和1994年1月11日发布《国务院关于实行分税制财政管理体制的决定》《国务院关于金融体制改革的决定》《国务院关于进一步深化对外贸易体制改革的决定》。

1993年12月15日出台的《国务院关于实行分税制财政管理体制的决定》指出，改革财政管理体制是经济体制改革的重要内容。现行财政包干体制，在过去的经济发展中起过积极的作用，但随着市场在资源配置中的作用不断扩大，其弊端日益明显，主要表现在：税收调节功能弱化，影响统一市场的形成和产业结构优化；国家财力偏于分散，制约财政收入合理增长，特别是中央财政收入比重不断下降，弱化了中央政府的宏观调控能力；财政分配体制类型过多，不够规范。从总体上看，现行财政体制已经不适应社会主义市场经济发展的要求，必须尽快改革。

《国务院关于实行分税制财政管理体制的决定》指出，根据建立社会主义市场经济体制的基本要求，并借鉴国外的成功做法，要理顺中央与地方的分配关系，必须进行分税制改革。分税制改革的原则和主要内容是："按照中央与地方政府的事权划分，合理确定各级财政的支出范围；根据事权与财权相结合原则，将税种统一划分为中央税、地方税和中央地方共享税，并建立中央税收和地方税收体系，分设中央与地方两套税务机构分别征管；科学核定地方收支数额，逐步实行比较规范的中央财政对地方的税收返还和转移支付制度；建立和健全分级预算制度，硬化各级预算约束。"①

① 中共中央文献研究室编《十四大以来重要文献选编》（上），中央文献出版社2011年版，第509—510页。

分税制财政体制改革的指导思想是：（一）正确处理中央与地方的分配关系，调动两个积极性，促进国家财政收入合理增长。既要考虑地方利益，调动地方发展经济、增收节支的积极性，又要逐步提高中央财政收入的比重，适当增加中央财力，增强中央政府的宏观调控能力。为此，中央要从今后财政收入的增量中适当多得一些，以保证中央财政收入的稳定增长。（二）合理调节地区之间财力分配。既要有利于经济发达地区继续保持较快的发展势头，又要通过中央财政对地方的税收返还和转移支付，扶持经济不发达地区的发展和老工业基地的改造。同时，促使地方加强对财政支出的约束。（三）坚持统一政策与分级管理相结合的原则。划分税种不仅要考虑中央与地方的收入分配，还必须考虑税收对经济发展和社会分配的调节作用。中央税、共享税以及地方税的立法权都要集中在中央，以保证中央政令统一，维护全国统一市场和企业平等竞争。税收实行分级征管，中央税和共享税由中央税务机构负责征收，共享税中地方分享的部分，由中央税务机构直接划入地方金库，地方税由地方税务机构负责征收。（四）坚持整体设计与逐步推进相结合的原则。分税制改革既要借鉴国外经验，又要从我国的实际出发。在明确改革目标的基础上，办法力求规范化，但必须抓住重点，分步实施，逐步完善。当前，要针对收入流失比较严重的状况，通过划分税种和分别征管堵塞漏洞，保证财政收入的合理增长；要先把主要税种划分好，其他收入的划分逐步规范；作为过渡办法，现行的补助、上解和有些结算事项继续按原体制运转；中央财政收入占全部财政收入的比例要逐步提高，对地方利益格局的调整也宜逐步进行。总之，通过渐进式改革先把分税制的基本框架建立起来，在实施中逐步完善。

分税制财政管理体制的具体内容是：（一）合理划分中央与地方的事权及支出。（二）划分中央与地方收入。根据事权与财权相结合的原则，按税种划分中央与地方的收入。将维护国家权益、实施宏观调控所必需的税种划为中央税；将同经济发展直接相关的税种划为中央与地方共享税；将适合地方征管的税种划为地方税，并充实地方税税种，增加地方税收入。（三）确定中央财政对地方的税收返还数额。（四）对原体制中央补助、地方上解及有关结算事项的处理。另外，还有配套改革和其他政策措施，主要包括：改革国有企业利润分配制度；同步进行税收管理体制改革；改进预算编制办法，硬化预算约束；建立适应分税制需要的国库体系和税收返还制度；建立并规范国债市场；妥善处理原由省级政府批准的减免税政策问题；各地区要进行分税制配套改革。

12 月 25 日出台的《国务院关于金融体制改革的决定》指出，金融体制改革的目标是："建立在国务院领导下，独立执行货币政策的中央银行宏观调控体系；建立政策性金融与商业性金融分离，以国有商业银行为主体、多种金融机构并存的金融组织体系；建立统一开放、有序竞争、严格管理的金融市场体系。"① 金融体制改革的主要内容是：

（一）确立强有力的中央银行宏观调控体系。深化金融体制改革，首要的任务是把中国人民银行办成真正的中央银行。中国人民银行的主要职能是：制定和实施货币政策，保持货币的稳定；对金融机构实行严格的监管，保证金融体系安全、有效地运行。为此，要明确人民银行各级机构的职责，转换人民银行职能；改革和完善货币政策体系；健全金融法规，强化金融监督管理；改革人民银行财务制度。

（二）建立政策性银行。建立政策性银行的目的是：实现政策性金融和商业性金融分离，以解决国有专业银行身兼二任的问题；割断政策性贷款与基础货币的直接联系，确保人民银行调控基础货币的主动权。政策性银行要加强经营管理，坚持自担风险、保本经营、不与商业性金融机构竞争的原则，其业务受中国人民银行监督。为此，要组建国家开发银行，管辖中国人民建设银行和国家投资机构；组建中国农业发展银行和中国进出口信贷银行；各政策性银行设立监事会。

（三）把国家专业银行办成真正的国有商业银行。（1）在政策性业务分

---

① 中共中央文献研究室编《十四大以来重要文献选编》（上），中央文献出版社 2011 年版，第 517 页。

离出去之后，现有的国家各专业银行（中国工商银行、中国农业银行、中国银行和中国人民建设银行）要尽快转变为国有商业银行，按现代商业银行经营机制运行，贯彻自主经营、自担风险、自负盈亏、自我约束的经营原则。（2）我国商业银行体系包括：国有商业银行、交通银行、中信实业银行、光大银行、华夏银行、招商银行、福建兴业银行、广东发展银行、深圳发展银行、上海浦东发展银行和农村合作银行、城市合作银行等。所有商业银行都要按国家有关金融的法律法规完善和发展。（3）积极稳妥地发展合作银行体系。合作银行体系主要包括两部分：城市合作银行和农村合作银行，其主要任务是为中小企业、农业和发展地区经济服务。（4）根据对等互惠的原则，经中国人民银行批准，可有计划、有步骤地引进外资金融机构。（5）逐步统一中资金融机构之间以及中资金融机构与外资、合资金融机构的所得税税率。金融机构的所得税为中央财政固定收入。（6）金融机构经营不善，允许破产，但债权债务要尽可能实现平稳转移。要建立存款保险基金，保障社会公众利益。

（四）建立统一开放、有序竞争、严格管理的金融市场。首先要完善货币市场，对资金流向严格管理，人民银行要严格监管金融机构之间的融资活动。另外，对证券市场也要逐步完善，其中包括完善国债市场、完善股票市场等各项规定。

（五）改革外汇管理体制，协调外汇政策与货币政策。外汇管理是中央银行实施货币政策的重要组成部分。我国外汇管理体制改革的长期目标是实现人民币可兑换。根据我国实际情况，并参照国际上的成功经验，近期实施的改革措施是：（1）1994 年实现汇率并轨，建立以市场汇率为基础的、单一的、有管理的人民币浮动汇率制度。（2）取消外汇留成，实行结汇和售汇制。（3）实现经常项目下人民币有条件可兑换。（4）严格管理和审批资本项下的外汇流出和流入。（5）建立全国统一的外汇交易市场，外汇指定银行为市场的交易主体。中国人民银行根据宏观经济调控的要求，适时吞吐外汇，平抑汇价。（6）停止发行并逐步收回外汇兑换券，严格禁止外币标价、结算和流通。(7) 中国人民银行集中管理国家外汇储备，根据外汇储备的安全性、流动性和盈利性的原则，完善外汇储备的经营机制。

（六）正确引导非银行金融机构稳健发展。要适当发展各类专业保险公司、信托投资公司等非银行金融机构。保险体制改革要坚持社会保险与商业保险分开经营的原则，坚持政企分开。证券公司不得从事证券以外的投资。

（七）加强金融业的基础建设，建立现代化的金融管理体系。主要是加快会计、结算制度改革。金融机构要按照国际通用的会计准则改革记账基础、科目设置和会计核算体系。要建设现代化的支付系统，减少现金使用。加快金融电子化建设，加快人民银行卫星通信网络建设。加强金融队伍建设，加速培养现代化金融人才，实行适合金融系统特点的干部人事制度和劳动工资制度，建立约束机制和激励机制。

1994 年 1 月 11 日出台的《国务院关于进一步深化对外贸易体制改革的决定》指出："我国外贸体制改革的目标是：统一政策、放开经营、平等竞争、自负盈亏、工贸结合、推行代理制，建立适应国际经济通行规则的运行机制。"[①] 其主要内容如下：

（一）改革外汇管理体制，促进对外贸易发展。根据国务院决定，从 1994 年 1 月 1 日起，国家实行新的外汇管理体制，实行以市场供求为基础的、单一的、有管理的人民币浮动汇率制；建立银行间外汇交易市场，改进汇率形成机制，保持合理及相对稳定的人民币汇率；实行外汇收入结汇制，取消现行的各项外汇留成、上缴和额度管理制度；实行银行售汇制，实现人民币在经常项目下有条件可兑换；对向境外投资、贷款、捐款等汇出继续实行审批制度。此外，对进出口企业用汇制度也作了规定。

（二）运用法律、经济手段，完善外贸宏观管理。国家不再下达外贸承

---

① 中共中央文献研究室编《十四大以来重要文献选编》(上)，中央文献出版社 2011 年版，第 557 页。

包指令性计划指标，对进出口总额、出口外汇和进口用汇实行指导性计划管理；完善出口退税制度；加快授予具备条件的国有生产企业、科研单位、商业物资企业外贸经营权；对关系国计民生的、属于战略性资源的、国际市场垄断性很强的或我国在国际市场上处于主导地位的特别重要的少数进出口商品，组建联合公司联合经营，统一对外；建立一套比较完善的海外企业的管理办法；加强规划、信息服务和监测、预测工作。

（三）转换外贸企业经营机制，逐步建立现代企业制度。外贸企业要加快转换经营机制，由国家计划的单纯执行者真正转变为国家宏观政策指导下的进出口商品经营者；从单纯追求创汇指标转变为在坚持经济效益的基础上，实行一业为主，多种经营，努力扩大出口创汇；坚持“以质取胜”，多元化开拓市场；走实业化、集团化、国际化经营的发展道路；积极推行进出口代理制，转变经营作风，搞好代理服务。

（四）强化进出口商会的协调服务职能，完善外贸经营的协调服务机制。充分发挥进出口商会在外贸经营活动中的协调指导、咨询服务作用。进出口商会是经政府批准，由从事进出口贸易的各类型企业依法联合成立的行使行业协调、为企业服务的自律性组织。进出口商会应当遵守法律、行政法规，依照章程对其会员的进出口经营活动进行协调指导，提供咨询服务，积极开展对外贸易促进活动。其主要职责是：维护进出口经营秩序和会员企业的利益；组织对国外反倾销的应诉；为会员企业提供信息和咨询服务；调解会员之间的贸易纠纷；向政府反映企业的要求和意见，并对政府制定政策提出建议；监督和指导会员企业守法经营；根据政府主管部门的授权，参与组织进出口商品配额招标的实施；参与组织出口交易会、出国展览会；对外开展业务交流与联络，进行市场调研；向政府有关执法部门建议或直接根据同行协议规定，采取措施惩治违反协调规定的企业；履行政府委托或根据会员企业要求赋予的其他职责。

（五）保持外贸政策的统一性，增强外贸管理的透明度。必须确保我国对外贸易制度的统一性，统一对外贸易立法和法律实施，统一管理对外贸易，对外统一承担国际义务。凡涉及对外贸易的全国性的法规、政策，国务院授权中华人民共和国对外经济贸易部（简称“外经贸部”）统一对外公布。

1994年是落实党的十四届三中全会《决定》的第一年，也是实现经济体制改革“整体推进、重点突破”的关键性一年。

第二节　分税制改革取得重点突破

1994年出台的改革项目之多、步子之大，是改革开放之后空前的。在众多改革项目中，重点任务有两项：一是积极探索建立现代企业制度的有效途径；二是推进包括财税、金融、投资、计划等体制在内的宏观调控体系的改革。[①] 围绕这两个重点，配套进行生产要素市场的建设，加快推进社会保障制度和其他方面的改革。而其中的财税体制改革，又是经济体制改革整体推进、重点突破、配套改革中意义最为重大的中心环节。

随着改革的深化，我国过去推行的“财政包干”和“分灶吃饭”体制已不能适应新形势发展的需要。原来的财政体制导致财政收入占GDP比重、中央财政收入在全国财政收入中的比重越来越小，中央宏观调控能力大大削弱。中国是个大国，经济情况错综复杂，地区间经济发展不平衡，需要加强中央权威，集中财力办大事，为此，必须提高财政收入在国内生产总值中所占的比重和中央财政收入在全国财政收入中所占的比重。

在借鉴国外经验的基础上，1992年6月，财政部发布了《关于实行“分税制”财政体制试点办法》，决定从1992年起，在浙江省、辽宁省、新疆维吾尔自治区、天津市，以及武汉市、青岛市、大连市、沈阳市、重庆市等9个省、区、市率先实行分税制财政体制改革。9个省、区、市实行分税制的具体内容是：按照中央与地方的事权分工和调动两个积极性的原则，将

① 刘国光：《刘国光经济论著全集》第11卷，知识产权出版社2017年版，第240页。

各种收入划分为中央财政固定收入、地方财政固定收入、中央和地方财政共享收入。中央财政固定收入包括关税和海关代征的产品税、增值税、工商统一税、特别消费税等。地方财政固定收入包括农牧业税、集市交易税、奖金税、个人收入调节税等。中央和地方财政共享收入包括产品税、增值税、营业税、工商统一税、资源税。分享比例：少数民族地区实行中央和地方“二八”分享，其他地区一律实行“五五”分享。在支出的划分上，分税制体制将其划分为中央财政支出、地方财政支出和由中央掌管的专项支出三部分。财政部指出，按照划定的收支范围进行计算，凡地方财政固定收入加上分享收入大于地方财政支出基数的部分，一律按5%的比例递增包干上解；凡地方财政固定收入加上分享收入小于地方财政支出基数的部分，由中央财政给予定额补助；对少数民族地区给予适当照顾。各地区的收支基数，以1989年的决算数为基础，在进行必要的因素调整后加以确定。

在试点的基础上，1993年12月15日，《国务院关于实行分税制财政管理体制的决定》出台。12月25日，《国务院批转国家税务总局工商税制改革实施方案的通知》发布，确定从1994年1月1日起实施中华人民共和国成立后规模最大、范围最广、内容最深刻的一次税制改革。

实行分税制面临的一个重要问题，就是以哪年为基数。最后确定以1993年为基数。按照1993年地方实际收入以及税制改革和中央、地方收入划分情况，核定1993年中央从地方净上划的收入数额，并以此作为中央对地方税收返还基数，保证地方既得财力。1994年以后，税收返还额在1993年的基数上逐年递增，递增率按各地增值税和消费税增长率的1∶0.3系数确定。

分税制在运行过程中并不是一帆风顺、毫无阻碍的。国务院及其有关部门又花了整整一年的时间，在基本框架不动的情况下，对分税制财政体制进行必要的调整。在调整过程中，主要解决了以下几方面的问题。

第一个是资金调度失灵的问题。1994年1月起，分税制开始正式运行。

第一个暴露出来的问题，就是资金调度问题。因为在此之前，税都是由税务局统一征收并直接进入国库的，因此在资金调度上问题不大。而分税制实施后，第一个步骤就是实现国税、地税分设，即中央税由国家税务局征收，统一入中央库；地方税由地方税务局征收，统一入地方库。而中央库里所收的中央和地方共享税中的地方分成数必须通过税收返还地方才能拿到，因此出现了调度资金不足的问题。为了解决这一问题，就定了一个资金调度比例。也就是说，按照 1994 年“两税”增长的预计数，中央库里所收的中央和地方共享税，按照预计增长量和返还比例，确定一定的比例，先返还给地方使用，然后年终结算时，再把先返还的那部分抵掉。这样，地方每天都可以拿到返还的钱，从而解决了这一问题。

第二个是收入虚增问题。因为分税制财政体制确定了以 1993 年为基数，因此地方就出现了为争基数，在当年拼命增收的问题。其中，1993 年的最后三个月增长最为超常。9 月，全国税收收入同比增长 60%，10 月同比增长 80%，11 月同比增长 90%，12 月同比增长 120%。结果，1993 年全国财政实收 4349 亿元，而预计收入是 3700 亿元；地方财政实收 3391 亿元，而预计收入是 2590 亿元。财政“超收”主要源于增值和消费“两税”的增长，致使中央对地方的税收返还基数由预计的 708 亿元增加到 1711 亿元。而以前每年“两税”才增加 100 多亿元，1993 年一下子就增加了 980 亿元，这里头肯定有虚假成分。据估算，至少有六七百亿元是虚假的，如按照一半的水分来计算，1994 年的中央预算就会出现 300 亿元的空账。而要解决这一问题，就必须把地方 1993 年增收中虚增的部分搞清楚。要解决中央这 300 亿元的缺口，还得从“两个比重”入手。根据财政收入占 GDP 的比重，每个省 GDP 增多少，财政收入增多少，这样倒过来算一下，就可以把这 300 亿元的水分挤出来。在这一思路的基础上，最后提出往前看，如果 1993 年财政收入增长为 48%，那么 1994 年的增长速度按 1993 年的三分之一计算，应该是增长 16%，以此作为考核指标。这一政策出台后，虽然地方反应较大，普遍认为增长指标定得过高，但由于中央和地方同心同德、艰苦奋斗，不但完成了增长 16% 的目标，而且当年“两税”实现了 19.1% 的增长率，绝大多数省份都完成了核定的增长率目标。

第三个是对特殊政策的处理问题。增长 16% 的政策出台后，尽管大多数省超额实现了目标，但仍有些省没达到，不仅没达到 16%，像海南还出现了负增长。那就不仅要把增长 16% 的政策减掉，还要减基数。例如，山西以煤炭为主，分税制改革后，煤炭的增值税税率从原来的 3% 左右一下增长到 17%。东三省也非常困难，主要原因是属于老工业基地，国有企业相对集中。其中，黑龙江虽然是一个资源大省，但由于税制调整，大庆油田、森工企业都面临着很多困难，油、粮作物的生产也面临着新的问题，困难很大。

1994 年春天，为了解决分税制财政体制出台后出现的新问题，朱镕基带队去山西和黑龙江进行深入调研。到山西，主要是调研煤炭企业。通过调研，最后给山西确定了两条特殊政策：一是把军矿下放地方，这样就留给地方 10 亿元的基数，再由中央给军队拨 10 亿元。因算账比较松，实际上留给地方的可能有 14 亿元到 15 亿元，因此给了山西很大的优惠。二是把山西的贡献款从基数里面拿到决算这一块，这就能缓解一下当地的困难。到黑龙江，主要是搞了全面调拨，解决它的粮储问题、军粮问题，以及森工企业和大庆油田的问题。另外，还针对老工业基地的改造问题，给了一些特殊的政策。这就是说，对于一些困难的省，国家会给一些特殊的政策，帮助它们适应新体制的过渡。1994 年上半年，针对分税制运行的情况，财政部等有关部门发了 80 多个文件，煤炭要减税率，冶金要减税率，钢铁要减税率，整天就忙活着减税率。减完税率，地方基数又有变化了。到了下半年，又是增长 16% 的问题。国务院有关职能部门工作人员基本上每个周末都要跟部长到下面去，与省、市、县级，甚至乡镇级的领导交换意见，星期六、星期天都不休息。

转移支付是从 1994 年的下半年开始酝酿的。1995 年 6 月以后，财政部开始制定转移支付方案，因为 1993 年的分税制改革方案中没有转移支付。财政部在设计方案的时候，先是借鉴国外的经验，看看西方国家的转移支付是怎么做的；接着再把他们的经验拿过来跟中国的情况相结合。到 1996

年初，方案搞得差不多了，共制定了5套方案，并向朱镕基进行汇报。他同意将5套方案中的3个方案各取其长，合在一起，但是要和国际接轨。原来的5个方案是以因素法为主体的。朱镕基要求先按照国际上通常的做法，把转移支付的大框架建立起来，然后再搞中国特色，作为一种过渡；一段时间以后，还是要规范起来。根据朱镕基的要求，经过两个多月的努力，最终形成了过渡期转移支付制度。可以说，直到过渡期转移支付制度出台以后，整个分税制财政体制的框架才真正建立起来了，分税制财政体制才开始走向规范化运行。[①]

分税制改革取得了显著成效，对我国社会主义市场经济的建立和实现社会主义现代化具有重大意义。

第一，促进了社会主义市场经济体制的建立与发展。分税制的实行，一是改变了过去讨价还价、“鞭打快牛”的状况，为地方财政经济发展创造了公平竞争的环境。二是提高了中央与地方两个积极性，改革取得了双赢，在增加中央财政收入的同时也为地方政府增加财政收入创造了机遇，增强了地方政府市场经济信念。三是中央和地方政府收入界限分明，形成了规范化的分配关系，打消了过去地方增收、中央平调的顾虑，促进了地方政府挖掘收入潜力和税收管理。四是分税制财政体制具有法制性，税收减免优惠得到清理，从制度上堵住了地方政府随意减免税收和挤占中央收入的漏洞。五是分税制下地方政府按照市场要求调整经济结构，培植新型财源，增强地方财政收入的可持续性。[②]我国市场经济体制的建立、完善和发展，与分税制财政体制改革是密不可分的。分税制改革首先兑现了这一作用，对我国经济社会发展来说功莫大焉。

第二，提高了“两个比重”。首先提高了中央财政收入占全国财政收入的比重。在财政包干体制下，中央财政收入占全国财政收入的比重不断下

① 中国经济体制改革研究会编《见证重大改革决策——改革亲历者口述历史》，社会科学文献出版社2018年版，第546—548页。

② 赵云旗：《中国财政改革与发展研究》，华中科技大学出版社2019年版，第66页。

降，1986年为36.6%，1992年下降到28.12%，平均每年下降1.4个百分点。远远落后于当时主要市场经济国家中央财政收入占全国财政收入30%的一般比重。实行分税制后，中央财政收入占全国财政收入的比重明显提高，1994年达到55.7%，比1993年提高了33.7个百分点，1995年和1999年以后（包括1999年）长期保持在50%以上。分税制实行后全国财政收入占国内生产总值的比重也不断提高，由10%提高到15%。

当时世界主要市场经济国家中，中央一级政府财政收入所占比重一般为50%～60%，分税制实行后我国中央财政收入占全国财政收入的比重为50%左右，达到了国际上的标准和水平，实现了分税制改革的第二目标。分税制改革提高了“两个比重”，财力的适度集中以及以转移支付为主的地区间收入再分配机制的建立，有利于发挥中央政府的宏观调控职能，缓解地区间财力不均衡的状况，促进公共服务均等化，维护民族团结和增强国家凝聚力。20世纪90年代，我国成功地实现了举世瞩目的经济发展“软着陆”，成功地应对1998年亚洲金融危机，有效刺激经济发展活力、化解通货紧缩，这都和分税制改革有直接的关系。

第三，建立了国家财政收入稳定增长机制。计划经济时期我国财政收入最多的年份为1977年，达到874.46亿元，比上年增长12.6%。有计划商品经济时期最高达到1993年的4348.95亿元，比上年增长24.8%。分税制实施后，1999年达到11444.08亿元，进入万亿元新台阶，比上年增长15.9%。国家财政收入快速稳定增长，与分税制实行以前相比，形成了鲜明的对照。国家财政收入的稳定快速增长虽然有各方面的原因，但关键在于分税制改革后所建立的增长机制，即税收划分的科学合理、地方上解基数的返还、增量分配中1∶0.3系数的确定等，这样的机制提高了“两个积极性”，中央和地方都有增收节支的主观能动性，不仅中央财政收入水涨船高，而且地方财政收入快速增长。分税制改革“双赢”的效果，保障国家财政收入不断出现台阶式的快速发展，从而使得我国综合国力明显提高。改革开放初期，我国综合国力在全球排列第11位，1996年上升到第7位，提高了我国在国际舞台上的话语权。

实践证明，分税制财政体制改革的意义是重大的，成效是显著的。朱镕基指出："分税制这个改革是最成功的，格局变化最大，成就也是最大的。"①

当然，随着实践的发展，分税制也存在不尽完善之处。一是地区间财力差距呈扩大趋势。实行分税制后，中央转移支付的实施增强了中西部地区的公共服务能力，但由于受多种因素的影响，中西部地区财力增长较慢，占地方总财力的比重逐年下降，人均财力与东部地区的差距有所扩大。这种状况不利于公共服务均等化目标的实现，不利于经济和社会的持续协调发展。二是省以下财政体制调整不到位，横向与纵向财力差距明显，县乡财政较为困难。分税制改革后，各地按照分税制的要求，改革了省以下财政体制，但大多数地区没有触动既得利益，也没有根据经济发展情况的变化适时调整省以下财政体制。同时，省级和地市级安排的转移支付资金较少，一些地区甚至将中央的转移支付资金留在省本级，省以下转移支付制度在调节财力不平衡方面没有发挥应有的作用，部分地区基层财政困难加剧，甚至出现了拖欠机关事业单位职工工资的现象。

针对这种状况，国家在完善分税制财政管理体制方面采取了一系列举措。一是加大财力性转移支付力度，逐步完善转移支付制度。一方面，实施工资性转移支付。作为积极财政政策的组成部分，1999 年之后，中央出台了提高中低收入者收入水平的一系列政策，财政困难的老工业基地和中西部地区由中央财政适当补助。1999 年至 2002 年，中央财政共安排工资性转移支付资金 1700 多亿元。另一方面，实施农村税费改革转移支付。农村税费改革使地方财政收入减少，中央财政通过转移支付对地方给予了适当支持。二是实施所得税收入分享改革，扭转地区间财力差距扩大的趋势。1994 年实行分税制时，所得税仍然按企业产权隶属关系等划分，地方分享所得税收入超过 60%，其中 70%左右集中在东部沿海地区。这种格局强化

---

① 中国经济体制改革研究会编《见证重大改革决策——改革亲历者口述历史》，社会科学文献出版社 2018 年版，第 549 页。

了政府干预，不利于深化企业改革和企业公平竞争；收入混库问题日益突出，影响了征收管理；收入分布不均衡，不利于扭转地区间财力差距扩大的趋势。[①] 因此，国务院决定从 2002 年起实施所得税收入分享改革，将按企业隶属关系等划分中央与地方所得税收入，改为中央与地方按统一比例分享，并明确中央因此而增加的收入全部用于对地方主要是中西部地区的一般性转移支付，以保障机关事业单位职工工资发放和机构正常运转等基本需要。三是调整和完善省以下财政体制。为解决省以下横向和纵向财力不平衡问题，缓解部分地方基层财政的困难，2002 年，国务院批转了财政部《关于完善省以下财政管理体制有关问题的意见》，督促各地在明确划分各级政府财政收支的基础上，调整和完善省以下财政管理体制，建立规范的转移支付制度。

第三节　推动金融、外贸、投资等体制改革

在进行分税制的财税体制改革的同时，1994 年我国还同时展开了对金融、外贸、投资等方面的改革。这些改革涉及各行各业，牵动千家万户，波及之广，风险之大，操作之难，在中国十五年改革史上前所未有。《人民日报》报道称：1994 年，将以改革的整体推进和初战告捷为特点而载入史册。[②]

一、金融体制改革

金融是经济运行的血脉，在向市场经济过渡过程中，经济和社会的方方面面与金融的关系日益密切。1992 年，加快经济发展和体制改革中发生的金融秩序混乱，与我国金融体制改革滞后有很大关系。

---

① 张弘力：《分税制的改革与完善》，《人民日报》2003 年 9 月 25 日。
② 皮树义：《跨出决定性的一步》，《人民日报》1994 年 9 月 17 日。

1993 年 12 月 25 日《国务院关于金融体制改革的决定》颁布之后，从 1994 年起，新一轮的金融体制改革全面展开：1994 年 1 月 12 日至 15 日，全国金融工作会议召开，会议提出 1994 年金融工作方针，继续整顿金融秩序，稳步推进金融改革，严格控制信用总量，切实加强金融监管；2 月 25 日，国务院发布《中华人民共和国外资金融机构管理条例》（以下简称《条例》），自 4 月 1 日起施行。《条例》指出，中国人民银行是管理和监督外资金融机构的主管机关。外资金融机构的存款、放款利率及各种手续费率，由外资金融机构按照中国人民银行的有关规定确定；3 月 17 日，国务院发出通知决定组建国家开发银行，为保证重点项目的资金供应，国家开发银行在 1994 年将发行 650 亿元的金融债券；3 月 19 日，国务院发出通知决定组建中国进出口银行；4 月 19 日，国务院印发《关于组建中国农业发展银行的通知》，11 月 18 日，中国农业发展银行成立；6 月 21 日至 24 日，全国金融机构监管工作会议在北京召开，会议强调，要从严监管金融机构，认真维护好金融秩序；9 月 29 日，国务院发布《国务院批转中国人民银行关于加强金融机构监管工作意见的通知》；等等。

金融体制改革主要包括：（一）改革中央银行的调控方式，把传统信贷规模控制改革为运用市场经济下通常的存款准备金、公开市场业务和再贷款等方式进行管理。实行银行业和证券业相分离的制度。组建货币政策委员会，及时调整货币和信贷政策。（二）建立政策性银行，实行政策性业务和商业性业务相分离。1994 年相继组建的国家开发银行、中国进出口银行和中国农业发展银行，专门承担政策性业务。同时，加快了国有专业银行向商业性银行转轨的步伐。1995 年颁布和实施的《中华人民共和国商业银行法》，明确了国有专业银行作为企业法人的法律地位，确立了商业化的经营原则。（三）改革外汇管理体制。首先，取消双重汇率，实行汇率并轨。并轨后的人民币汇率，实行以银行间外汇市场供求为基础的、单一的、有管理的浮动制。其次，取消外汇额度管理、外汇留成上缴办法，实行银行接回、售汇制。中资企业凡出口或转口货物及其他交易行为取得的外汇，交通运输、邮电、旅游、保险等业提取服务和政府机构往来取得的外汇，银行经营外汇业务应上缴的外汇净收入，境外劳务承包和境外投资应调回境内的外汇利润，均需按银行挂牌汇率全部结售给外汇指定银行。同时，境内中资企事业单位、机关和社会团体在经常项目下的对外支付用汇，也可持有效凭证用人民币到外汇指定银行办理兑付。1995 年 7 月，银行结售汇制扩大到外商投资企业，对外商个人因私用汇提高了供汇标准，扩大了供汇范围。1996 年 12 月 1 日，人民币实现了经常项目下的可兑换，标志着中国外汇管理体制改革取得重大进展。

二、外贸体制改革

党的十一届三中全会之后，我国外贸体制改革主要是从计划手段向国际通用的商业手段调整，通过减少计划体制的约束和实施一系列促进贸易发展的措施，我国的劳动密集型商品的比较优势得到了发挥，并调动了外贸部门和企业经营的积极性。但这些外贸体制改革仍是在计划经济体制框架下进行的局部改革，我国进口替代的贸易保护战略没有根本性改变，政府对进口贸易的干预依然较多。1992 年，党的十四大明确提出要“深化外贸体制改革，尽快建立适应社会主义市场经济发展的、符合国际贸易规范的新型外贸体制”。根据《国务院关于进一步深化对外贸易体制改革的决定》提出的要求，我国对外贸易体制改革的目标是：统一政策、放开经营、平等竞争、自负盈亏、工贸结合、推行代理制，建立适应国际经济通行规则的运行机制。据此，我国外贸体制改革开始从贸易保护体制向贸易自由化体制转变，从商业控制手段向市场化手段转变。

一是关税和非关税壁垒大幅度削减。1994 年以后，为加快社会主义市场经济体制的建立和与国际贸易规则相适应，我国连续对关税和非关税壁垒措施进行大幅度削减。1996 年 4 月 1 日，中国对 4000 多种商品进口关税进行大幅度削减，关税总水平从原来的 35.9%下降到 23%，工业品、农产品的关税水平都有不同程度的下调。1996 年 12 月 29 日，国家主席江泽民在亚太经合组织第三次领导人非正式会议上宣布，中国 1996 年起大幅降低进口关税税率总水平，降幅不低于30%。另外，中国还再次取消了170余项进口商品的配额许可证和进口控制措施，改革幅度占现行进口配额许可证管理商品的30%以上。1997年10月1日，根据国务院决定，我国再次大幅度自主降低进口关税税率。这次降税涉及4874个税号的商品，平均降幅达26%，关税算术平均税率从23%降至17%。

与此同时，1994年5月5日，八届全国人大七次会议审议通过了《中华人民共和国对外贸易法》，对外贸企业进出口总额、出口收汇、出口退税制度等一系列问题及法规作出了统一的政策性规定。我国对外贸易基本上取消了红头文件限制，凡是不公开的就不实行，凡是要实行的就必须公开，并将审批制改为登记制，从而使大量民营企业进入外贸经营领域。

在便利对外贸易的同时，我国也逐步取消了外商独资企业设立的一系列约束条件。2000年和2001年，我国分别修订了《中华人民共和国外资企业法》和《中华人民共和国外资企业法实施细则》，取消对外商独资企业在设立条件、减资、设备出资、内销和出口比例等方面的限制。以2001年中国加入世界贸易组织（World Trade Organization，英文缩写WTO）为标志，外贸体制进入了以WTO规则为基础的全面改革阶段。主要包括：在非歧视原则、自由贸易原则和公平竞争原则下，调整修改不符合WTO规定的政策法规；加快外贸主体多元化步伐，允许私营外贸企业迅速发展；转变外贸主管部门职能。在此之前的2000年8月25日，第九届全国人民代表大会常务委员会第十七次会议通过了《全国人民代表大会常务委员会关于我国加入世界贸易组织的决定》。该决定明确了我国作为世界上最大的发展中国家，加入世界贸易组织，有利于我国改革开放和经济发展，也是建立完整开放的国际贸易体系的需要。我国加入世界贸易组织，只能以发展中国家的身份加入，并坚持权利与义务平衡、循序渐进开放市场的原则，以确保国家控制国民经济命脉，维护国家经济安全和国家主权。这为我国入世后进行各项国际贸易提出了所应遵守的原则和底线，也成为入世后我国各个贸易领域立法以及实际操作的总纲性要求。

二是外汇管理逐步市场化。1994年以前，中国实行严格的外汇管制。严格的外汇管制虽然能为国家集中有限的外汇进行必要的进口，扶持新兴产业的发展，但容易造成对出口的歧视，降低出口创汇能力。

1994年1月1日，根据中国人民银行的通告，外汇券停止发行。持续9年之久的人民币与外汇调剂市场汇率并存的局面结束，由“双轨制”变为以市场供求关系为基础的、单一的、有管理的浮动汇率制。人民币兑美元的汇率为8.72∶1，人民币回归到按市场定价的价格线，有利于发挥汇率对外贸的重要调控作用。中资企业实行外汇收入结汇制，取消各种外汇留成、出口企业外汇上缴和额度管理制度；中资企业实行银行售汇制度及人民币在经常项目下有条件的可兑换。国家对进出口总额、出口收汇和进口用汇实行指导性计划管理，对少数重要的进出口商品实行配额控制，加快授予具备条件的国有生产企业、商业物资企业、科研单位外贸经营权。从1994年开始对部分出口商品的出口配额实行有偿招标。作为政策性银行的中国进出口银行于1994年7月1日正式开业，以配合新的外汇制度。

1996年12月1日，中国宣布接受《国际货币基金组织协定》第八条款义务，实现人民币经常项目下可兑换。1996年12月2日，中国人民银行颁布《银行间外汇市场管理暂行规定》，就银行间外汇市场组织结构、会员管理和交易行为等作出规定。从1997年起实行远期银行结售汇试点，为企业提供规避汇率风险、降低交易成本的保值手段，允许符合一定条件的中资企业开立外汇账户，保留一定限额经常项目外汇收入。1998年12月1日，国家外汇管理局取消外汇调剂业务，并相应关闭各地外汇调剂中心，包括外商投资企业的外汇买卖在内的全部境内机构的外汇买卖均纳入银行结汇体系中。

1996年12月2日，中国允许符合条件的外汇金融机构在上海浦东试点经营人民币业务，并颁布管理办法；1998年8月12日，又允许深圳开展此项业务；1999年7月17日，扩大沪、深两地的外资银行经营的业务，增加了外资银行人民币同业借款业务，放宽人民币同业拆借限制和人民币业务规模。

三是加快外贸企业经营机制转换。推动对外贸易的管理继续向以法律、经济手段为主，行政手段为辅转变。通过颁布《中华人民共和国对外贸易法》及一些相应的实施细则，不断完善外贸管理的间接调控体系，逐步完善汇率、关税、出口退税及税收、信贷等经济手段，同时不断规范配额、许可证等行政管理手段。在外贸管理体制改革过程中，对进出口经营权的放宽也是一个令人关注的问题。我国逐步取消外贸经营许可制度，实行外贸经营资格登记注册制度。尤其是 1999 年 1 月 1 日《关于赋予私营生产企业和科研院所自营进出口权的暂行规定》正式开始实施，全国首批 20 家私营企业获得了自营进出口权。1999 年 10 月和 12 月，外经贸部下达了《关于对国有、集体所有制的科研院所和高新技术企业实行自营进出口权登记制的通知》和《关于对国有、集体生产企业实行自营进出口权登记制的通知》，全国范围内的国有、集体所有制科研院所和高新技术企业开始实行自营进出口登记制。

四是加强外贸经营的协调服务机制。保持对外贸易政策在全国范围的统一性，增加透明度。加快转换外贸企业经营机制，实行一业为主，多种经营，走实业化、集团化、国际化经营的发展道路。积极推行进出口代理制，转变经营作风，搞好代理服务，加大对违法经营者的惩处力度。进一步发挥进出口商会等中介机构的协调服务功能，逐步建立和完善外贸行业的律师、会计、审计事务所及咨询服务机制。

随着上述几项改革措施的实施，汇率基本并轨，出口补贴全部取消，关税幅度大大降低，我国外贸领域经历了一次市场化的彻底变革，外贸体制逐步由严格的计划体制转向符合国际惯例的市场化体制，从高度的进口保护与出口歧视，转向出口促进下的进口保护，贸易体制向贸易自由化迈进。

三、投资体制改革

投资规模和结构不合理，投资效益低下，是我国经济生活中长期未能解决好的一个问题。20 世纪 90 年代中前期，为标本兼治地治理通货膨胀，国家在运用产业政策及相关配套政策、加强和改善对固定资产投资的宏观调控的同时，出台了一系列投资体制改革措施，除前述组建国家开发银行、加强国家重点建设外，主要是确定企业法人是固定资产投资的基本主体，明确法人投资和银行信贷的风险责任，逐步建立健全投资风险约束机制。

一是对投资项目实行分类管理。从 1994 年起，实行对投资项目分类管理的体制，即按照不同投资主体的投资范围以及各类建设项目不同的经济效益、社会效益和市场需求状况，将投资大体分为竞争性项目投资、基础性项目投资和公益性项目投资三大类，并重新确定投融资方式。竞争性投资项目由企业自主决策、自担风险，通过市场筹资、建设和经营。商业银行贷款是竞争性项目融资的重要渠道，银行贷款实行企业（项目）与商业银行之间的双向自主选择，自负盈亏。国家对竞争性项目用项目登记备案制代替现行行政审批制，并用产业政策予以引导。基础性投资项目大部分通过政策性投融资渠道提供资金，由经济实体组织建设，并广泛吸收地方、企业参与投资；其中国家重大建设项目，按照统一规划，由国家政策性银行通过财政投融资和金融债券等渠道筹资，采取控股、参股和政策性优惠贷款等多种形式进行。公益性投资项目主要由政府通过财政统筹安排。这样，政府投资逐步减少投向竞争性项目，可以集中力量进行基础性、公益性项目建设，而企业则逐步成为基本的投资主体。

二是强化投资的风险约束机制，推行建设项目法人制和资本金制度。改革开放后，我国先后试行了各种方式的投资项目责任制，但往往责任主体、责任范围、目标和权益、风险承担方式等都不明确，严重影响投资者自我约束机制的建立。1996 年，国家计委依据《中华人民共和国公司法》，颁布实施了《关于实行建设项目法人责任制的暂行规定》，明确要求建设项目严格执行投资决策责任制，强化投资风险约束机制，推行建设项目法人责任制，实行谁投资、谁决策、谁受益、谁承担风险和责任，使企业法人对建设项目的筹划、筹资、建设直至生产经营的全过程负责。与此同时，还在建设项目推行资本金制度，规定投资项目必须先落实资本金才能进行建设，禁止使用借入资金注册，不能搞无本经营。

三是建立和完善宏观调控体系，把政策性融资和商业性融资分开，加强对投资总量和投资结构的调控。如将个人投资规模作为预测性计划，集体投资规模主要由各地区通过加强规划和土地管理进行控制，不再分解下达到各地区。加快培育与投资相关的市场服务体系，主要是逐步形成不同层次、各有侧重的投资和建设全过程服务的工程咨询体系，建立健全项目设计服务体系和社会审计组织，大力推行工程监理制等。

通过投资体制改革，投资主体变得多元，投资资金变为多渠道，有效地汇集了国内外多种资金，有力地支持了现代化建设需要。同时，项目法人责任制和投资风险约束机制有效地抑制了盲目建设，对固定资产总规模的控制也产生了明显效果。

四、计划体制改革加快，计划管理职能逐步转变

根据建立社会主义市场经济体制的要求，国家计划总体上应当是指导性的。为此，计划部门积极转变职能，改进计划方法。

一方面，从偏重用行政手段直接管理微观经济活动，转向研究发展战略、重大方针政策，制定中长期规划。比如，1994 年 4 月，国务院发布《90 年代国家产业政策纲要》；1994 年 7 月，国务院颁布《汽车工业产业政策》；1995 年 6 月，国家计委、经贸委、外经贸部联合发布《指导外商投资方向暂行规定》和《外商投资产业指导目录》；1997 年，颁布《当前国家重点鼓励发展的产业、产品和技术目录》；等等。这些政策文件的出台，加强了国家对计划的政策性指导。1995 年，我国制定了在发展社会主义市场

经济条件下的第一个中长期规划——《中华人民共和国国民经济和社会发展“九五”计划和2010年远景目标纲要》(以下简称《纲要》)。《纲要》着重体现了计划的宏观性和战略性，为我国世纪之交国民经济的发展提出了正确的战略、指导方针。

另一方面，从偏重关心全民所有制经济活动和工业生产建设的管理，转向引导和调控全社会经济活动，重视生产、分配、流通、消费全过程，面向市场，调节供求。在年度计划的制订中，从价值量的角度，主要进行以下几个层次的平衡：一是社会总需求与总供给的平衡；二是全社会资金总量和重大结构平衡；三是居民可支配货币收入来源和使用平衡；四是固定资产投资资金来源和使用方向的平衡；五是重要农产品、能源、基本原材料和主要农业生产资料的供需平衡；六是社会劳动力平衡；七是市场物价总水平和重大价格结构的平衡。[①]在年度计划实施中，针对经济运行中的突出矛盾和影响全局的问题，与财政、金融密切配合，运用各种经济手段、经济法规和必要的行政手段，加强即期调控。同时，适应市场机制的作用特点，建立并逐步完善了宏观调控制度，比如1993年建立了国家订货制度，1995年建立了粮食、棉花等15种重要商品中央与地方两级储备制度及风险调节基金制度、价格调节基金制度等。在解决通货膨胀、推动国民经济顺利实现“软着陆”的同时，继续保持了经济增长的高速度。

另外，流通、住房、医疗、社会保障等领域的改革也迈开步伐，向前推进。

上述一系列改革的展开，使市场在资源配置方面的作用明显增强，为经济发展注入了强大的活力，使我国朝着建立社会主义市场经济体制的基本框架迈开了一大步，对推动社会主义市场经济体制的建立，功不可没，意义重大。20世纪末21世纪初，我国社会主义市场经济体制得以初步建立。2002年，党的十六大报告指出：“在社会主义条件下发展市场经济，是前

① 武力主编《中华人民共和国经济史》(增订版　下卷)，中国时代经济出版社2010年版，第874页。

无古人的伟大创举，是中国共产党人对马克思主义发展作出的历史性贡献，体现了我们党坚持理论创新、与时俱进的巨大勇气。由计划经济体制向社会主义市场经济体制的转变，实现了改革开放新的历史性突破，打开了我国经济、政治和文化发展的崭新局面。”①

① 江泽民：《江泽民文选》第三卷，人民出版社2006年版，第532页。

第三章

党的十五大和稳步推进政治体制改革

党的十五大是在世纪之交的关键时刻召开的一次十分重要的大会。大会高举邓小平理论伟大旗帜，把邓小平理论确立为党的指导思想，明确回答了改革开放和现代化建设的一系列重大理论和实践问题。其中，党的十五大报告首次明确提出“建设社会主义法治国家”的目标。1999年3月全国人民代表大会对宪法进行修改时，将法治与法治国家予以了宪法确认：“中华人民共和国实行依法治国，建设社会主义法治国家。”这是中国社会主义法治建设新的里程碑，对建设社会主义法治国家具有重要的现实意义和深远的历史意义，由此也稳步推进政治体制改革健康发展。

第一节　党的十五大召开和确立邓小平理论为党的指导思想

正当党团结带领全国人民把改革开放和社会主义现代化建设推向新阶段的时候，1997 年 2 月 19 日，中国改革开放和现代化建设的总设计师邓小平与世长辞。噩耗传来，全国各族人民陷入巨大的悲痛之中。中国面临着举什么旗、走什么路、如何把中国特色社会主义事业继续推向前进的历史抉择。

2 月 25 日，邓小平追悼大会举行。江泽民致悼词时高度评价邓小平为中华民族的独立和解放、为中国的社会主义现代化事业建立了不朽的功勋。他指出，如果没有邓小平同志，中国人民就不可能有今天的新生活，中国就不可能有今天改革开放的新局面和社会主义现代化的光明前景。邓小平同志留给我们的最可宝贵的财富，就是他创立的建设有中国特色社会主义理论和在这个理论指导下制定的党在社会主义初级阶段的基本路线。这个理论，科学地把握社会主义的本质，第一次比较系统地初步回答了中国这样的经济文化比较落后的国家如何建设社会主义、如何巩固和发展社会主义的一系列基本问题。它是马克思列宁主义基本原理与当代中国实际和时代特征相结合的产物，是毛泽东思想的继承和发展，是当代中国的马克思主义。它是全党全国人民集体智慧的结晶，是中国共产党的指导思想和中华民族的精神支柱。江泽民指出，邓小平同志创立的建设有中国特色社会主义理论和在这个理论指导下制定的党的基本路线，是我们必须遵循的行动指南。在跨越世纪的新征途上，更高地举起邓小平建设有中国特色社会主义理论的伟大旗帜，更好地贯彻执行党的基本路线，是我们党中央领导集体坚定不移的决心和信念，也是全党全军全国各族人民的共识和愿望。这就回应了国际上的不实传闻，强调了坚持高举邓小平建设有中国特色社会主义理论，继续坚持改革开放的决心。

此时，随着社会主义市场经济体制改革的推进，如何看待非公有制经济，如何看待股份制改造引起的所有制结构变化，社会上产生了不同意见和争论。这需要中央及时给予权威回应。

为了给1997年下半年召开的党的十五大做好准备，1997年5月29日，江泽民在中央党校省部级干部进修班毕业典礼上发表重要讲话，阐述了邓小平建设有中国特色社会主义理论、社会主义初级阶段经济发展和经济体制改革、党的建设等问题，强调旗帜就是方向，旗帜就是形象。江泽民指出，在社会主义改革开放和现代化建设的新时期，在跨越世纪的新征途上，一定要高举邓小平建设有中国特色社会主义理论的伟大旗帜，用这个理论来指导我们的整个事业和各项工作。这是党从历史和现实中得出的不可动摇的结论。这一讲话，对党的十五大的胜利召开，对保证全党高举邓小平理论伟大旗帜，坚定不移地沿着党的十一届三中全会以来的正确路线胜利前进，具有重大而深远的意义。

一、党的十五大召开

1997年9月12日至18日，中国共产党第十五次全国代表大会在北京举行。江泽民在大会上作题为《高举邓小平理论伟大旗帜，把建设有中国特色社会主义事业全面推向二十一世纪》的报告。

在世纪之交的关键时刻，党的十五大继承邓小平遗志，承前启后，继往开来，明确回答了中国改革开放和社会主义现代化建设的一系列重大理论和实践问题，从思想上、政治上、组织上为我国实现跨世纪发展提供了重要保证。

大会报告首次使用“邓小平理论”这个概念，并高度评价邓小平理论的历史地位，把这一理论作为指引党继续前进的旗帜。大会报告指出，旗帜问题至关紧要。旗帜就是方向，旗帜就是形象。坚持党的十一届三中全会以来的路线不动摇，就是高举邓小平理论的旗帜不动摇。大会强调，在社会主义改革开放和现代化建设的新时期，在跨越世纪的新征途上，一定要高举邓小平理论的伟大旗帜，用邓小平理论来指导我们整个事业和各项工作。这是党从历史和现实中得出的不可动摇的结论。在当代中国，马克思列宁主义、毛泽东思想、邓小平理论，是一脉相承的统一的科学体系。坚持邓小平理论，就是真正坚持马克思列宁主义、毛泽东思想；高举邓小平理论的旗帜，就是真正高举马克思列宁主义、毛泽东思想的旗帜。

大会进一步分析社会主义初级阶段的基本国情，指出社会主义初级阶段是逐步摆脱不发达状态，基本实现社会主义现代化的历史阶段；是由农业人口占很大比重、主要依靠手工劳动的农业国，逐步转变为非农业人口占多数、包含现代农业和现代服务业的工业化国家的历史阶段；是由自然经济半自然经济占很大比重，逐步转变为经济市场化程度较高的历史阶段；是由文盲半文盲人口占很大比重、科技教育文化落后，逐步转变为科技教育文化比较发达的历史阶段；是由贫困人口占很大比重、人民生活水平比较低，逐步转变为全体人民比较富裕的历史阶段；是由地区经济文化很不平衡，通过有先有后的发展，逐步缩小差距的历史阶段；是通过改革和探索，建立和完善比较成熟的充满活力的社会主义市场经济体制、社会主义民主政治体制和其他方面体制的历史阶段；是广大人民牢固树立建设有中国特色社会主义共同理想，自强不息，锐意进取，艰苦奋斗，勤俭建国，在建设物质文明的同时努力建设精神文明的历史阶段；是逐步缩小同世界先进水平的差距，在社会主义基础上实现中华民族伟大复兴的历史阶段。这样的历史进程，至少需要一百年时间。至于巩固和发展社会主义制度，那还需要更长的时间，需要几代人、十几代人，甚至几十代人坚持不懈地努力奋斗。

大会报告根据邓小平理论和党的基本路线，归纳总结党的十一届三中全会以来的方针政策和实践经验，提出了党在社会主义初级阶段的基本纲领，进一步阐明了建设有中国特色社会主义的经济、政治、文化的基本特征和基本要求。大会报告指出，建设有中国特色社会主义的经济，就是在社会主义条件下发展市场经济，不断解放和发展生产力；建设有中国特色社会主义的政治，就是在中国共产党领导下，在人民当家作主的基础上，依法治国，发展社会主义民主政治；建设有中国特色社会主义的文化，就是以马克思主义为指导，以培育有理想、有道德、有文化、有纪律的公民为目标，发展面向现代化、面向世界、面向未来的，民族的、科学的、大众的社会主义文化。这三个方面的基本目标、基本政策有机统一，不可分割，构成党在社会主义初级阶段的基本纲领。这个基本纲领，是邓小平理论的重要内容，是党的基本路线在经济、政治、文化等方面的展开，是这些年来最主要经验的总结。

大会对我国社会主义初级阶段的所有制结构和公有制实现形式，以及依法治国、建设社会主义法治国家等重大问题作出新的阐述。大会指出，以公有制为主体、多种所有制经济共同发展，是我国社会主义初级阶段的一项基本经济制度。这一制度的确立，是由社会主义性质和初级阶段国情决定的：第一，我国是社会主义国家，必须坚持公有制作为社会主义经济制度的基础；第二，我国处在社会主义初级阶段，需要在公有制为主体的条件下发展多种所有制经济；第三，一切符合“三个有利于”的所有制形式都可以而且应该用来为社会主义服务。公有制经济不仅包括国有经济和集体经济，还包括混合所有制经济中的国有成分和集体成分。国有经济控制国民经济命脉，对经济发展起主导作用，主要体现在控制力上。公有制实现形式可以而且应当多样化，一切反映社会化生产规律的经营方式和组织形式都可以大胆利用。非公有制经济是我国社会主义市场经济的重要组成部分，对促进国民经济的发展有重要作用。要坚持按劳分配为主体、多种分配方式并存的制度，把按劳分配和按生产要素分配结合起来，坚持效率优先、兼顾公平，使收入差距趋向合理，防止两极分化，促进经济发展，保持社会稳定。大会指出，依法治国，是党领导人民治理国家的基本方略，是发展社会主义市场经济的客观需要，是社会文明进步的重要标志，是国家长治久安的重要保障。这些论述，体现了党在探索回答“什么是社会主义、怎样建设社会主义”问题上的又一次思想解放和认识深化。

大会在我国经济发展“三步走”战略的第二步目标即将实现之际，对如何实现第三步目标作出进一步规划，即21世纪第一个十年实现国民生产总值比2000年翻一番，使人民的小康生活更加宽裕，形成比较完善的社会主义市场经济体制；再经过十年的努力，到建党一百年时，使国民经济更加发展，各项制度更加完善；到21世纪中叶建国一百年时，基本实现现代化，建成富强民主文明的社会主义现代化国家。

大会围绕着这个发展战略，对我国的跨世纪发展作出战略部署。报告提出，从现在起到21世纪的前十年，是我国实现现代化建设第二步战略目标、向第三步战略目标迈进的关键时期。在这个时期，建立比较完善的社会主义市场经济体制，保持国民经济持续快速健康发展，是必须解决好的两大课题。为此，一定要坚持社会主义市场经济的改革方向，使改革在一些重大方面取得新的突破，并在优化经济结构、发展科学技术和提高对外开放水平等方面取得重大进展，真正走出一条速度较快、效益较好、整体素质不断提高的经济协调发展的路子。要在坚持四项基本原则的前提下，继续推进政治体制改革，进一步扩大社会主义民主，健全社会主义法制，依法治国，建设社会主义法治国家。要全面开展有中国特色社会主义的文化建设，着力提高全民族的思想道德素质和科学文化素质，为经济发展和社会全面进步提供强大的精神动力和智力支持。要按照党的建设新的伟大工程的总目标，从思想上、组织上、作风上全面加强党的建设，不断提高领导水平和执政水平，不断增强拒腐防变的能力，以新的面貌和更强大的战斗力，带领人民完成新的历史任务。

大会审议通过了报告和《中国共产党章程（修正案）》，批准了中央纪律检查委员会的工作报告，选举产生了由委员193人、候补委员151人组成的中共中央委员会和由委员115人组成的中共中央纪律检查委员会。9月19日，党的十五届一中全会选举了新一届中共中央政治局委员、候补委员，通过了中央书记处成员。选举江泽民、李鹏、朱镕基、李瑞环、胡锦涛、尉健行、李岚清为中共中央政治局常委，江泽民为中共中央总书记；决定江泽民为中共中央军事委员会主席；批准尉健行为中共中央纪律检查委员会书记。

1998 年 3 月，九届全国人大一次会议选举江泽民为中华人民共和国主席、中华人民共和国中央军事委员会主席，李鹏为全国人民代表大会常务委员会委员长；决定朱镕基为国务院总理。同时召开的全国政协九届一次会议选举李瑞环为中国人民政治协商会议全国委员会主席。

二、确立邓小平理论为党的指导思想

1997 年 9 月 18 日，党的十五大通过了关于《中国共产党章程（修正案）》的决议，把邓小平理论同马克思列宁主义、毛泽东思想一起作为党的指导思想写入党章，明确规定：中国共产党以马克思列宁主义、毛泽东思想、邓小平理论作为自己的行动指南。这是党经过近二十年改革开放和社会主义现代化建设的成功实践作出的历史性决策。作出这个决策，表明中央领导集体和全党把邓小平开创的建设有中国特色社会主义事业全面推向新世纪的决心和信念，也反映了全国人民的共识和心愿。

党的十五大以高举邓小平理论的旗帜而载入史册。党的十五大报告对邓小平理论的历史地位和指导意义作了深刻阐述，指出这一理论的主要创立者是邓小平，我们党把它称为邓小平理论。实践证明，作为毛泽东思想的继承和发展的邓小平理论，是指导中国人民在改革开放中胜利实现社会主义现代化的正确理论。邓小平理论是当代中国的马克思主义，是马克思主义在中国发展的新阶段。它坚持解放思想、实事求是，在新的实践基础上继承前人又突破陈规，开拓了马克思主义的新境界。它坚持科学社会主义理论和实践的基本成果，抓住“什么是社会主义、怎样建设社会主义”这个根本问题，深刻地揭示社会主义的本质，把对社会主义的认识提高到新的科学水平。它坚持用马克思主义的宽广眼界观察世界，对当今时代特征和总体国际形势，对世界上其他社会主义国家的成败、发展中国家谋求发展的得失、发达国家发展的态势和矛盾，进行正确分析，作出了新的科学判断。

总之，邓小平理论是中国特色社会主义理论体系的奠基之作。它是在和平与发展成为时代主题的历史条件下，在我国改革开放和现代化建设的实践中，在总结我国社会主义胜利和挫折的历史经验并借鉴其他社会主义国家兴衰成败历史经验的基础上，逐步形成和发展起来的。它第一次比较系统地初步回答了建设中国社会主义的一系列基本问题，指导党制定了在社会主义初级阶段的基本路线。它是贯通哲学、政治经济学、科学社会主义等领域，涵盖经济、政治、科技、教育、文化、民族、军事、外交、统一战线、党的建设等方面比较完备的科学体系，又是需要从各方面进一步丰富发展的科学体系。

第二节　依法治国基本方略的提出和推进

1997年，党十五大报告首次明确提出“建设社会主义法治国家”的目标。这一目标的提出，经历了一个发展过程，体现了中国共产党对民主法治工作的高度重视。

一、依法治国基本方略的提出

党的十一届三中全会召开，是新中国依法治国历史进程的新起点。党的十一届三中全会公报的公布、对“四人帮”的审判、1982年宪法的制定等，都是早期“依法治国”的标志性事件。但在很长一段时间里，党中央、国务院的正式文件中提的都是“民主法制”“法制国家”“法制观念”。

1989年9月26日，中共中央总书记江泽民和中央政治局常委李鹏、乔石、姚依林、宋平、李瑞环一起出席中外记者招待会。江泽民在回答记者提问时指出，党的十一届三中全会以后，我们一直在不断地加强民主与法制建设。在任何一个国家，民主都是与法制同时存在的，民主必须有一定的法制作保证，"我们一定要遵循法治的方针"①。9月29日，在庆祝中华人民共和国成立40周年大会上的讲话中，江泽民指出，建设高度的社会主义民主和完备的社会主义法制，是我国社会主义现代化建设的一个重要目标和任务，是党和人民群众的共同愿望。1990年3月18日，江泽民在同参加七届全国人大三次会议、全国政协七届三次会议的党员负责人讲话时重申："建设高度的社会主义民主和完备的法制，是我们的根本目标和根本任务之一，也是人民群众的共同愿望。党的十一届三中全会以来，中央一再强调，没有民主，就没有社会主义，就没有社会主义现代化。进行政治体制改革，就是要兴利除弊，建设有中国特色的社会主义民主政治。无论在什么情况下，我们都要牢牢掌握社会主义民主的旗帜。"②

"民主法制""法制国家""法制观念"的称谓，一直持续到20世纪90年代中期。

1994年下半年，根据党中央关于加强法制建设的要求，司法部党组向中央正式提出为中央领导同志举办法制讲座的报告，中央批准了报告和选题。1994年12月9日，中央第一次法制讲座在中南海举行，主讲人是时为华东政法学院教授的曹建明，题目是《国际商贸法律制度与关贸总协定》。这次讲座后不久，江泽民指出，中央法制讲座要规范化、制度化，每年讲一至两次，形成制度。四十多天后的1995年1月20日，中央又举办了第二次法制讲座，主讲人是中国社会科学院法学研究所研究员王家福，题目是《社会主义市场经济法律制度建设问题》。自此，中央举办法制讲座开始形成规范化、制度化。

---

① 《就我国内政外交问题　江泽民等答中外记者问》，《人民日报》1989年9月27日。
② 江泽民：《江泽民文选》第一卷，人民出版社2006年版，第111页。

中央领导人的法制理念也随之深化发展。1995 年下半年，中央举办第三次法制讲座筹备工作开始。江泽民在同时报送的两个选题中圈定了《关于依法治国、建设社会主义法制国家的理论和实践问题》作为党中央 1996 年第一次法制讲座的题目。

1996 年 2 月 8 日，中央第三次法制讲座在中南海举行，主讲人还是王家福研究员。在讲座后的总结讲话中，江泽民代表党中央正式提出依法治国方略，并对依法治国的重大意义进行了全面深刻地阐述。他指出，加强社会主义法制建设，依法治国，是邓小平建设有中国特色社会主义理论的重要组成部分，是我们党和政府管理国家和社会事务的重要方针。实行和坚持依法治国，就是使国家各项工作逐步走上法制化和规范化；就是广大人民群众在党的领导下，依照宪法和法律的规定，通过各种途径和形式参与管理国家、管理经济文化事业、管理社会事务；就是逐步实现社会主义民主的法制化、法律化。实行和坚持依法治国，对于推动经济持续快速健康发展和社会全面进步，保障国家的长治久安，具有十分重要的意义。

一个多月后，八届全国人大四次会议把“加强法制建设，依法治国，建设社会主义法制国家”作为一条基本方针，写入《中华人民共和国国民经济和社会发展“九五”计划和 2010 年远景目标纲要》。这时，文件中继续沿用“法制建设”“法制国家”的表述。此后，法律实务界和法学界关于依法治国的探讨形成热潮，有关“法制”与“法治”的讨论成为一大焦点。

人们认识到，过去“依法制国”的提法之所以有问题，并不仅仅是语法存在问题，关键还在于，“法制”与“法治”虽一字之改，意义却大相径庭。就中国象形字的字面来看，法制的“制”为刀旁制，法治的“治”则为水旁治。刀者，专政工具；而水，寓意平之如水。后者才是法治的精髓所在。从严格的法律专业概念来讲，法制与法治具有不同的内涵。法制是一个静态的概念，一般视为法律制度的简称，而法治的意味远比这丰富。现代法治要求在法律制度完备的基础上，法律还应具有公正性、稳定性、普遍性、平等性等内涵，并且在社会生活中法律具有至高权威，国家权力受到法律的有效约束，而人民权利则得到法律的充分保障。法制则不必然地具有这些内涵。一般来说，只要有法律制度存在，就有“法制”，但却不一定就有“法治”。纵观古今中外历史，“法制”王朝和国家比比皆是，但它并不必然地成为法治国家。而法治是以市场经济和民主政治为基础，是在市场经济基础之上、民主政治体制之中的治国方略，它是与人治相对立的。法治强调的是：人民主权和法律的统治，反对个人的专横独裁或者少数人的恣意妄为；法治彰显的是：法律治国的必要性和稳定性，以法律防止“人存政举，人亡政息”悲剧的发生；法治坚持的是：法律的至高权威，主张法律面前人人平等，反对法律之外的特权。而法制则不具备这些特性，它非但不能表明与人治的必然对立，而且还可能出现“人治之下的法制”。在看到两者区别的同时，又要看到“法治”与“法制”二者之间又有着密切的联系。实行法治必须运用法制来治理国家，法制又需要通过法治来体现。

这样，1996 年至 1997 年成为中国法律思想发展史上的关键时期。这一年，中国终于完成了从“法制”向“法治”的嬗变与转换。这种转换，反映出党中央注意吸收专家和社会各界的不同意见、观点，不断提高党的执政水平的宽广眼界和胸怀，是“法治”观念滋长的必然结果。

1997 年 9 月召开的党的第十五次全国代表大会，承前启后、继往开来，从社会主义现代化建设的本质要求出发，第一次在建设有中国特色社会主义的政治纲领中明确写上：依法治国，建设社会主义法治国家。江泽民在报告中指出：“依法治国，就是广大人民群众在党的领导下，依照宪法和法律规定，通过各种途径和形式管理国家事务，管理经济文化事业，管理社会事务，保证国家各项工作都依法进行，逐步实现社会主义民主的制度化、法律化，使这种制度和法律不因领导人的改变而改变，不因领导人看法和注意力的改变而改变。依法治国，是党领导人民治理国家的基本方略，是发展社会主义市场经济的客观需要，是社会文明进步的重要标志，是国家长治久安的重要保障。”[①]

这是中国共产党人第一次把“依法治国”提高到治国方略的高度，把“建设社会主义法制国家”改为“建设社会主义法治国家”，虽只改动了一个字，却立刻引起了巨大反响，被人们认为是中国共产党治国思想的一次重大突破，在中国法治建设中具有里程碑式的意义。

二、依法治国基本方略的推进

在党的十五大报告中，“建设社会主义法治国家”共出现2次，“依法治国”出现6次，“依法……”共出现22次。这些名词术语在报告中多次反复地出现，并不仅仅具有数量上的意义。从“建设社会主义法制”到“依法治国，建设社会主义法制国家”认识的形成，最终到党的十五大报告正式提出“依法治国，建设社会主义法治国家”，它代表了中国共产党在将“依法治国，建设社会主义法治国家”作为治国方略这一问题认识上的逐步成熟。实行和坚持“依法治国，建设社会主义法治国家”的治国方略，就是要在加强社会主义法制建设的过程中，尊重宪法和法律的权威，反对一切形式的人治，让人民群众真正地成为社会主义国家的主人。以江泽民同志为核心的党中央所倡导的中央法制讲座生动地体现了这一点。

1997年12月23日，中央举办了这一年的第二次法制讲座。北京大学法律系罗玉中教授主讲《科技进步与法制建设》。江泽民指出，在我国加强科技法制建设，就是要按照“依法治国，建设社会主义法治国家”的要求，努力建设有中国特色的科技法制，保证党和国家的科技工作方针得到全面贯彻落实，推动建立适应社会主义市场经济体制和科技自身发展规律的新的科技体制，促进科技生产力的解放和发展，充分发挥科学技术对经济社会发展的巨大推动作用。

---

① 江泽民:《江泽民文选》第二卷，人民出版社2006年版，第28—29页。

1997 年亚洲金融危机发生后，全世界都在关注中国。防范和化解金融风险，规范和维护金融秩序，势在必行。1998 年 5 月 12 日，党中央举办第七次法制讲座，华东政法学院院长曹建明主讲《金融安全与法制建设》。江泽民指出，要健全完善金融法律体系；建立和完善市场经济条件下的金融监管制度；建立完善金融机构内部自律控制机制；理顺政府、企业与银行等法律关系；依法整顿和规范金融秩序，把一切金融活动纳入规范化、法制化的轨道。要加大金融执法力度，依法从严从快打击金融领域内的违法犯罪活动。各级司法机关和金融部门，要严格按照刑法中关于惩治金融犯罪的规定，坚决打击金融诈骗和破坏金融管理秩序的犯罪活动。要加强宣传教育，增强全社会的金融法治意识和金融风险意识。1998 年国家劳动和社会保障部成立后，社会保障成为社会关注的热点，同年 12 月 14 日，中国人民大学龙翼飞教授为中央政治局主讲《社会保障与法制建设》。江泽民主持讲座并指出，为了建立符合我国社会主义市场经济发展要求的完备的社会保障体系，进一步做好社会保障工作，必须十分重视和不断加强社会保障的法制建设。我们要把在发展社会保障方面长期积累的成功经验，用法律形式确定下来。同时，要增强社会保障的法制建设的前瞻性和系统性。

1999 年 6 月 11 日，党中央举办 1999 年的第一次法制讲座，西南政法大学李昌麒教授主讲《依法保障和促进农村的改革、发展与稳定》；11 月 26 日，中国政法大学王卫国教授为中央政治局主讲《依法保障和促进国有企业的改革与发展》。

从 1994 年到 2002 年 10 月，党中央共举办法制讲座 12 次。每一次讲座的选题都是当时国际、国内的焦点事件，改革和发展的热点、难点问题。参与过中央法制讲座的法学专家一致认为，中央领导同志尊重法律、乐于并善于听取专家意见，每一次讲课后都会有专门的讨论和交流时间。而每一次法制讲座，都会对中央领导层的决策产生影响。

1999 年 3 月，九届全国人大二次会议通过宪法修正案，其中明确载入“中华人民共和国实行依法治国，建设社会主义法治国家”的文字，把依法治国方略以国家根本大法的形式确定下来。这标志着中国共产党实现了治国理政方式的根本转变，由过去主要依靠政策、依靠行政手段，转向主要依靠法律手段；标志着中国走上了依法治国的道路，进入了法治时代。2002 年 11 月，党的十六大报告把依法治国作为社会主义民主政治建设的重要内容和目标，强调：“发展社会主义民主政治，最根本的是要把坚持党的领导、人民当家作主和依法治国有机统一起来。党的领导是人民当家作主和依法治国的根本保证，人民当家作主是社会主义民主政治的本质要求，依法治国是党领导人民治理国家的基本方略。”[①]

依法治国，建设社会主义法治国家，重要的措施就是要加强法制建设。依法治国首先要有法，没有法，就谈不上法治。有法可依还必须遵循一定的要求，即依法治国中的法不仅仅指某个具体的法律或者法规，而是指由统一的法制原则作为指导的、以宪法为核心的、适应调整各种社会关系需要的系统、科学的法律规范体系。党的十五大提出：“到 2010 年形成有中国特色社会主义法律体系。”

根据这个要求，九届全国人大常委会提出，要在第九届任期内逐步完成这个法律体系的建设。由此，中国社会主义民主法制建设进入了一个新的发展时期。在九届全国人大二次会议之后的四年期间，共制定了 83 部法律和有关法律问题的决定，其中有一些是建立社会主义市场经济体制迫切需要的重要法律，如合同法、证券法、信托法等。有一些是对推进民主法制建设有重要意义的法律，如立法法、行政复议法，修改了民族区域自治法、村民委员会组织法等。还有一些是对实现可持续发展战略有重要作用的法律，如修改了土地管理法，制定了人口与计划生育法、防沙治沙法等。为了适应加入世贸组织和进一步扩大对外开放的需要，还修改了一些重要的法律。与此同时，国务院和地方人大还制定了一批行政法规和地

① 江泽民：《江泽民文选》第三卷，人民出版社 2006 年版，第 553 页。

方性法规。[①]

这是依法治国基本方略实施后中国法制（治）建设的成就。这一成就也是在以江泽民同志为核心的党中央领导下不断推进法制（治）建设的必然结果。从党的十三届四中全会到2002年，全国人大及其常委会共制定125部法律，对56部法律进行了修改，通过了7部法律解释。各级人大及其常委会在行使监督权方面不断加强。全国人大常委会围绕经济和社会发展中的重大问题和人民群众关心的热点问题，先后进行了50多次法律实施情况的检查；先后听取和审议了国务院、最高人民法院和最高人民检察院的40多个专题的工作报告；制定了《全国人民代表大会常务委员会关于加强中央预算审查监督的决定》和《全国人民代表大会常务委员会关于加强经济工作监督的决定》。我国选举制度不断完善，人民代表的作用得到充分发挥。到2002年下半年，我国有现行法律200多件，国务院制定通过的现行行政法规600多件，地方人大及其常委会制定通过的地方性法规8000多件，初步形成了以宪法为核心的有中国特色社会主义法律体系。[②]

在贯彻依法治国方略的进程中，党中央一贯重视精神文明建设，包括思想建设和道德建设。2000年6月，江泽民在中央思想政治工作会议上强调了思想道德建设的重要性。在2001年全国宣传部长会议上，他进一步深刻指出："伟大的事业需要并将产生崇高的精神，崇高的精神支撑和推动着伟大的事业。没有坚强精神的民族，是没有前途的。"[③]"我们在建设有中国特色社会主义、发展社会主义市场经济的过程中，要坚持不懈地加强社会主义法制建设，依法治国；同时也要坚持不懈地加强社会主义道德建设，以德治国。对一个国家的治理来说，法治和德治，从来都是相辅相成、相互促进的。二者缺一不可，也不可偏废。法治属于政治建设、属于政治文

---

① 徐运平、武侠、王建新：《九届全国人大五次会议举行首次新闻发布会　曾建徽答中外记者问》，《人民日报》2002年3月5日。

② 王比学：《顾昂然在中宣部等五部委联合举办的系列报告会上指出　我国社会主义民主法制建设取得显著成就》，《人民日报》2002年10月18日。

③ 江泽民：《江泽民文选》第三卷，人民出版社2006年版，第196页。

明，德治属于思想建设、属于精神文明。二者范畴不同，但其地位和功能都是非常重要的。我们要把法制建设与道德建设紧密结合起来，把依法治国与以德治国紧密结合起来。宣传思想战线的同志在宣传教育工作中也要把两者结合起来，都宣传好。”①

法治与德治的关系问题，历来是治国理政的基本问题。治理国家，没有科学的、正确的思想理论，没有坚强的精神和高尚的道德情操，不行；没有科学的、民主的、健全的政治和法律制度，更不行。精神建设、制度建设紧密联系，相辅相成，二者必须结合，不可偏废。

第三节 推进政治体制改革，发展社会主义民主政治

依法治国是党领导人民治理国家的基本方略。“徒法不能以自行。”社会主义民主是社会主义法制（治）的前提和基础，社会主义法制（治）是社会主义民主的体现和保障。推进政治体制改革，发展社会主义民主政治，同健全法制（治）紧密结合在一起，贯穿整个改革的全过程。在党的十四大报告中，江泽民指出：“同经济体制改革和经济发展相适应，必须按照民主化和法制化紧密结合的要求，积极推进政治体制改革。”②在党的十五大报告中，江泽民指出，政治体制改革，要坚持和完善人民代表大会制度，坚持和完善中国共产党领导的多党合作和政治协商制度，不照搬西方政治制度的模式。1998年7月，江泽民在学习邓小平理论工作会议上指出，政治体制改革必须从中国的实际出发，绝不能照搬西方的多党制，不能搞三权鼎立、两院制那一套。2001年7月，他在庆祝中国共产党成立80周年大会上的讲话中，再次强调坚决抵制西方的多党制和三权鼎立等政治模式的影响。他指出，通过政治体制改革来发展我国的民主政治，必须坚持四项基

① 江泽民：《江泽民文选》第三卷，人民出版社2006年版，第200页。
② 江泽民：《江泽民文选》第一卷，人民出版社2006年版，第235页。

本原则，以“三个代表”重要思想为指南走中国自己的路，而不是照搬西方的政治制度模式。2002年5月31日，江泽民在中央党校省部级干部进修班毕业典礼上的讲话中再次明确指出，推进政治体制改革，要从我国国情出发，坚定不移地走自己的政治发展道路，坚持社会主义政治制度的自我完善和发展。我们要发展的是有中国特色社会主义民主政治，决不照搬西方政治制度模式。

第一，推进政治体制改革，发展社会主义民主政治，最重要的是坚持和完善人民代表大会制度。人民代表大会制度是我国的根本政治制度。它是党长期进行人民政权建设的经验总结，也是党对国家事务实施领导的一大特色和优势。人民代表大会制度体现了我们国家的性质，符合我国国情，既能保障全体人民统一行使国家权力，充分调动人民群众当家作主的积极性和主动性，又有利于国家政权机关分工合作、协调一致地组织社会主义建设。当然，这个制度还需要继续完善，人大工作也需要改进和加强。

1990年3月12日，党的十三届六中全会通过的《中共中央关于加强党同人民群众联系的决定》，其中要求“从中央到地方，各级党委都要在深化政治体制改革中，推进社会主义民主和法制建设，积极疏通和拓宽党同人民群众联系的渠道”。作为人民代表机关的人大及其常委会，当然应该进一步加强同人民群众的联系，使人大更好地代表人民，并接受人民监督。人民代表大会应该成为联系群众、反映民意、解决矛盾的主要民主渠道。

1990年3月，江泽民在同参加七届全国人大三次会议、全国政协七届三次会议的党员负责人讲话时指出，进一步完善人民代表大会制度，继续完善人大及其常委会的各项职能，特别是加强立法工作和监督工作；要进一步密切各级人大同人民群众的联系，更好地发挥人大代表的作用；加强人大及其常委会的自身建设。

现行的《中华人民共和国宪法》是1982年12月由第五届全国人民代表大会第五次会议通过的，在20世纪八九十年代经过了1988年、1993年、

1999年的三次修正。从《中华人民共和国宪法》赋予全国人大及其常委会的职权来看，是宏大的，也都是实际的。拿举世瞩目的长江三峡工程来说，由设想、勘察、规划、论证到正式开工，凝聚了几代人的心血。经过多年论证博弈，1992年4月3日，七届全国人大五次会议2633名代表对三峡工程上马与否进行表决。投票结果：赞成票1767票，反对票177票，弃权票664票，未投票25票。赞成票占总数的67.1%，刚过三分之二，这样就通过了《关于兴建长江三峡工程的决议》。同时，各级人大是国家权力机关，也体现在“一府两院”（即人民政府、人民法院和人民检察院）都由本级人大产生，向它负责和报告工作，受它监督。每年一次的全国人民代表大会都要听取并审议国务院总理所作的《政府工作报告》、最高人民法院和最高人民检察院所作的工作报告，并作出决议。可以说，人民代表大会及其常务委员会对“一府两院”的监督，是代表国家和人民所进行的具有法律效力的监督，是来自国家权力机关的监督，是中国监督体系中最高层次、最具权威、最有法律效力的监督。

另外，香港、澳门特别行政区的设立以及重庆直辖市的设立、对中国经济社会发展具有重大指导意义的国民经济和社会发展五年计划纲要的批准等，都必须由全国人大批准通过，体现出全国人民的共同意志。

为使全国人大及其常委会有效地行使立法、监督、决定、任免等各项职权，更好地履行最高国家权力机关的职能，在全国人大及其常委会的领导下设立了全国人大专门委员会，研究、审议和拟定有关议案。党的十一届三中全会之后，从第六届全国人民代表大会（1983—1988年）起设有民族委员会、法律委员会、财政经济委员会、教育科学文化卫生委员会、外事委员会、华侨委员会，共6个专门委员会。第七届全国人民代表大会（1988—1993年）除设置上述专门委员会外，增设了内务司法委员会。第八届全国人民代表大会（1993—1998年）增设了环境保护委员会。第九届全国人民代表大会（1998—2003年）又增设了农业与农村委员会，专门委员会达到9个。专门委员会工作的最大特点是专业化和经常化。专门委员会不因全国人民代表大会闭会而停止工作，可以协助全国人大及其常委会进行经常性工作。这就把常务委员会和专门委员会更注重常务性、专业性的特点与人大代表更注重广泛性、代表性的特点结合起来，既汲取了专职化和非专职化的各自有益之处，又弱化了其中的弊端。另外，询问和质询也是各级人大的职权。如 2000 年 1 月 25 日，在广东省九届人大三次会议上，应人大代表提案要求，广东省环保局就该局对四会南江工业园电镀城问题处理不当一事公开接受质询，3 轮答复均未获得通过。21 名代表向省人大提交议案，建议撤换省环保局副局长的职务。

民主选举是人民代表大会制度的组织基础，也是各级人大的权力源泉。按照宪法、人大选举法和人大代表法的规定，人民代表大会代表具有广泛的代表性，除被剥夺政治权利者外，中华人民共和国年满 18 周岁的公民，不分民族、种族、性别、职业、家庭出身、宗教信仰、教育程度、财产状况、居住期限，都有选举权和被选举权。随着时代发展变化，人大代表选举程序的方式方法也在发生变化。1979 年 7 月，五届全国人大二次会议通过的《中华人民共和国全国人民代表大会和地方各级人民代表大会选举法》，对 1953 年的选举法进行了修订。此后，为适应社会主义市场经济发展和民主政治发展的需要，1982 年 12 月五届全国人大五次会议、1986 年 12 月六届全国人大常委会第十八次会议、1995 年 2 月八届全国人大常委会第十二次会议，陆续对选举法进行了重要修改和完善。1995 年 2 月八届全国人大常委会第十二次会议修改中的一个非常重要的内容就是规范代表名额和分配，把原来规定的农村和城市每个代表所代表人口的比例由省级 5∶1、全国 8∶1，修改为省级 4∶1、全国 4∶1。这样，就使得更多来自农村基层的人大代表有机会参与国家大政方针的决策。

比如，毛丰美是辽宁省凤城市凤山经济管理区大梨树村党支部书记，也是第八届至第十一届连续四届当选的全国人大代表。当时，辽宁省的全国人大代表在丹东地区有 5 个名额，其中必须有一个是农民代表，这个农民代表就是毛丰美。在担任全国人大代表期间，毛丰美提出的建议、议案有

200 多件，并且其中很多议案都被采纳。在 1993 年的八届全国人大一次会议上，他提出农村电价高于城市电价，农民负担重，农村和城市用电应该同网同价。这一建议得到党中央、国务院的高度重视，党中央开始加大农村电网改造的力度。1998 年 10 月，国务院办公厅转发国家计委《关于改造农村电网改革农电管理体制实现城乡同网同价请示的通知》，要求力争用三年时间，统一城乡用电价格，实现同网同价。“免除农业税的建议”是毛丰美在 1998 年九届全国人大一次会议上提出的。一石激起千层浪。对这份建议，一些代表并不认可——征收农业税几千年来一直都是这样，怎么可能说取消就取消？随后的两年里，毛丰美每年都会重提这份建议。2005 年 12 月十届全国人大常委会第十九次会议通过决定，自 2006 年 1 月 1 日起废止《中华人民共和国农业税条例》。毛丰美因此被称为“最敢为农民说话的代表”。①

第二，推进政治体制改革，发展社会主义民主政治，要坚持和完善中国共产党领导的多党合作和政治协商制度。

首先，对民主党派的性质和作用作了新的概括。1989 年 12 月，以江泽民同志为核心的中共中央主持制定了《中共中央关于坚持和完善中国共产党领导的多党合作和政治协商制度的意见》（以下简称《意见》）。这是一个纲领性文件。《意见》对民主党派的性质和作用作了新的概括，指出：“各民主党派是各自所联系的一部分社会主义劳动者和一部分拥护社会主义的爱国者的政治联盟”，“是我国爱国统一战线的一支重要力量，也是维护我国安定团结、促进社会主义现代化建设和祖国统一的一支重要力量”。对民主党派的性质和作用的这一科学的分析和判断，为多党合作和政治协商制度的发展和完善奠定了坚实的思想和理论基础。《意见》指出：“我国实行的共产党领导、多党合作的政党体制是我国政治制度的特点和优点。它根本不同于西方资本主义国家的多党制或两党制，也有别于一些社会主义国家

① 杨璐：《毛丰美——农民的代言人》，《三联生活周刊》2009 年第 37 期；李小健：《毛丰美：农民的代表》，《检察日报》2012 年 1 月 2 日。

实行的一党制。它是马克思列宁主义同中国革命与建设相结合的一个创造，是符合中国国情的社会主义政党制度。”“中国共产党是社会主义事业的领导核心，是执政党。”各民主党派是“接受中国共产党领导的，同中共通力合作、共同致力于社会主义事业的亲密友党，是参政党”。[①] 这是在中国共产党的历史文献和我国政治体制改革文献中，第一次使用“社会主义政党制度”和民主党派是“参政党”等新概念和表述。1991 年，在庆祝中国共产党成立 70 周年大会上的讲话中，江泽民指出：“在几十年的革命和建设中，我们党同各民主党派建立了长期共存、互相监督、肝胆相照、荣辱与共的亲密关系。各民主党派是参政党，不是在野党，更不是反对党。”[②]2000 年 12 月，江泽民在全国统战工作会议上指出：“我国政党制度的显著特征在于：共产党领导、多党派合作，共产党执政、多党派参政，各民主党派不是在野党和反对党，而是同共产党亲密合作的友党和参政党；共产党和各民主党派在国家重大问题上进行民主协商、科学决策，集中力量办大事；共产党和各民主党派互相监督，促进共产党领导的改善和参政党建设的加强。这既避免了多党竞争、相互倾轧造成的政治动荡，又避免了一党专制、缺少监督导致的种种弊端。我国政党制度的巨大优势就在这里，同国外一党制和多党制的根本区别也在这里。”[③] “参政党”地位的确立及不断被重申，极大地增强了各民主党派成员的政治责任感和合作意识，有力地促进了我国社会主义现代化建设事业的健康发展。

其次，提出民主党派参政议政的基本点和实施监督的总原则，充分发挥民主党派政治协商、民主监督和参政议政的作用。落实民主党派参政的基本点，必须通过履行政治协商和民主监督的职能来进行，参政议政的重要内容和基本特征就是政治协商和民主监督。江泽民等中央领导人对此十分重视。党的十三届四中全会结束后，江泽民做的第一件大事就是召开各

---

① 中共中央文献研究室编《十三大以来重要文献选编》（中），中央文献出版社 2011 年版，第 244 页。

② 江泽民：《江泽民文选》第一卷，人民出版社 2006 年版，第 157 页。

③ 江泽民：《江泽民文选》第三卷，人民出版社 2006 年版，第 144 页。

民主党派中央领导人和无党派人士的座谈会，通报会议情况。江泽民指出，要继续坚持共产党领导的多党合作和政治协商制度，更好地发挥人民政协、各民主党派、各人民团体在国家政治生活中的作用；要继续为民主党派参政议政和实行民主监督进一步提供条件。[①]《中共中央关于坚持和完善中国共产党领导的多党合作和政治协商制度的意见》充分肯定了民主党派参政议政和监督的重要性，规定了民主党派参政的基本点和发挥监督作用的总原则。第一次明确提出民主党派参政的基本点是“参加国家政权，参与国家大政方针和国家领导人选的协商，参与国家事务的管理，参与国家方针、政策、法律的制定和执行”。“一参加三参与”清楚地概括了参政党的主要任务。对于政治协商，《意见》提出的形式有：（一）中共中央主要领导人邀请各民主党派主要领导人和无党派的代表人士举行民主协商会，就中共中央将要提出的大政方针问题进行协商。这种会议一般一年举行一次。（二）中共中央主要领导人根据形势需要，不定期地邀请民主党派主要领导人和无党派的代表人士举行高层次、小范围的谈心活动，就共同关心的问题自由交谈、沟通思想、征求意见。（三）由中共召开民主党派、无党派人士座谈会，通报或交流重要情况，传达重要文件，听取民主党派、无党派人士提出的政策性建议或讨论某些专题。这种会议大体每两月举行一次，有重大事件则随时通报。有的座谈会也可委托全国政协中共党组来组织。（四）除会议协商外，各民主党派和无党派人士可就国家大政方针和社会主义现代化建设中的重大问题向中共中央提出书面的政策性建议，也可约请中共中央负责人交谈。对于民主监督，总的原则是：在四项基本原则的基础上，发扬民主，广开言路，鼓励和支持民主党派与无党派人士对党和国家的方针政策和各项工作提出意见、批评、建议，做到知无不言，言无不尽，并且勇于坚持正确的意见。[②]江泽民多次强调，要按照中共中央《意见》中所规定的原则，下大气力搞好政治协商和民主监督。1995年中国人民政治协

---

① 《中共中央举行党外人士座谈会》，《人民日报》1989年6月29日。

② 中共中央文献研究室编《十三大以来重要文献选编》（中），中央文献出版社2011年版，第245—246页。

商会议第八届全国委员会常务委员会第九次会议通过了《政协全国委员会关于政治协商、民主监督、参政议政的规定》，该规定明确提出："政治协商是对国家和地方的大政方针以及政治、经济、文化和社会生活中的重要问题在决策之前进行协商和就决策执行过程中的重要问题进行协商。"2000年，中国人民政治协商会议第九届全国委员会第三次会议在修改《中国人民政治协商会议章程》时，把这条规定写入了章程。

中国共产党与各民主党派政治协商的范围主要是：国家大政方针的制定、重大问题的决策，以及重要的人事安排。重大决策和重要文件出台的会议协商的一个突出特点就是，在协商之前，执政党和政府的决策机构已经把相关问题列入政策的日程，并拟定了方案。比如，2001 年 11 月，党的十六大报告起草组分 8 个调研组，到各省区调研，广泛征求意见，形成综合调研报告上交中共中央政治局，经中共中央政治局讨论通过后，起草组写出报告初稿。2002 年 8 月，根据中共中央政治局决定，将报告稿交各民主党派中央和其他一些单位征求意见，接到报告初稿后，民主党派中央进行集体讨论，并形成修改意见。2002 年 9 月 17 日，江泽民召开党外人士座谈会，听取各民主党派中央对报告的意见，会后将合理意见进行吸纳并融入党的十六大报告中。这一过程，就是执政党和政府通过吸纳人民的意志通过民主党派的政治协商后，通过法定的程序，把意见和建议转变为国家意志的过程。另外，重要人事安排也经过了民主协商的过程。政协本身就是党外人士占了大多数，政协委员本身就是协商的产物。以八届政协全国委员会的人事安排为例，从 1992 年 9 月起，中共就开始请各民主党派中央提名、协商和酝酿第九届全国政协委员、常委、主席和副主席、秘书长的建议名单。1993 年 3 月 6 日，江泽民主持民主协商会之前，有关部门就同各民主党派中央有关负责人进行了 40 多次的协商、座谈、交换意见，协商非常充分，民主党派的负责同志说："名单都被翻烂了。"在反复协商、交换意见过程中，根据民主党派的意见，又增提了 100 多位民主党派中央和省级组织的老一代主要负责人和其他非中共人士。[1]1993 年 3 月 27 日，第八届全国人民代表大会第一次会议选举出国家新领导人，“荣毅仁当选为国家副主席”的喜讯，通过卫星和无线电波，传遍了世界每一个角落。实际上，做好民主党派和无党派人士的政治安排和实职安排工作是体现民主党派“参加国家政权”这一基本点的重要举措，也是坚持和完善多党合作和政治协商的一个重要环节。1990 年 6 月，江泽民指出，不断发现、考察、培养各方面的代表人物是全党的一件大事，“要积极举荐符合干部‘四化’条件、德才兼备的党外干部，在各级政府和司法机关担任适当的领导职务，支持他们的工作，发挥他们的专长，保证有权有责。在各级人大、政协中，必须保证党外代表人士有一定的比例”。1992 年 10 月，江泽民在党的十四大报告中指出：“支持民主党派和无党派人士在国家机关担任领导职务，进一步巩固我们党同党外人士的联盟。”[2]为贯彻落实中央精神，1995年4月，中央组织部、中央统战部联合召开了中华人民共和国成立后第一次全国培养和选拔党外干部工作座谈会，进一步明确了培养和选拔党外干部的指导思想、工作方针和具体目标，并规定到 1998 年全国各省、自治区、市委基本配齐党外副省长、副主席、副市长。随着越来越多民主党派及无党派人士走上政府、审判和检察机关领导岗位，极大地增强了他们的荣誉感，充分调动了他们参与现代化建设的积极性。

再次，高度重视多党合作和政治协商制度的规范化和法制化问题。《中共中央关于坚持和完善中国共产党领导的多党合作和政治协商制度的意见》明确提出，中国共产党领导的多党合作和政治协商制度作为我国的一项基本政治制度将长期存在和发展。1992 年 10 月，党的十四大报告指出：“政治体制改革的目标，是以完善人民代表大会制度、共产党领导的多党合作和政治协商制度为主要内容，发展社会主义民主政治。”[3]党的十四大将这一

① 杜青林主编《中共十一届三中全会以来多党合作理论、政策和实践的创新与发展》，华文出版社 2008 年版，第 87—88 页。

② 江泽民：《江泽民文选》第一卷，人民出版社 2006 年版，第 236 页。

③ 江泽民：《江泽民文选》第一卷，人民出版社 2006 年版，第 219 页。

制度正式写入党章。按照党的十四大的要求，1993年3月，中共中央郑重地向第八届全国人民代表大会第一次会议主席团提出了关于修改宪法部分内容的补充建议，其中包括在宪法中增加“中国共产党领导的多党合作和政治协商制度将长期存在和发展”的内容。大会通过了宪法修正案，从而使坚持、完善和发展共产党领导的多党合作和政治协商制度，不仅是中国共产党的意志，而且成为国家的意志、人民的意志。这是中国共产党领导的多党合作和政治协商制度发展的重要里程碑。1997年9月，在党的十五大上，江泽民指出，要“坚持和完善共产党领导的多党合作和政治协商制度。坚持‘长期共存、互相监督、肝胆相照、荣辱与共’的方针，加强同民主党派合作共事，巩固我们党同党外人士的联盟。继续推进人民政协政治协商、民主监督、参政议政的规范化、制度化”[①]。

另外，提出了衡量中国的政治制度和政党制度的标准。2000年12月，江泽民在全国统战工作会议上明确指出：“衡量中国的政治制度和政党制度，最根本的是要从中国国情出发，从中国革命、建设、改革实践的效果着眼，一是看能否促进社会生产力持续发展和社会全面进步；二是看能否实现和发展人民民主，增强党和国家的活力，保持和发挥社会主义制度的特点与优势；三是看能否保持国家政局稳定和社会安定团结；四是看能否实现和维护最广大人民的根本利益。”[②]

第三，推进政治体制改革，发展社会主义民主政治，要坚持和扩大基层民主特别是农村自治。

社会主义民主政治建设的一个重要任务就是加强基层民主建设。

20世纪80年代，中国农村发生了翻天覆地的变化，普遍实行了生产责任制，农民有了经济上的自主权。1982年，人民公社解散，乡（镇）人民政府成立，人民公社下属的生产大队随之演变为村民委员会。1982年宪法

---

① 江泽民：《江泽民文选》第二卷，人民出版社2006年版，第30页。
② 江泽民：《江泽民文选》第三卷，人民出版社2006年版，第144页。

规定“村民委员会是基层群众性自治组织”，但实际上一段时间中村干部仍由乡镇任命。在实践的基础上，经党中央批准，1990年8月5日至10日，由中央组织部、中央政策研究室、民政部、团中央、全国妇联联合筹办，在山东省莱西县召开了全国村级组织建设工作座谈会。中央政治局常委宋平在讲话中指出，要根据《中华人民共和国村民委员会组织法（试行）》的要求，在党组织领导下逐步建立健全村民委员会，推进农村基层的民主政治建设。发挥村民自治的功能，有利于实现党领导和支持农民当家作主的目标。村民自治，就是村民依法办理自己的事情，自我管理，自我教育，自我服务。中共中央批转了《全国村级组织建设工作座谈会纪要》，要求“每个县都要选择几个或十几个村，开展村民自治示范活动，摸索经验，树立典型”。《中华人民共和国村民委员会组织法（试行）》把宪法赋予村民的自治权利具体化为“三个自我”，即自我管理、自我教育、自我监督。在实现“三个自我”的过程中，辽宁省开原市创造出民主选举的经验；山东省招远市人大制定出《招远市村民代表会议议事办法》，规范了村民代表会议制度，创造了民主决策的经验；山东省章丘县制定了《村民自治章程》，创造了民主管理的经验。后来各地又创造出民主监督的经验，逐渐形成了“四个民主”的完整体系。“四个民主”把“三个自我”落到了实处。

与此同时，党中央进一步夯实以党支部为核心的村级组织配套建设的工作格局。1994年，党中央召开全国农村基层组织建设工作会议，会后下发了《中共中央关于加强农村基层组织建设的通知》，决定用三年时间集中整顿处于软弱涣散和瘫痪状态的村党支部。1997年，党中央决定再用三年时间对后进乡镇党委和村党组织进行整顿建设。1998年，党的十五届三中全会确定了农业和农村跨世纪发展的目标，进一步明确了农村基层组织建设、民主法制建设的任务和要求。同年，《中华人民共和国村民委员会组织法》正式颁布实施，进一步规范了村民自治，再次明确规定“村民委员会主任、副主任和委员，由村民直接选举产生。任何组织或者个人不得指定、委派或者撤换村民委员会成员”，推动农村基层民主政治建设步伐进一步加快。1999年，《中国共产党农村基层组织工作条例》出台，进一步规范了农村基层党组织的工作。2000年12月到2002年6月，在全国农村开展了“三个代表”重要思想学习教育活动，有1520多万名农村基层干部参加。[①]通过开展这些工作，农村基层民主和基层组织建设进一步加强。

没有基层民主就没有完整的社会主义民主，基层民主的广泛实践，丰富了社会主义民主的内涵。这在党的代表大会的报告中也得到了直接体现。党的十四大报告指出：“加强基层民主建设，切实发挥职工代表大会、居民委员会和村民委员会的作用。”[②]党的十五大报告指出：“扩大基层民主，保证人民群众直接行使民主权利，依法管理自己的事情，创造自己的幸福生活，是社会主义民主最广泛的实践。城乡基层政权机关和基层群众性自治组织，都要健全民主选举制度，实行政务和财务公开，让群众参与讨论和决定基层公共事务和公益事业，对干部实行民主监督。坚持和完善以职工代表大会为基本形式的企事业民主管理制度，组织职工参与改革和管理，维护职工合法权益。”[③]党的十六大报告指出：“扩大基层民主，是发展社会主义民主的基础性工作。健全基层自治组织和民主管理制度，完善公开办事制度，保证人民群众依法直接行使民主权利，管理基层公共事务和公益事业，对干部实行民主监督。完善村民自治，健全村党组织领导的充满活力的村民自治机制。完善城市居民自治，建设管理有序、文明祥和的新型社区。坚持和完善职工代表大会和其他形式的企事业民主管理制度，保障职工的合法权益。”[④]

第四，推进政治体制改革，发展社会主义民主政治，还要进行行政管理体制和机构改革，切实做到转变职能、理顺关系、精兵简政、提高效率。

根据党的十五大精神，按照社会主义市场经济的要求，在改革开放后几次机构改革的基础上，1998年3月10日，九届全国人大一次会议审议通过

---

① 贺国强：《大力推进农村基层组织建设　为建设社会主义新农村提供坚强组织保证》，《人民日报》2006年4月1日。

② 江泽民：《江泽民文选》第一卷，人民出版社2006年版，第236页。

③ 江泽民：《江泽民文选》第二卷，人民出版社2006年版，第30页。

④ 江泽民：《江泽民文选》第三卷，人民出版社2006年版，第554—555页。

了《第九届全国人民代表大会第一次会议关于国务院机构改革方案的决定》。改革的目标是：建立办事高效、运转协调、行为规范的政府行政管理体系，完善国家公务员制度，建设高素质的专业化行政管理队伍，逐步建立适应社会主义市场经济体制的有中国特色的政府行政管理体制。改革的原则是：按照社会主义市场经济的要求，转变政府职能，实现政企分开；按照精简、统一、效能的原则，调整政府组织结构，实行精兵简政；按照权责一致的原则，调整政府部门的职责权限，明确划分部门之间职责分工，完善行政运行机制；按照依法治国、依法行政的要求，加强行政体系的法制建设。

根据九届全国人大一次会议通过的《第九届全国人民代表大会第一次会议关于国务院机构改革方案的决定》，改革的重点是调整和撤销那些直接管理经济的专业部门，加强宏观调控和执法监管部门。

最突出的表现是撤销了几乎所有的工业专业经济部门，共 10 个：电力工业部、煤炭工业部、冶金工业部、机械工业部、电子工业部、化学工业部、地质矿产部、林业部、中国轻工业总会、中国纺织总会。这些部门是计划经济时代的产物，在当时的历史条件下，是资源配置的载体，是落实经济计划的依托。但是在建立社会主义市场经济体制的过程中，这类部门的存在不利于充分发挥市场在资源配置中的基础作用，不利于充分发挥企业的微观经济主体地位。国务院不再保留的有 15 个部、委，包括：电力工业部、煤炭工业部、冶金工业部、机械工业部、电子工业部、化学工业部、国内贸易部、邮电部、劳动部、广播电影电视部、地质矿产部、林业部、国家体育运动委员会、国防科学技术工业委员会（组建新的国防科学技术工业委员会，将原国防科工委管理国防工业的职能、国家计委国防司的职能以及各军工总公司承担的政府职能，统归新组建的国防科学技术工业委员会管理）、国家经济体制改革委员会（为了加强国务院对经济体制改革工作的领导，国家经济体制改革委员会改为国务院高层次的议事机构，总理兼主任和有关部长任成员不再列入国务院组成部门序列）。新组建的有 4 个部、委：国防科学技术工业委员会、信息产业部、劳动和社会保障部、国土资源部。更名的有 3 个部、委：国家计委更名为国家发展计划委员会，科学技术委员会更名为科学技术部，国家教育委员会更名为教育部。保留的有 22 个部、委、行、署：外交部、国防部、国家经济贸易委员会、民族事务委员会、公安部、国家安全部、监察部、民政部、司法部、财政部、人事部、建设部、铁道部、交通部、水利部、农业部、对外贸易经济合作部、文化部、卫生部、国家计划生育委员会、中国人民银行、审计署。改革后除国务院办公厅外，国务院组成部门由原有的 40 个减少到 29 个。国务院直属机构和办事机构也进行相应的调整与改革，并且加强了行政组织和立法。

与此同时，党中央各部门和其他国家机关及群众团体的机构改革陆续展开。随后，各级地方政府也进行机构改革，精简机构和人员。全国省级政府机构由平均 55 个减为 40 个，平均精简 20%；省级政府人员编制平均精简 47%；市、地级政府机构由平均 45 个减为 35 个；县级政府机构由平均 28 个减为 18 个。这次机构改革取得了很大的成绩。

第四章

推进国有企业改革，建立现代企业制度

中国的国有企业改革一直未曾间断过。1993年11月，党的十四届三中全会通过的《中共中央关于建立社会主义市场经济体制若干问题的决定》指出，要实现建立社会主义市场经济体制的目标，就必须坚持以公有制为主体、多种经济成分共同发展的方针，进一步转换国有企业经营机制，建立适应市场经济要求，产权清晰、权责明确、政企分开、管理科学的现代企业制度。按照这一要求，从1994年起，国有企业改革从以往的放权让利、政策调整进入到转换机制、制度创新阶段。党中央、国务院实施“抓大放小”政策，贯彻“国家有所为、有所不为，企业有进有退”的方针。党的十五大以后，以国有企业改革为中心的各项改革进一步深化。国有企业通过优化结构、减员增效，人员大幅减少，效益显著提高。到2000年底，国有企业基本实现了三年脱困的目标。

第一节　建立现代企业制度

我国经济体制改革的进程，伴随着一系列热点和难点，其中国有企业改革始终是“热中之热”“难中之难”。

20 世纪 80 年代的国有企业改革，经历了扩大企业自主权、实行企业所有权和经营权适当分离两个阶段，在一定时期内都产生了积极成效。但总的来看，这两个阶段的改革只解决了国有企业的经营权问题，改革措施只有短期效果，企业的短期投机行为很严重，只负盈不负亏，没有摆脱对国家的依赖。

进入 20 世纪 90 年代，国有企业处于日益严峻的竞争环境之中，长期沉淀下来的冗员、债务、社保等历史问题，使国有企业在激烈竞争局面中深陷困境。1991 年 9 月，党中央专门召开工作会议，讨论总结改革十几年来的经验教训。中共中央总书记江泽民主持会议并作总结讲话，国务院总理李鹏受中央政治局委托作了题为《关于当前经济形势和进一步搞好国营大中型企业的问题》的讲话。针对部分国营大中型企业活力不强、效益不高的情况，会议确定今后经济工作的指导方针是：进一步推进改革开放，在巩固治理整顿成果和继续保持总供给与总需求基本平衡的基础上，把经济工作的重点转移到调整结构和提高效益的轨道上来，争取在提高国营大中型企业效益方面取得比较明显的进展。会议强调，国营大中型企业是国民经济的重要支柱，是国家财政收入的主要来源。因此，搞好国营大中型企业有着重大的现实意义。会议分析了我国部分大中型企业活力不强、效益不高的内部原因和外部原因，指出为了增强企业活力和提高企业效益，从根本上说，要靠进一步深化改革、加强管理和进行技术改造，使企业逐步成为自主经营、自负盈亏的社会主义商品生产者和经营者，具有自我改造和自我发展的能力。会议决定采取 12 条措施，为搞好国营大中型企业创造良好的外部条件。

1992 年 6 月，国务院颁布了《全民所有制工业企业转换经营机制条例》（以下简称《转机条例》），明确规定赋予企业 14 个方面的自主权，包括生产经营决策权，产品、劳务定价权，产品销售权，物资采购权，进出口权，投资决策权，留用资金支配权，资产处置权，联营、兼并权，劳动用工权，人事管理权，工资、奖金分配权，内部机构设置权和拒绝摊派权等，并从 1992 年下半年开始实行。《转机条例》名为转换机制，实为全面扩权，它在两个阶段的改革之间起着承接的作用。一方面它是前一阶段扩权的顶点，另一方面又指出要转换经营机制，扩权是为转换机制提供条件。

1992 年 10 月党的十四大召开，明确经济体制改革的目标是建立社会主义市场经济体制，而转换国有企业经营机制是建立社会主义市场经济体制的中心环节。江泽民在党的十四大报告中指出："转换国有企业特别是大中型企业的经营机制，把企业推向市场，增强它们的活力，提高它们的素质。这是建立社会主义市场经济体制的中心环节，是巩固社会主义制度和发挥社会主义优越性的关键所在。通过理顺产权关系，实行政企分开，落实企业自主权，使企业真正成为自主经营、自负盈亏、自我发展、自我约束的法人实体和市场竞争的主体，并承担国有资产保值增值的责任。"①

时代和实践的发展，推动国有企业改革进入制度创新的新阶段。以江泽民同志为核心的党的第三代中央领导集体对搞好国有企业改革十分重视，未雨绸缪，精心组织。

一、加快国有企业改革步伐

1993 年 8 月，江泽民在华北、东北地区部分大中型企业座谈会上的讲

① 江泽民：《江泽民文选》第一卷，人民出版社 2006 年版，第 228 页。

话中指出："搞好国有企业特别是国有大中型企业，是建立和完善社会主义市场经济的重要环节，其根本出路在于进一步深化改革。转换企业经营机制，把企业推向市场，在市场竞争中增强活力，提高素质，建立适应社会主义市场经济发展要求的现代企业制度，是深化企业改革的重要内容。"①他指出："现代企业制度是社会化大生产和市场经济发展的产物。按照社会化大生产和市场经济一般规律的要求，同时按照社会主义制度的要求，在我国建立现代企业制度搞好国有企业是建立社会主义市场经济体制的重要环节，应具有这样几个基本特征：企业是产权关系明晰，资产保值增值责任明确，独立核算、自主经营、自负盈亏、照章纳税的法人实体；企业以营利为目的，面向市场，按照市场的需求组织生产，从事经营，追求经济效益；企业具有自我发展、自我约束机制。按照国家的规定，在内部实行按劳动者的贡献分配报酬的制度；企业内部责任明确，运营规范，管理制度和经营机制健全；政企职责分开，政府对企业实行间接调控。"②江泽民强调指出，如何搞好国有企业，在世界上没有完整、成熟的经验，也是个带有普遍性的难题。我们要通过深化改革，走出一条搞好国有企业特别是国有大中型企业的新路子。

同年 9 月，江泽民在中南、西南十省区经济工作座谈会上的讲话中提出，建立现代企业制度是实现公有制与市场经济有机结合的重要途径。他指出，深化国有企业改革，必须由以放权让利为主的政策调整转为企业制度的创新。建立现代企业制度，是实现公有制与市场经济有机结合的重要途径。现代企业制度，是以规范和完善企业法人制度为核心的产权清晰、权责明确、政企分开、管理科学的制度。

在广泛深入的专题调研基础上，1993 年 11 月，党的十四届三中全会通过了《中共中央关于建立社会主义市场经济体制若干问题的决定》（以下简称《决定》）。《决定》要求在 20 世纪末初步建立起社会主义市场经济体制。

① 江泽民：《论社会主义市场经济》，中央文献出版社 2006 年版，第 108 页。
② 江泽民：《论社会主义市场经济》，中央文献出版社 2006 年版，第 114—115 页。

建立社会主义市场经济体制，就是要使市场在国家宏观调控下对资源配置起基础性作用。社会主义市场经济体制的框架由以下主要部分组成：以公有制为主体、多种经济成分共同发展，国有企业实行产权清晰、权责明确、政企分开、管理科学的现代企业制度；建立全国统一开放的市场体系，并且国内市场与国际市场相互衔接；建立以间接手段为主的完善的宏观调控体系；实行以按劳分配为主体，效率优先、兼顾公平的收入分配制度和多层次的社会保障制度。

其中，以公有制为主体的现代企业制度是社会主义市场经济体制的基础。《决定》明确指出，建立现代企业制度，是发展社会化大生产和市场经济的必然要求，是我国国有企业改革的方向。其基本特征：一是产权关系明晰，企业中的国有资产所有权属于国家，企业拥有包括国家在内的出资者投资形成的全部法人财产权，成为享有民事权利、承担民事责任的法人实体。二是企业以其全部法人财产，依法自主经营、自负盈亏、照章纳税，对出资者承担资产保值增值的责任。三是出资者按投入企业的资本额享有所有者的权益，即资产受益、重大决策和选择管理者等权利。企业破产时，出资者只以投入企业的资本额对企业债务负有限责任。四是企业按照市场需求组织生产经营，以提高劳动生产率和经济效益为目的，政府不直接干预企业的生产经营活动。企业在市场竞争中优胜劣汰，长期亏损、资不抵债的应依法破产。五是建立科学的企业领导体制和组织管理制度，调节所有者、经营者和职工之间的关系，形成激励和约束相结合的经营机制。

《决定》指出，国有企业推行现代企业制度，按照财产构成可以有多种组织形式。国有企业实行公司制，是建立现代企业制度的有益探索。公司可以有不同的类型。具备条件的国有大中型企业，单一投资主体的可依法改组为独资公司，多个投资主体的可依法改组为有限责任公司或股份有限公司。国有股权在公司中占有多少份额比较合适，可按不同产业和股权分散程度区别处理。生产某些特殊产品的公司和军工企业应由国家独资经营，支柱产业和基础产业中的骨干企业，国家要控股并吸收非国有资金入股，以扩大国有经济的主导作用和影响范围。实行公司制不是简单更换名称，也不是单纯为了筹集资金，而要着重于转换机制。按照现代企业制度的要求，现有全国性行业总公司要逐步改组为控股公司。发展一批以公有制为主体，以产权联结为主要纽带的跨地区、跨行业的大型企业集团，发挥其在促进结构调整，提高规模效益，加快新技术、新产品开发，增强国际竞争能力等方面的重要作用。一般小型国有企业，有的可以实行承包经营、租赁经营，有的可以改组为股份合作制，也可以出售给集体或个人。出售企业和股权的收入，由国家转投于急需发展的产业。

《决定》指出，国有企业要改革和完善企业领导体制和组织管理制度，坚持和完善厂长（经理）负责制，保证厂长（经理）依法行使职权。实行公司制的企业，要按照有关法规建立内部组织机构。企业中的党组织要发挥政治核心作用，保证监督党和国家方针政策的贯彻执行。要加强职工队伍建设，造就企业家队伍。形成企业内部权责分明、团结合作、相互制约的机制，调动各方面的积极性。

《决定》还指出，按照政府的社会经济管理职能和国有资产所有者职能分开的原则，积极探索国有资产管理和经营的合理形式和途径。加强中央和省、自治区、直辖市两级政府专司国有资产管理的机构。有关部门对其分工监管的企业国有资产要负起监督职责，根据需要可派出监事会，对企业的国有资产保值增值实行监督。严禁将国有资产低价折股，低价出售，甚至无偿分给个人。要健全制度，从各方面堵塞漏洞，确保国有资产及其权益不受侵犯。

二、推进建立现代企业制度试点工作

积极探索建立现代企业制度的有效途径，是经济体制改革的重点。1993 年 12 月，国务院建立了由中央政治局委员、国务委员、国家体改委主任李铁映兼任组长的现代企业制度试点工作协调会议制度。协调会议由国务院办公厅、国家计委、国家经贸委、国家体改委、财政部、人事部、劳动部、外经贸部、人民银行、国家工商局、国家国有资产管理局、国家证券委等国务院有关部门，以及中央组织部和全国总工会等 14 个固定成员单位的有关负责同志组成。在此基础上，协调会组成了文件起草小组。该小组以党的十四届三中全会通过的《中共中央关于建立社会主义市场经济体制若干问题的决定》（以下简称《决定》）为依据，起草了《试点方案》《试点办法》，提出了试点企业备选名单。

与此同时，1993 年 12 月，国家经贸委在全国经贸工作会议上提出了“转机建制、万千百十”规划。“转机建制”是《决定》第二部分题目《转换国有企业经营机制，建立现代企业制度》的简称，是对企业改革整体推进而言的，即所有的国有企业都要贯彻好《转机条例》和即将出台的《监管条例》，着力进行机制转换，为建立现代企业制度打好基础，创造条件。“万千百十”是对企业改革重点突破的具体化。所谓“万”，就是在 1 万户国有大中型企业中不折不扣地落实 14 项经营自主权，为企业转轨建制打下基础；所谓“千”，就是国家通过委派监事会的形式，分期分批地对 1000 户重点骨干企业的国有资产实行监管；所谓“百”，就是选择 100 户不同类型的国有大中型企业，进行建立现代企业制度的试点；所谓“十”，即在 10 个城市或地区进行减轻企业不合理负担和提高自有流动资金比重的试点，进行配套改革。

1994 年 1 月，江泽民在全国宣传思想工作会议上明确指出，要加快建立社会主义市场经济体制，保持国民经济持续、快速、健康发展，维护政治稳定，促进社会全面进步。抓住机遇，深化改革，扩大开放，促进发展，保持稳定，是今年全党工作的大局。全党都要认清这个大局，服从和服务于这个大局，在这个大局下自觉行动，做好各方面的工作。

由此可见，1994 年中国的企业改革要服务和服从于抓住机遇、深化改革、扩大开放、促进发展、保持稳定的大局，正确处理好改革、发展和稳定的关系。企业改革的主要任务是：加快国有大中型企业机制转换步伐，进行建立现代企业制度的试点，摸索出进一步搞活国有大中型企业的途径和办法。

在党中央、国务院的领导下，各地区、各部门妥善处理改革、发展与稳定的关系，努力做好各方面工作。与企业改革相关的法律法规的建立和健全是保证企业改革沿着健康轨道前进的重要条件。1993 年 12 月 29 日，八届全国人大五次会议通过了《中华人民共和国公司法》。至 1994 年底，全国人大及其常委会通过了 17 部法律和有关法规，其中《中华人民共和国劳动法》《中华人民共和国审计法》《中华人民共和国广告法》《中华人民共和国对外贸易法》《中华人民共和国仲裁法》《中华人民共和国企业国有资产管理法》等与企业改革直接相关。

根据国家经贸委的规划，"万千百十"规划中，百户企业建立现代企业制度试点的主要内容是：为完善企业法人制度，确定试点企业国有资产投资主体，确定企业的公司组织形式，建立科学、规范的公司内部组织管理机构，改革企业劳动人事制度，健全企业财务会计制度。

1994 年 11 月，国务院召开全国建立现代企业制度试点工作会议。朱镕基在会上指出，现代企业可以有多种组织形式，我们要在以公有制为主体的前提下，进行各种形式的探索，不是要把所有的企业都办成股份制公司，更不是把所有的企业都办成上市公司。会议讨论了《关于选择一批国有大中型企业进行建立现代企业制度试点的方案（草案）》，正式部署了试点工作，并公布了进行现代企业制度试点的 100 家企业名单和 3 个国家控股公司名单。11 月 30 日，国家经贸委出台了《关于深化企业改革搞好国有大中型企业的意见》；12 月 20 日，国家经贸委在上海召开了百家试点企业试点工作方案操作培训班；12 月 25 日，国家体改委在天津举办了首次国家体改委联系的建立现代企业制度试点企业实际操作培训班，列出了试点工作的时间表。这标志着国务院选择的国有大中型企业进行建立现代企业制度的试点工作，进入了实质性操作阶段。

除中央确定的100户国有大中型企业外，各地也选择了2300多家地方企业进行试点。截至1996年，这些试点企业多数按现代企业制度要求改制为不同形式的公司，其中有的改建为多元股东持股的有限责任公司或股份公司，有的改建为国有独资公司，初步建立起现代企业制度的基本框架，变国家对企业的无限责任为有限责任；明确了国有资产的投资主体，按照决策机构、执行机构和监督机构相互制衡和相互协调的原则，建立了董事会、经理层和监事会，形成了企业法人治理结构；企业转换经营机制加快，股东利益相互制衡而构成的对经理层的内在约束，规范了企业的决策程序和决策行为，投资饥渴症受到抑制；企业增资减债，分离办社会职能，分流富余人员等难点问题，在省市和部门配合下取得突破。国有资产明显增值，资产负债率有所下降，1996年百户企业资产增值率为25%，资产负债率由66.8%降为64.1%。[①]1997年11月，全国现代企业制度试点工作座谈会在甘肃兰州召开。会议指出，参加试点的100家企业，按照建立现代企业制度要求，探索建立国有资本出资人制度，三年来逐步落实了法人所有权，深化了企业内部改革，国有资产经营状况得到明显改善，有60%的试点企业在资产增值率、经营效益等方面取得显著成效。

在100户企业建立现代企业制度试点的同时，国家考虑到有相当一批企业已形成集团，因而又补充了集团企业和控股公司的试点。1995年国家批准57家，之后扩大为120家。这些试点企业制定了符合集团特点的发展战略，通过投资、合资、内部剥离、收购兼并以及国有资产授权经营等形式，初步形成了集团公司对成员企业的控股、参股关系，在建立产权联结纽带、建立集团化体制等方面迈出了实质性步伐。

三、开展优化资本结构试点

在建立现代企业制度过程中，企业增资减债、分离办社会职能、分流

① 武力主编《中华人民共和国经济史》（增订版　下卷），中国时代经济出版社2010年版，第878页。

富余人员是最大的难点。为了解决这一问题，相关城市进行了优化资本结构的试点。试点城市先确定为上海、天津、太原、沈阳、长春、武汉、成都、青岛、齐齐哈尔、唐山、常州、蚌埠、淄博、株洲、柳州、宝鸡、哈尔滨、重庆等18个，试点内容包括“增资、改造、分流、破产”四个方面：(1)增资——多渠道解决国有企业注入资金不足的问题。国家制定有关政策，鼓励企业增补生产经营资金，逐步减轻债务负担。通过财产清查，进一步摸清家底，为今后界定产权、重估资产、核实资金做准备。(2)改造——把企业改革与技术改造结合起来。通过改革，转换机制，激发活力；通过改造，增强后劲，提高实力。各试点城市选择一批重点企业进行“双改”，采取扶优扶强政策，使有限资源发挥出最大的效益。(3)分流——抓紧建立社会保障体系，分流企业富余人员，分离企业办社会的职能。例如：在企业内部将生产经营与办社会部分分离，然后将企业所承担的社会服务职能转移给地方政府或社区组织；建立区域性劳动力市场，形成就业竞争机制；提高社会保险的社会化程度，使养老、失业保险覆盖各类企业。(4)破产——对无法清偿到期债务、资不抵债、扭亏无望的企业依法实行破产，推动优胜劣汰机制的形成。促进企业加强自我约束，推动存量资产优化配置，促进生产要素的流动和重组。

为配合在18个城市进行企业优化资本结构试点工作，建立和完善企业优胜劣汰机制，指导和完善这些城市国有企业破产工作，1994年10月25日，《国务院关于在若干城市试行国有企业破产有关问题的通知》发布，该通知就破产企业职工安置、破产企业土地使用权的处置、破产财产的处置、破产企业的整体接收等问题作出规定。

优化资本结构试点工作成效显著。在增资方面，截至1995年6月底，18个城市企业共增资49.9亿元，其中所得税返还1.38亿元，占2.7%；企业自补29亿元，占58%；多渠道增资19.5亿元，占39%。在改造方面，在全国902个项目中，18个试点城市企业有212个，占23.5%。截至1995年8月底，18个城市企业技改总投资额达641亿元。在分流方面，截至1995

年 8 月底，18 个城市共分流企业富余人员 133.6 万人，占企业职工总数的 9.1%。其中生产性安置 57.7 万人，占分流富余人员的 43.2%；政府或者行业安置 18.5 万人，占 13.9%；职工自谋职业 14.7 万人，占 11%；离岗退养 17.7 万人，占 13.2%；社会待业 8 万人，占 6%；其他 17 万人，占 12.7%。在破产方面，到 1995 年 8 月底，18 个城市已经或者正在进入破产的企业共计 161 户，其中已破产终结的 92 户，资产总额 26 亿元，负债总额 42.6 亿元，共安置职工 7.1 万人。①

试点城市由开始的 18 个，到 1996 年（增加了 32 个）扩大到 50 个，同时增加 8 个城市比照试点；到 1997 年扩大到 111 个。1997 年底，试点城市国有企业破产终结 675 户，兼并企业 1022 户，分流富余职工 169 万人。国有工业企业扭亏增盈取得一定效果，利税增加，盈亏相抵实现利润总额增长 11.9%。②在企业结构得到优化的同时，职工思想开始适应市场竞争环境。

四、抓大放小，进行战略性改组

国有企业建立现代企业制度改革取得了一定成效，但整个国有经济仍存在靠建立现代企业制度解决不了的问题，搞活每一个国有企业也是不可能的使命。随着实践的发展，国家逐渐形成了要搞活国有经济整体，而不是要搞好每一个国有企业的战略思路。抓大放小，由此成为新一轮国企改革的总战略方针。

1995 年 5 月，江泽民到上海、江苏、浙江，6 月份到辽宁、吉林、黑龙江，前后考察了近 50 家企业，召集了 10 多次座谈会、汇报会，听取省市和企业的意见，在此基础上明确提出进一步推进企业特别是国有大中型企

① 王忠禹：《关于国有大中型企业改革情况的报告——1995 年 12 月 26 日在第八届全国人民代表大会常务委员会第十七次会议上》，《中华人民共和国全国人民代表大会常务委员会公报》1995 年第 8 期。

② 陈锦华：《关于 1997 年国民经济和社会发展计划执行情况与 1998 年国民经济和社会发展计划草案的报告——1998 年 3 月 6 日在第九届全国人民代表大会第一次会议上》，《中华人民共和国全国人民代表大会常务委员会公报》1998 年第 1 期。

业改革和发展的问题。江泽民指出："国有大中型企业是国民经济的支柱。搞好国有大中型企业，对增强我国经济实力，提高人民生活水平，保持社会稳定，建设有中国特色的社会主义，具有十分重要的意义"，"搞好国有企业特别是国有大中型企业，既是关系到整个国民经济发展的重大经济问题，也是关系到社会主义制度命运的重大政治问题"①。

1995年9月，党的十四届五中全会通过的《中共中央关于制定国民经济和社会发展"九五"计划和2010年远景目标的建议》明确指出："要着眼于搞好整个国有经济，通过存量资产的流动和重组，对国有企业实施战略性改组。这种改组要以市场和产业政策为导向，搞好大的，放活小的，把优化国有资产分布结构、企业组织结构同优化投资结构有机地结合起来，择优扶强，优胜劣汰，形成兼并破产、减员增效机制，防止国有资产流失。重点抓好一批大型企业和企业集团，以资本为纽带，连结和带动一批企业的改组和发展，形成规模经济，充分发挥它们在国民经济中的骨干作用。区别不同情况，采取改组、联合、兼并、股份合作制、租赁、承包经营和出售等形式，加快国有小企业改革改组步伐。"也就是说，国有企业要实行"抓大放小"的改革战略。

在"抓大"方面，国家确定了对1000户重点企业分类指导方案，围绕支柱产业、优势企业、名牌产品，集中力量抓好一批大型企业和企业集团，带动一大批关联企业调整和改组，促进生产要素向这些大型优势企业流动。经过探索，1996年5月，江泽民在上海主持召开了上海、江苏、浙江、山东四省市企业改革和发展座谈会，在认真总结经验的基础上，他提出了国有企业改革的八条基本方针和判断国有企业改革成效的四条主要原则。这八条基本方针是：（1）以公有制为主体的现代企业制度是社会主义市场经济的基础，国有企业特别是大中型国有企业是国民经济的支柱，国有企业改革是经济体制改革的中心环节。（2）建立现代企业制度是国有企业改革的方向。其基本特征是产权清晰、权责明确、政企分开、管理科学。

① 江泽民：《江泽民文选》第一卷，人民出版社2006年版，第441页。

至20世纪末要使大多数国有大中型骨干企业初步建立起现代企业制度，成为自主经营、自负盈亏、自我发展、自我约束的法人实体和市场竞争主体。（3）把国有企业的改革同改组、改造和加强管理结合起来，以构造产业结构优化和经济高效运行的微观基础。（4）要着眼于搞好整个国有经济，通过存量资产的流动和重组，对国有企业实施战略性改组，以市场和产业政策为导向，集中力量抓好一批国有大型企业和企业集团，放开搞活一般国有小企业，以利于更好地发挥国有经济在国民经济中的主导作用。（5）搞好国有企业，要全心全意依靠工人阶级，切实加强企业经营管理者队伍建设，严格企业内部管理，形成适应市场经济要求的机制，做好企业的各项基础性工作，提高企业的整体素质。（6）加快国有企业的技术进步，形成企业的技术创新机制，增强企业的市场竞争能力。（7）协调推进各项配套改革，重点是建立权责明确的国有资产管理、监督和营运体系，促进企业政企分开，加快建立健全社会保障制度，为国有企业改革提供必要的外部条件。（8）坚持以公有制经济为主体，各种经济成分共同发展，国家为各种所有制经济平等参与市场竞争创造良好的环境和条件。判断国有企业改革成效的四条主要原则：一看是否按照建立现代企业制度的要求，真正把企业建成了自主经营、自负盈亏、自我发展、自我约束的法人实体和市场竞争主体；二看是否提高了企业的经济效益和市场竞争能力，实现了国有资产的保值增值；三看是否调动了企业职工和管理者的积极性，有利于企业党组织政治核心作用的发挥，有利于党和国家各项方针政策的贯彻落实；四看是否增强了国有经济的活力，促进了国有经济的发展。① 这些方针和原则，不仅方向明确，而且对需要解决的难点重点、改革的好坏标准，形成了共识，推动了国有企业改革的发展。

在“放小”方面，1996年6月，国家体改委印发《关于加快国有小企业改革的若干意见》，明确“进一步放开放活国有小企业是深化国有企业改革的重要内容，是实施国有企业战略性改组的重要措施”。各地根据邓小平

① 江泽民：《论社会主义市场经济》，中央文献出版社2006年版，第291—294页。

“三个有利于”的思想，积极进行探索，以构筑多元产权结构、转变经营机制为中心，采取了多种方式：对经营状况较好，产品有市场，但缺乏资金的企业，通过产权界定，采取资产责任股形式，吸纳职工、自然人、法人参股，改制为股份有限责任公司；对生产经营陷于困境的企业，切出部分净资产以置换职工身份，组成股份合作企业；以兼并、划并、参股、控股、划转等方式重组，发展为集团；经营者以有价证券或不动产作风险抵押金，以安置消化职工为前提，每年向财政上缴一定数量的国有资产占用费，进行多种形式的租赁；利用企业地理、技术、产品等优势，吸引国内外资金、技术、管理，对企业进行嫁接；以盘活国有资产，解决债务、人员“包袱”为目的，将整个企业或企业部分资产进行产权转让（即拍卖、出售和破产）。山东诸城、四川宜宾、黑龙江宾县、山西朔州、广东顺德、河南桐柏、江苏南通、福建宁德等许多地区在探索搞活小企业方面先行一步，经济效益得到明显提高。

1997 年 9 月，党的十五大明确提出，“公有制实现形式可以而且应当多样化”，这是党的十五大在社会主义初级阶段所有制理论上的一个重大突破。江泽民在大会报告中指出：“国有经济起主导作用，主要体现在控制力上。要从战略上调整国有经济布局。对关系国民经济命脉的重要行业和关键领域，国有经济必须占支配地位。在其他领域，可以通过资产重组和结构调整，以加强重点，提高国有资产的整体质量。只要坚持公有制为主体，国家控制国民经济命脉，国有经济的控制力和竞争力得到增强，在这个前提下，国有经济比重减少一些，不会影响我国的社会主义性质。”[①]因此，要“把国有企业改革同改组、改造、加强管理结合起来。要着眼于搞好整个国有经济，抓好大的，放活小的，对国有企业实施战略性改组”[②]。由努力搞好每一个国有企业，到着眼搞好整个国有经济，这是国有企业改革实践的又一重大突破。

---

① 江泽民：《江泽民文选》第二卷，人民出版社 2006 年版，第 19—20 页。
② 江泽民：《江泽民文选》第二卷，人民出版社 2006 年版，第 21 页。

随着“抓大放小”战略措施的贯彻实施，国有大型企业资本实力增势明显走强，进一步体现出行业排头兵作用。1997 年各新闻单位集中宣传了邯钢、长虹、宝钢、燕化、兖矿、焦矿、秦机、三枪、大庆、一汽等 10 个在市场竞争中脱颖而出的国有企业。截至 1998 年底，国有大型企业拥有资产总额为 76015.9 亿元，占全国国有企业总资产的 56.4%，比上年增长 9.8%。我国 9357 户国有大型企业，户均拥有资产总额为 9.1 亿元，比上年增长 8.3%；户均占用国有资产为 3.2 亿元，比上年增长 10.3%。一大批具有活力的国有大型企业脱颖而出，其中资产总额和年销售收入均超过 50 亿元的国有企业有 113 户，户数比上年增长 37.8%；资产总额和年销售收入均超过 5 亿元的国有企业有 1288 户，户数比上年增长 45.2%。[①] 国有大型企业经济实力进一步加强。

第二节　1998 年至 2000 年国有企业三年脱困

新旧体制转换过程中，往往有阵痛相伴。在深化国有企业改革的过程中，1997 年 7 月始发于泰国的亚洲金融危机，先后波及韩国、日本、俄罗斯和拉美地区，对全球经济带来重创。外部环境的变化，也给国有企业改革和发展带来严峻考验。1997 年全国国有及国有控股工业实现利润 806.5 亿元，年末重点监测的 14 个工业行业中有 4 个整体亏损，全国 31 个省区市有 12 个整体亏损，大中型亏损企业有 6599 户。在国有企业战略性重组过程中，伴随着大量企业破产、转制和实行“减员增效”，相当数量的职工下岗或失业。

为了应对亚洲金融危机和解决国有企业发展难题，党的十五大和十五届一中全会向全党、全国人民发出国有企业改革与脱困的“动员令”：用三年左右的时间，通过改革、改组、改造和加强管理，使大多数国有大中型

① 李建兴：《我国国有经济持续稳步发展》，《人民日报》1999 年 8 月 7 日。

亏损企业摆脱困境；力争到本世纪末大多数国有大中型骨干企业初步建立起现代企业制度。这就是国有企业改革与脱困的“三年两大目标”。

1998年3月，国务院总理李鹏在《政府工作报告》中指出，国有企业改革是当前经济体制改革的重点。中央提出，要用三年左右的时间，力争到本世纪末使大多数国有大中型骨干企业初步建立起现代企业制度。国有企业改革的指导思想和基本任务：一是把国有企业改革作为经济体制改革的中心环节，以建立现代企业制度为方向，切实转换企业经营机制；二是实行分类指导，从搞好整个国有经济出发，“抓大放小”，对国有企业进行战略性改组；三是按“三个有利于”的标准，探索和发展公有制的多种实现形式；四是把改革同改组、改造、加强管理结合起来；五是鼓励兼并、规范破产、下岗分流、减员增效和实施再就业工程；六是推进以建立社会保障制度为重点的配套改革。我们必须充分估计改革的艰巨性和紧迫性，也要看到改革的有利条件。现在宏观经济环境比较好，要树立信心，采取坚决而又稳妥的步骤，为搞好国有企业改革，促进效益提高而努力。3月19日，在九届全国人大一次会议举行的记者招待会上，新任国务院总理朱镕基指出，不管前面是地雷阵还是万丈深渊，我都将勇往直前，义无反顾，鞠躬尽瘁，死而后已。被朱镕基比作“地雷阵”之一的，便是国企改革。他重申，我们已经确定用三年左右的时间使大多数国有大中型亏损企业摆脱困境进而建立现代企业制度。

为完成这一艰巨的改革发展任务，国家先后出台了一系列举措。

第一，大力推进现代企业制度建设，实现企业制度创新。一是积极推进政企分开，理顺政府与企业的关系。1998年，党中央、国务院决定对政府机构进行重大改革和调整。经过改革，国务院部委由40个减少到29个。国务院各部门将200多项职能交给企业、中介组织或地方承担。6408户军队、武警、政法机关所办的经营性企业和297户军队保障性企业移交地方，530个中央党政机关所办的企业和经营性实体与其脱钩，共涉及资产12436亿元，职工338万人。二是积极推进公司制改革，促进企业建立规范的法人治理结构。国务院和各地确定的2500多户试点企业，大部分按照《中华人民共和国公司法》的要求进行了公司制改革。1998年至2001年底，国有及国有控股企业重组上市的有406家，到境外上市的有22家。三是积极探索国有资产管理的有效方式，加强对国有企业的监管。国务院批准了27户中央直接管理的、基础较好的国有大型企业和企业集团作为国家授权投资机构，允许和鼓励地方进行建立国有资产管理体制和机制的试点，探索国有资产管理的具体途径和方式。国务院先后任命了75名监事会主席，陆续向182户国有企业和一批银行、保险公司等派出了监事会主席和监事。中央组织部、国家经贸委等七部委还选择了一批在行业中有代表性的企业进行建立总法律顾问制度的试点，以促进企业依法经营。

第二，大力推进技术进步，实现企业技术创新。一是拿出部分国债资金支持企业技术改造。1999年至2002年，共安排国债技改贴息资金355.4亿元，安排项目2175个，总投资4354亿元。通过国债支持企业技术改造，产品结构不合理的矛盾得到缓解，一批我国不能自行生产、严重依赖进口的重要工业品基本上可以立足国内解决；一批重点企业的市场竞争力明显增强，一批老企业重新焕发了青春；拉动社会投资，起到了“四两拨千斤”的作用，为我国应对加入世贸组织带来的挑战做了技术准备，对国有及国有控股企业调整结构、提高竞争力产生重大而深远的影响。二是建立以企业为中心的技术创新体系。国家认定的企业技术中心达289家，省一级政府认定的企业技术中心超过2000家，520户国家重点企业中的工业企业基本建立了技术中心，增强了企业的技术创新能力。集中力量组织实施一批产学研联合示范项目，推动企业与高等院校、科研院所以各种形式共建研发机构和产业化联合实体。围绕解决企业面临的一些重大技术难题，组织开展了院士行活动，取得了良好的经济效益和社会效益。

第三，大力推进科学管理，实现企业管理创新。一是总结推广了一批典型经验。针对国有企业管理中普遍存在的突出问题和薄弱环节，1996年之后，先后在全国推广了河北邯郸钢铁集团“模拟市场核算，实行成本否决”的经验，山东潍坊亚星集团对企业购销活动实行公开比价管理的经验，河南许继集团深化人事、劳动、分配三项制度改革的经验，联想、海尔和黑龙江斯达集团以及广州市在企业信息化建设方面的成功做法和经验，起到了很好的示范和引导作用。二是加强了企业领导班子建设。中央和各地普遍加大了国有企业领导班子考核、调整力度，一大批思想解放、事业心强、懂经营、会管理、年富力强的优秀人才走上领导岗位。各地把党管干部和引入市场机制、公开向社会招聘经营者结合起来，在建立企业经营者的激励和约束机制等方面进行了积极探索。三是加大了企业管理人员的培训力度。根据形势发展的要求，先后对企业经营管理者进行了世贸组织基本知识和基本规则、建立现代企业制度和加强企业管理等内容的培训，收到了很好的效果。

第四，大力推进国有企业战略性改组，努力培育具有国际竞争力的大公司和企业集团。在发展大公司和企业集团方面，一是按照市场经济规律，结合垄断行业的改革，大力推进企业联合重组；二是支持大型企业集团充分利用境内外资本市场筹集发展所需资金，加快现代企业制度建设；三是支持大型企业集团进行技术改造，培育核心竞争力；四是对具备条件的企业集团实行国有资产授权经营；五是鼓励大型企业集团开拓国际市场和跨国经营；六是鼓励大型企业集团分流富余人员和分离办社会职能，减轻企业负担。在放开搞活和扶持中小企业发展方面，一是鼓励各地采取改组、联合、兼并、租赁、承包经营和股份合作制、出售等多种形式放开放活国有中小企业。截至 2002 年，国有小型企业改制面达 86.1%。二是通过多种形式帮助中小企业解决融资难、贷款难、人才短缺、技术缺乏等发展中的突出问题。全国大部分省区市开展了信用担保体系的试点工作。三是加强社会化信用服务体系建设，全国有 40 多个省区市开展了此项工作。四是中小企业社会化服务体系建设取得初步成效，全国共建立中小企业服务机构 36 家，带动各类社会服务机构 200 多家，为中小企业提供资金、技术、人才、信息服务的服务体系初步建立。五是中小企业的政策体系进一步完善，继《关于鼓励和促进中小企业发展的若干政策意见》实施后，2002 年 6 月，全国人大审议通过了《中华人民共和国中小企业促进法》，标志着我国促进中小企业发展开始走上规范化和法制化的轨道。在劣势企业退出市场方面，1997 年之后，国家共安排核销银行呆坏账准备金 1409 亿元，对 2075 个项目实施了政策性关闭破产，使一大批长期亏损、资不抵债、扭亏无望的企业和资源枯竭的矿山退出了市场。劣势企业退出市场步伐的加快，不仅有利于促进国有企业战略性改组，更重要的是促进了企业优胜劣汰机制的建立，为国有企业步入良性循环发展轨道创造了条件。

第五，大力推进增资减债，努力减轻企业债务负担。1999 年，结合国有商业银行集中处理不良资产的改革，国家决定对那些产品有市场、发展有前景、技术水平先进、管理基础好、领导班子强，仅仅由于债务过重而陷入困境的部分国有大中型企业实行债转股。经过严格把关，最后确定对 580 户企业实施债权转股权，债转股总额 4050 亿元。初步匡算，实施债转股后，债转股企业的资产负债率可由原来的 70%以上降到 50%以下，一年可减少企业利息支出 200 亿元左右。在减轻企业债务负担的同时，国家还通过多种渠道帮助国有企业补充资本金。到 1997 年底，将 577 亿元拨款改贷款的资金转为国家资本金。1998 年到 2001 年底，国有企业通过境内外上市筹集资金 5000 亿元左右。除此之外，通过发行企业债券、所得税返还、增提折旧等渠道，也增加了企业资本金，降低了资产负债率。

第六，大力推进配套改革，努力为国有企业改革和发展创造良好的外部环境。一是加快社会保障体系建设，动员各方面力量做好就业和再就业工作。党中央、国务院多次召开会议专门进行部署，作出一系列重大决策，采取了一系列有效措施。1998 年 5 月，党中央、国务院召开国有企业下岗职工基本生活保障和再就业工作会议。江泽民、朱镕基在会上发表了重要讲话。江泽民强调指出，搞好国有企业下岗职工的基本生活保障和再就业工程，任务是非常艰巨的。这就要求我们各级党委、政府和社会各个方面必须齐心协力，为之付出极大的努力。这项工作不仅是重大的经济问题，也是重大的政治问题；不仅是现实的紧迫问题，也是长远的战略问题。各级党委和政府，一定要把它作为一个头等大事抓紧抓好。会后不久，中共中央、国务院发布了《中共中央、国务院关于切实做好国有企业下岗职工基本生活保障和再就业工作的通知》，提出用五年左右时间初步建立起适应社会主义市场经济要求的社会保障体系和就业机制，要求各级党委和政府采取强有力的措施，切实做好这一工作。1998 年到 2001 年底，国有企业 2550 万下岗职工绝大多数进入了再就业服务中心，进入再就业服务中心的下岗职工基本生活费发放比例一直保持在 96%以上。四年间全国共筹集下岗职工专项资金 847 亿元，其中中央财政补贴 428 亿元。为了帮助下岗职工实现再就业，国家出台了一系列鼓励再就业的政策措施，加大了培训力度，加强了就业指导。1998 年到 2001 年，先后有 1865 万下岗职工走出再就业服务中心，通过各种渠道实现了再就业。所以，这几年在企业改革和结构调整力度明显加大的情况下，企业和社会总体上保持了稳定。二是加大了整顿和规范市场经济秩序的工作力度。在党中央、国务院的领导下，先后开展了一系列打击假冒伪劣、走私贩私、骗取出口退税等专项斗争，特别是在全国范围内开展的整顿和规范市场经济秩序的斗争，查处了一批大案要案，惩处了一批犯罪分子。全国共清理各类集贸市场 48520 个，取缔销售假冒伪劣商品摊位 36424 个，取缔无照经营户 63594 个，工商行政管理机关共查处各类违法案件 5 万多件，案值 5.4 亿元，移送司法机关追究刑事责任案件 95 件、犯罪嫌疑人 308 人。整顿和规范市场经济秩序工作取得了阶段性成果，经济领域违法犯罪活动蔓延的势头得到遏制，为包括国有企业在内的各类企业更好地发展创造了条件。三是治理向企业乱收费、乱罚款和各种摊派行为，减轻了企业的负担。1997 年 7 月，中共中央、国务院颁布了《中共中央、国务院关于治理向企业乱收费、乱罚款和各种摊派等问题的决定》，建立了国务院减轻企业负担部际联席会议制度，并设立办公室，负责工作指导、监督检查和组织协调。到 2000 年底，全国共取消各种基金和向企业不合理收费项目 44602 项，查处和纠正各种乱收费案件 66547 起，制止了向企业乱检查、乱评比、乱摊派行为，对企业反映强烈的热点问题进行了专项治理。

为完成“三年脱困”的目标，中央连续召开有关会议加以部署。

1998年11月，党中央、国务院召开经济工作会议。关于深化国有企业改革，朱镕基指出，1999年是实现国有大中型企业改革和三年脱困目标的关键一年。要坚决实行政企分开，防止重复建设，加快建立社会保障体系，为企业改革创造良好的外部条件。要坚持建立现代企业制度的改革方向，把改革、改组、改造和加强管理结合起来，转换企业经营机制。继续推进国有经济的战略性改组，鼓励兼并，规范破产，推动企业的联合和重组。搞好减员增效、下岗分流和再就业工作，保障国有企业下岗职工的基本生活。进一步加强企业领导班子建设，特别要配备好“一把手”。建立健全企业的激励和约束机制，加强对国有资产运营和企业财务状况的监督稽查。继续贯彻“抓大放小”的方针，高度重视发展小企业，采取更加有效的政策措施，为各种所有制小企业特别是高新技术企业的成长创造必要的条件。

以江泽民同志为核心的党中央决定召开一次中央全会，专门研究国有企业改革和发展问题。1999年1月至6月，江泽民先后到西南、中南、西北和华东地区就国有企业改革和发展进行调研，与各地领导和国有企业管理者研讨国有企业摆脱困难和改革发展的办法和出路。8月，在大连召开的东北和华北地区国有企业改革和发展座谈会上，江泽民作了题为《坚定信心，深化改革，开创国有企业发展的新局面》的讲话，重申要采取措施使国企改革获得突破性进展。

1999年9月19日至22日，党中央召开十五届四中全会，会议通过了《中共中央关于国有企业改革和发展若干重大问题的决定》（以下简称《决定》）。《决定》首先阐明了国有企业改革的重要性和紧迫性，认为当前国有企业的体制转换和结构调整进入攻坚阶段，一些深层次矛盾和问题集中暴露出来。由于传统体制的长期影响、历史形成的诸多问题、多年以来的重复建设以及市场环境的急剧变化，相当一部分国有企业还不适应市场经济的要求，经营机制不活，技术创新能力不强，债务和社会负担沉重，富余人员过多，生产经营艰难，经济效益下降，一些职工生活困难。因此，必须采取切实有效的措施解决这些问题。这不仅关系到国有企业改革的成败，也关系到整个经济体制改革的成败。

《决定》明确了国有经济结构调整的基本原则，指出从战略上调整国有经济布局，要同产业结构的优化升级和所有制结构的调整完善结合起来，“坚持有进有退，有所为有所不为”。“要区别不同情况，继续对国有企业实施战略性改组。极少数必须由国家垄断经营的企业，在努力适应市场经济要求的同时，国家给予必要支持，使其更好地发挥应有的功能；竞争性领域中具有一定实力的企业，要吸引多方投资加快发展；对产品有市场但负担过重、经营困难的企业，通过兼并、联合等形式进行资产重组和结构调整，盘活存量资产；产品没有市场、长期亏损、扭亏无望和资源枯竭的企业，以及浪费资源、技术落后、质量低劣、污染严重的小煤矿、小炼油、小水泥、小玻璃、小火电等，要实行破产、关闭。”

《决定》明确了国有经济结构调整和推动国有企业战略性改造的方法，那就是“抓大放小”。抓大，就是“要着力培育实力雄厚、竞争力强的大型企业和企业集团，有的可以成为跨地区、跨行业、跨所有制和跨国经营的大企业集团”。为此，“要发挥这些企业在资本运营、技术创新、市场开拓等方面的优势，使之成为国民经济的支柱和参与国际竞争的主要力量。发展企业集团，要遵循客观经济规律，以企业为主体，以资本为纽带，通过市场来形成，不能靠行政手段勉强撮合，不能盲目求大求全。要在突出主业、增强竞争优势上下功夫”。放小，就是“放开搞活国有中小企业”。《决定》指出：“要积极扶持中小企业特别是科技型企业，使它们向‘专、精、特、新’的方向发展，同大企业建立密切的协作关系，提高生产的社会化水平。要从实际出发，继续采取改组、联合、兼并、租赁、承包经营和股份合作制、出售等多种形式，放开搞活国有小企业，不搞一个模式。对这几年大量涌现的股份合作制企业，要支持和引导，不断总结经验，使之逐步完善。出售要严格按照国家有关规定进行。无论采取哪种放开搞活的形式，都必须听取职工意见，规范操作，注重实效。重视发挥各种所有制中小企业在活跃城乡经济、满足社会多方面需要、吸收劳动力就业、开发新产品、促进国民经济发展等方面的重要作用。培育中小企业服务体系，为中小企业提供信息咨询、市场开拓、筹资融资、贷款担保、技术支持、人才培训等服务。”

全会确定了到2010年国有企业改革和发展的主要目标和必须坚持的指导方针。全会强调，完成这一历史任务，首先要尽最大努力实现国有企业改革和三年脱困的目标。要从不同行业和地区的实际出发，根据不平衡发展的客观进程，着力抓好重点行业、重点企业和老工业基地，把解决当前突出问题与长远发展结合起来，为国有企业跨世纪发展创造有利条件。

在党中央、国务院的正确领导下，经过三年努力，2000年，国民经济走出低迷状态，国有企业的总体经营状况有所好转，特别是一些重点行业（纺织、冶金、煤炭、石化等）的国有企业经济效益明显提高。全国31个省（自治区、直辖市）国有工业都实现了整体扭亏或盈利增加，国家重点监测的14个主要行业，到2000年底有12个行业实现了整体扭亏或继续增盈。1997年底亏损的6599户国有大中型工业企业到2000年底减少了70%以上。①

2001年1月，在国务院新闻办召开的新闻发布会上，国家经贸委主任盛华仁向中外记者正式宣布，经过三年的艰苦努力，国有企业改革与三年脱困目标基本实现。盛华仁指出，2000年1月至11月，国有及国有控股工业企业实现利润达2083亿元，预计全年可达2300亿元左右，比1997年增长了1.85倍。大多数国有大中型骨干企业初步建立了现代企业制度，特别是一批大型企业和企业集团按照国际惯例进行资产重组后，在国际资本市场成功上市，为企业加快改革和发展创造了条件。与此同时，由于采取改组、联合、兼并等多种形式，促进了国有小企业的机制转换和经营状况的改善。2000年1月至11月，国有小企业实现利润25.73亿元，结束了连续

① 中华人民共和国国家统计局：《中华人民共和国2000年国民经济和社会发展统计公报》，《人民日报》2001年3月1日。

六年净亏损的局面。

2003 年 3 月，在十届全国人大一次会议上，朱镕基在《政府工作报告》中谈到过去五年“国有企业改革”工作时，满怀豪情地说：“我们坚持社会主义市场经济的改革方向，知难而进，敢于碰硬，打了一场深化国有企业改革的攻坚战。”

第三节　国有企业改革的成就和经验

国有企业是我国国民经济的支柱，是共和国的脊梁。党的十三届四中全会之后，在以江泽民同志为核心的党中央领导下，推进国有企业改革不断向纵深发展，取得了令人瞩目的丰硕成果。

第一，国有企业总体实力不断增强，在经济和社会发展中发挥着重要作用。1989 年至 2001 年，国有及国有控股工业企业完成工业增加值从 3895.1 亿元增加到 14652.1 亿元，年均增长 11.7%，比 GDP 年均增长 9.3% 高出 2.4 个百分点；产品销售收入、实现利润、固定资产净值和上缴税金年均分别增长 12.3%、10.2%、15.5%和 11.1%。2001 年，我国钢产量、原煤产量、水泥产量、化学纤维产量均居世界第一，发电量位居世界第二。国有及国有控股工业企业就业人数占规模以上工业就业人数的 50%以上。

第二，国有经济布局得到优化，整体素质明显提高。国有企业在国民经济中仍然处于主导地位，影响力、控制力进一步增强。2001 年底，我国境内国有控股上市公司 903 家，其控制和带动的社会资本约 6300 亿元；境外国有控股 H 股公司 52 家，加上国有控股红筹股公司，其控制和带动国外资本约 380 亿美元。国有经济在石化、石油、电力、冶金等关系国家命脉的重要行业和关键领域占支配地位，支撑、引导和带动了整个社会经济的发展。1989 年到 2001 年，国有企业户数从 10.23 万户减少到 4.68 万户，但实现利润从743亿元提高到2388.56亿元。

第三，国有企业组织结构明显优化，在激烈的市场竞争中形成了一批优强企业。520户国家重点企业中国有及国有控股企业有514户，虽然企业数只占全国工业企业数的0.3%，但2001年其资产总额占全部工业的59.2%，销售收入占41.9%，实现利税占47.6%，实现利润占49.4%。在煤炭、汽车等一些重点行业中，产业集中度进一步提高。国有及国有控股大型企业在世界500强企业中的分量加重。2001年，跻身世界500强的内地国有企业由1998年的5家增加到11家。按销售额排序，2000年排在我国企业前10位的都是国有及国有控股企业。国有中小企业整体素质也有明显提高。2001年，全国3.5万户国有及国有控股小型工业企业实现利润120.9亿元，比上年增长48.7%。

第四，技术装备水平大幅提高，技术创新能力明显增强。十三年中，国有及国有控股企业共完成技术改造投资4.14万亿元，形成新增固定资产3.17万亿元。经过改造，重点国有企业装备水平与国际先进水平的差距进一步缩小，自动化程度大大提高，加工能力、加工精度明显上了一个台阶。企业技术创新能力也显著提高。国家经贸委确定的宝钢、长虹等6户技术创新试点企业五年中共开发新技术新产品5239项，申请专利4333项，新产品销售收入达5513亿元。

第五，现代企业制度初步建立，企业经营机制进一步转换。520户国家重点企业中，514户国有及国有控股企业有430户进行了公司制改革，改制面达到83.7%，其中282户企业整体或部分改制为有限责任公司或股份有限公司，实现了投资主体多元化。中石油、中石化、中海油、中国移动等一批国有企业相继在海外上市。企业优胜劣汰的竞争机制初步形成。企业内部经营者能上能下、人员能进能出、收入能增能减的机制基本建立。1998年到2001年的四年间，国有企业通过优化结构和减员增效，人员大幅度减少，职工下岗累计达2550万人，这不仅大大缓解了企业人浮于事的状况，也表明企业在转换经营机制方面迈出了重大步伐。①

为破解国有企业改革的难题，以江泽民同志为核心的党中央殚精竭虑，运筹帷幄，锐意进取，勇破难关，探索出了一条符合中国国情的重振国有企业之路。②

第一，始终充满必胜信念，锲而不舍推进企业改革。

江泽民多次强调，“搞好国有企业特别是大中型企业，既是关系到整个国民经济发展的重大经济问题，也是关系到社会主义制度命运的重大政治问题”。他要求“每个领导干部都要深入到企业中去，做细致的调查研究，掌握企业改革的第一手材料，尊重群众的首创精神，及时总结经验，正确指导企业改革”。十三年间，江泽民、李鹏、朱镕基、李瑞环、胡锦涛、尉健行、李岚清等中央领导人，每年都深入基层调查了解国有企业改革发展的情况，同广大干部群众一起座谈、交流，不断总结各地的新鲜经验，不断丰富和完善国有企业改革的理论、方针和政策措施，把国有企业改革推向前进。

例如，1993 年 5 月、6 月和 10 月，江泽民先后赴上海、陕西和广东考察，深入基层和企业调查研究。在上海、西安和广州分别召开了华东六省一市、西北五省区、中南和西南十省区经济工作座谈会，要求各地区、各部门通过深化改革解决深层次的问题，促进国民经济持续、快速、健康地发展。党中央、国务院确定将 100 户企业作为建立现代企业制度的试点企业后，1995 年 5 月到 6 月，江泽民分别到上海、江苏、浙江、辽宁、吉林、黑龙江等省市，考察了近 50 家企业，召集了 10 多次座谈会、汇报会，听取各方人士的意见和建议。1996 年一季度，针对国有企业经营困难、出现净亏损的状况，江泽民再次前往各地考察，并于 5 月 4 日召开了上海、江苏、浙江、山东四省市企业改革和发展座谈会。1999 年是国有企业改革与脱困

① 《国有企业改革和发展取得丰硕成果》，《人民日报》2002 年 9 月 22 日。

② 韩振军、吴复民、方政军：《殚精竭虑，力克难关——党的第三代领导集体关心国企纪实》，《人民日报》2001 年 1 月 15 日。

的关键一年。这年春天，江泽民先后深入内蒙古、四川、湖北、陕西、山东、辽宁等地考察。他到车间班组和工人、干部交谈，重点就国有企业改革发展问题进行深入系统的调查研究，并先后主持召开西南、中南、西北、华东、东北和华北有关省区市主要党政和企业负责人参加的国有企业改革和发展座谈会。这年秋天，党的十五届四中全会通过了《中共中央关于国有企业改革和发展若干重大问题的决定》，为实现国有企业改革与三年脱困目标奠定了坚实的政策基础。

第二，奋力攻关破隘，探索公有制与市场经济相结合的有效途径。

国有企业改革的实质，在于探寻一条公有制与市场经济相结合的有效途径。这是一条前无古人的道路。以江泽民同志为核心的党中央知难而进，从我国国情出发，在没路的地方踏出一条路来。

——着眼于从整体上搞好国有经济，从战略上调整国有经济布局。坚持有进有退，有所为有所不为。国有经济在关系国民经济命脉的重要行业和关键领域占支配地位，其他行业和领域，通过资产重组和结构调整，集中力量，加强重点，提高国有经济的整体素质。对国有企业实施战略性改组，着力培育竞争力强的大型骨干企业，放开搞活国有中小企业。积极探索公有制的多种有效实现形式，发展混合所有制经济，提高国有经济的控制力、影响力和带动力。

——建立和完善现代企业制度。这是公有制与市场经济相结合的有效途径，是国有企业改革的方向。对国有大中型企业进行规范的公司制改革，推动股份制改造，完善法人治理结构。大力推行政企分开，加强国有资产管理，建立规范的监督机制。着力转换经营机制，做到经营者能上能下、人员能进能出、收入能增能减、技术不断创新、国有资产保值增值。时刻重视加强管理，不断推进技术进步，实现管理创新、技术创新。

——采取切实有效措施为国有企业“卸包袱”。全面实施下岗分流、减员增效和再就业，坚决把国有企业内部的富余人员减下来；通过增加银行核销呆坏账准备金、债转股、上市融资、资产变现、发行企业债券等一揽子政策，改善企业资产负债结构；通过将企业学校、医院和其他社会服务机构向地方移交、转为企业化经营等措施，实现企业与社会服务机构的分离。

通过积极努力，初步探索到了搞好国有企业的一些基本规律，取得了一些基本经验：一是始终把握好大局。党中央始终正确处理改革、发展、稳定的关系，把改革的力度与发展的速度、社会和职工承受能力结合起来，稳步推进国有企业改革，确保社会稳定，人心安定。二是实践出真知。以“三个有利于”为根本标准，坚持解放思想，实事求是，尊重群众首创精神，鼓励探索，允许试验，实践中证明是正确的，有成效的，就坚持下去，逐步推广；发现问题就及时纠正，避免造成大的损失。三是坚持辩证方法。既重视国有企业面临的困难和问题，又看到优势和潜力，坚定必胜的信心；既增强改革的紧迫性，又对改革的长期性、艰巨性保持清醒头脑；既集中精力解决眼前突出困难，又放眼长远关注未来发展，使国有企业在改革中加快发展，在发展中加快改革，最终步入良性循环，全盘皆活。四是采取正确改革策略。先试点再推广，全面推进与重点突破相结合，既有攻城拔寨的魄力，又有科学缜密的部署。在改革中允许有不同意见，以利集思广益。防止不顾实际情况，搞“一阵风”、“一刀切”和形式主义。五是实施有效的宏观调控。在推进国有企业改革的同时，对财税、金融、外汇、外贸、投资体制进行改革，初步建立起完善的宏观调控体系。根据经济发展的不同情况，实施不同的宏观调控政策，既成功抑制通货膨胀，又有效克服通货紧缩，保持经济的持续快速健康发展，为国有企业改革和发展创造良好的外部条件。在改革国有企业壮大公有制经济的同时，大力发展非公有制经济，为国有企业改革调整赢得时间和空间。

第三，切实关心职工群众冷暖，加快建立社会保障制度。

推进国有企业改革和经济结构调整，必然会有职工下岗，这是改革的必然。对于部分职工群众遇到的暂时困难，党中央给予了高度关注。江泽民多次强调，国有企业的广大职工，几十年来为国家经济建设、改革开放和国有企业的发展壮大，作出了重大的贡献。各级党委和政府要时刻关心他们，切实维护他们的利益。他指出，国有企业下岗职工的基本生活保障和再就业工作，事关职工群众的切身利益，事关坚持党的全心全意依靠工人阶级的方针，事关经济发展、社会稳定和国家长治久安的大局。全党和各级干部必须从这样的高度来认识这个问题，增强紧迫感和自觉性，满腔热忱和极端负责地切实做好这项工作。朱镕基也指出，决不能把下岗职工简单地推向社会，撒手不管，要考虑他们的生活问题，解决其后顾之忧，不能让职工感到前途未卜。

解决困难职工的问题，首要的是保障他们的基本生活，让他们有饭吃。这是“一条铁的原则”。江泽民特别指出，对下岗职工的基本生活费一定要有保证。要按时发放到每个下岗职工手中，不能拖延，不能挪用，不能克扣，否则要追究责任。对于离退休的老职工，也必须切实保障他们的基本生活，让他们老有所养，安度晚年。为此，党中央提出普遍建立再就业服务中心，多渠道筹集社会保障资金，初步建立了社会基本养老保障制度、下岗职工基本生活保障和失业保险制度、城市居民最低生活保障制度这“三条社会保障线”，用较短的时间实现了“两个确保”：确保了下岗职工基本生活费按时足额发放，确保了离退休人员基本养老金按时足额发放。

再就业是下岗职工的根本出路，再就业的关键是再创业。为帮助下岗职工尽快走上新的工作岗位，党中央、国务院大力实施再就业工程，引导职工转变择业观念，鼓励他们通过劳动力市场自谋职业；加大对下岗职工培训力度，提高他们的再就业本领；广开就业门路，增加就业岗位，特别是大力发展第三产业；出台促进下岗职工再就业的优惠政策，给予他们切实的帮助。1998 年至 2000 年底，累计有 1200 多万名下岗职工实现了再就业。

第五章

实施科教兴国战略，推动科技教育体制改革

20世纪90年代，面对世界范围科学技术迅猛发展和综合国力激烈竞争的挑战，党和政府采取行动，通过了一系列旨在推动教育改革和发展的重大举措，一个令人振奋的口号也随之响彻中华大地，那就是科教兴国。1995年5月，《中共中央、国务院关于加速科学技术进步的决定》发布，首次正式提出在全国实施科教兴国战略。1997年9月，科教兴国战略写入党的十五大报告。科教兴国，成效显著，成就斐然。

第一节　重视科技和教育

依靠科学和教育建设社会主义现代化强国，是邓小平的一贯主张。1977 年邓小平复出不久，便自告奋勇抓科学和教育工作，他提出："我们国家要赶上世界先进水平，从何着手呢？我想，要从科学和教育着手。"[①]"不抓科学、教育，四个现代化就没有希望，就成为一句空话。"[②]从 20 世纪 70 年代后期到 90 年代初期，党和政府按照邓小平提出的"实现四个现代化，科学技术是关键，基础是教育"的思想，始终把教育发展和科技进步作为关系社会主义现代化建设全局的重大问题。

历史进入 20 世纪 90 年代，以信息技术为主要标志的世界科技革命形成新高潮。由于微电子技术的发展和软件技术的突破，电子计算机迅速进入社会生产和生活的各个领域；由于互联网的开发和应用，出现了信息化、网络化的强劲势头，并有力推进经济全球化的发展。党中央敏锐地意识到，又一个科技和经济大发展的新时代正在来临。同时，1991 年爆发的海湾战争显示了高科技武器的威力，给"落后就要挨打"以新的诠释。科技实力成为决定国家综合国力强弱和国际地位高低的决定性因素。为抢占科技和产业制高点，发达国家纷纷调整各自的战略，许多发展中国家也积极采取对策。一时间，振兴科技，加速科技进步，提高劳动者素质，成为刻不容缓的时代任务。

1989 年 12 月 19 日，国家科学技术奖励大会在北京召开。江泽民在大会上作了题为《推动科技进步是全党全民的历史性任务》的讲话。他指出，科技进步对社会生产力发展越来越具有决定性的作用。世界范围的经济竞

---

① 邓小平：《邓小平文选》第二卷，人民出版社 1993 年版，第 48 页。
② 邓小平：《邓小平文选》第二卷，人民出版社 1993 年版，第 68 页。

争、综合国力竞争，在很大程度上表现为科学技术的竞争。科学技术长期落后的国家和民族，不可能繁荣昌盛，不可能自立于世界民族之林。他强调指出："现代科学技术正在经历着深刻的革命，大力发展我国的科学技术，从总体上逐步缩短同发达国家的差距，努力接近和赶上世界先进水平，是摆在全党全国各族人民面前的一项紧迫性任务。我们要坚持把科学技术放在优先发展的战略地位，坚持依靠科技进步来提高经济效益和社会效益。"①

1990年1月5日，江泽民在会见华裔美国科学家杨振宁时指出，科学技术是一个国家强盛的关键因素，我们要牢牢把握住20世纪90年代科学技术的发展趋势，把中国的国力搞上去。

在推进改革开放过程中，随着地方经济的发展，经济实力不断增强，地区间产业分工和产业聚集效应日益显现。一些知识、技术密集的大中城市和沿海地区相继建立起一些高新技术产业开发区，促进了我国高新技术产业的发展。在总结经验的基础上，1991年3月6日，国务院发布《关于批准国家高新技术产业开发区和有关政策规定的通知》（以下简称《通知》），决定继1988年批准北京市新技术产业开发试验区之后，再批准武汉东湖新技术开发区、南京浦口高新技术外向型开发区、沈阳市南湖科技开发区、天津新技术产业园区、西安市新技术产业开发区、成都高新技术产业开发区等21个高新技术产业开发区为国家高新技术产业开发区。《通知》要求各地区、各有关部门对高新技术产业开发区要加强领导，大力扶持，促进我国高新技术产业健康发展。

依靠我国自己的科技力量，促进高技术成果的商品化、产业化，对于调整产业结构，推动传统产业的改造，提高劳动生产率，增强国际竞争能力，具有重要意义。1991年5月23日至27日，中国科学技术协会第四次全国代表大会召开。江泽民在大会讲话中再次强调了科学技术的作用。他指出："当今世界，科学技术飞速发展并向现实生产力迅速转化，愈益成为

① 中共中央文献研究室编《十三大以来重要文献选编》（中），中央文献出版社2011年版，第208页。

现代生产力中最活跃的因素和最主要的推动力量。科学技术为劳动者所掌握，就会极大地提高人们认识自然、改造自然和保护自然的能力；科学技术和生产资料相结合，就会大幅度地提高工具的效能，从而提高使用这些工具的人们的劳动生产率，就会帮助人们向生产的深度和广度进军。社会主义制度为科学技术的运用和发展，开辟了极其广阔的前景，使科学技术对发展生产力和推动社会进步作用得到更充分的发挥。”他强调指出：“我们正处在新旧世纪交替的重要历史时期，我们面对的是一个充满矛盾和激烈竞争的世界。国际间的竞争，说到底是综合国力的竞争，关键是科学技术的竞争。在科学技术上落后，就会被动挨打。全党同志、全国人民对这个问题一定要有清醒的足够的认识，增强紧迫感、危机感，自觉地把经济建设转到依靠科技进步和提高劳动者素质的轨道上来。”

对于“把经济建设转到依靠科技进步和提高劳动者素质的轨道上来”这一点，江泽民高度重视，他指出：“党的十一届三中全会决定全党工作重点转移到社会主义现代化建设上来，这是一次具有战略意义的转变。把经济建设真正转移到依靠科技进步和提高劳动者素质的轨道上来，是十一届三中全会决定的工作重点转移的进一步深化，是把这个转移推到一个更高的阶段，同样具有战略意义。如果说，把全党工作重点转移到以经济建设为中心的轨道上来保证了第一步战略目标的实现，那么，我们把经济建设进一步转移到依靠科技进步和提高劳动者素质的轨道上来，必将保证第二步战略目标的胜利实现，同时将为实现第三步战略目标奠定坚实的基础。”①

科技进步和劳动者素质的提高，说到底需要以教育为基础。1992 年 10 月，党的十四大明确把“加速科技进步，大力发展教育”作为加速改革开放、推动经济发展和社会全面进步的一个主要任务。报告指出：“科学技术是第一生产力。振兴经济首先要振兴科技。只有坚定地推进科技进步，才能在激烈的竞争中取得主动。”②“科技进步、经济繁荣和社会发展，从根本

① 中共中央文献研究室编《十三大以来重要文献选编》（下），中央文献出版社 2011 年版，第 133 页。

② 江泽民：《江泽民文选》第一卷，人民出版社 2006 年版，第 232 页。

上说取决于提高劳动者的素质，培养大批人才。我们必须把教育摆在优先发展的战略地位，努力提高全民族的思想道德和科学文化水平，这是实现我国现代化的根本大计。”①

为加快教育改革发展，推进中国的现代化建设，党的十四大之后，党中央、国务院制定了一系列方针、政策，规划科技、教育改革和发展的宏观目标。

1993年2月13日，党中央、国务院正式颁布《中国教育改革和发展纲要》（以下简称《纲要》）。《纲要》以建设有中国特色社会主义理论和党的基本路线为指导，总结了中华人民共和国成立四十多年来特别是党的十一届三中全会后教育改革和发展的经验，分析了中国教育面临的形势与任务，确定了20世纪90年代乃至21世纪初中国教育发展的目标、方针和战略，提出了教育改革的总体思路，并就师资队伍建设和教育经费等重大问题，拟定了若干重要措施。

（一）教育面临的形势和任务。《纲要》指出，当前，中国改革开放和现代化建设事业进入了一个新阶段。建立社会主义市场经济体制，加快改革开放和现代化建设步伐，进一步解放和发展生产力，使国民经济整体素质和综合国力都迈上一个新台阶。这对教育工作既是难得的机遇，又提出了新的任务和要求。在新的形势下，教育工作的任务是：遵循党的十四大精神，以建设有中国特色的社会主义理论为指导，坚持党的基本路线，全面贯彻教育方针，面向现代化，面向世界，面向未来，加快教育的改革和发展，进一步提高劳动者素质，培养大批人才，建立适应社会主义市场经济体制和政治、科技体制改革需要的教育体制，更好地为社会主义现代化建设服务。

（二）教育事业发展的目标、战略和指导方针。根据中国社会主义现代化建设“三步走”战略部署，到20世纪末，中国教育发展的总目标是：全

① 江泽民：《江泽民文选》第一卷，人民出版社2006年版，第233页。

民教育水平有明显提高；城乡劳动者职前、职后教育有较大发展；各类专门人才的拥有量基本满足现代化建设的需要；形成具有中国特色的、面向21世纪的社会主义教育体系的基本框架。再经过几十年的努力，建立起比较成熟和完善的社会主义教育体系，实现教育的现代化。为实现上述目标，应采取深化教育改革，坚持协调发展，增加教育投入，提高教师素质，提高教育质量，注重办学效益，实行分区规划，加强社会参与的发展战略。指导方针是：要大力加强基础教育；积极发展职业技术教育、成人教育和高等教育；重视和扶持少数民族教育；重视和支持残疾人教育事业：积极发展广播电视教育和学校电化教学，推广现代化教学手段；进一步扩大教育对外开放，加强国际教育交流与合作，大胆吸收和借鉴世界各国发展和管理教育的成功经验。关于高等教育，《纲要》明确提出，为了迎接世界新技术革命的挑战，要集中中央和地方等各方面的力量办好100所左右重点大学和一批重点学科、专业，力争在21世纪初，有一批高等学校和学科、专业，在教育质量、科学研究和管理方面，达到世界较高水平。

（三）教育体制改革。《纲要》指出，教育体制改革要采取综合配套、分步推进的方针，加快步伐，改革包得过多、统得过死的体制，初步建立起与社会主义市场经济体制和政治体制、科技体制改革相适应的教育新体制。教育体制改革要有利于坚持教育的社会主义方向，培养德智体全面发展的建设者和接班人；有利于调动各级政府、全社会和广大师生员工的积极性，提高教育质量、科研水平和办学效益；有利于促进教育更好地为社会主义现代化建设服务。

（四）全面贯彻教育方针，全面提高教育质量。《纲要》提出，各级各类学校要认真贯彻“教育必须为社会主义现代化建设服务，必须与生产劳动相结合，培养德、智、体全面发展的建设者和接班人”的方针，努力使教育质量在20世纪90年代上一个新台阶。

（五）教师队伍建设。《纲要》指出，建设一支具有良好政治业务素质、结构合理、相对稳定的教师队伍，是教育改革和发展的根本大计。要下决心，采取重大政策和措施，提高教师的社会地位，大力改善教师的工作、学习和生活条件，努力使教师成为最受人尊重的职业。教师是人类灵魂的工程师，必须努力提高自己的思想政治素质和业务水平；热爱教育事业，教书育人，为人师表；精心组织教学，积极参加教育改革，不断提高教学质量。

（六）教育经费。改革和完善教育投资体制，增加教育经费。各级政府、社会各方面和个人都要努力增加对教育的投入，确保教育事业优先发展。要逐步建立以国家财政拨款为主，辅之以征收用于教育的税费、收取非义务教育阶段学生学杂费、校办产业收入、社会捐资集资和设立教育基金等多种渠道筹措教育经费的体制。通过立法，保证教育经费的稳定来源和增长。

总之，《纲要》提出了中国教育改革和发展的基本思路，对教育体制改革、全面贯彻教育方针、全面提高教育质量、教师队伍建设和教育经费等问题作了全面论述和政策规定。1994 年 7 月 3 日，《国务院关于〈中国教育改革和发展纲要〉的实施意见》（以下简称《意见》）发布。《意见》指出，《中国教育改革和发展纲要》是 20 世纪 90 年代乃至 21 世纪初我国教育改革和发展的蓝图，是建设有中国特色社会主义教育体系的纲领性文件，对各级党委和政府贯彻落实《纲要》提出了明确要求。

根据《中国教育改革和发展纲要》的要求，1993 年 7 月 15 日，国家教委印发《关于重点建设一批高等学校和重点学科点的若干意见》，决定设置“211 工程”重点建设项目，即面向 21 世纪，重点建设 100 所左右的高等学校和一批重点学科点。“211 工程”的主要精神是：为了迎接世界新技术革命的挑战，面向 21 世纪，要集中中央和地方各方面的力量，分期分批地重点建设 100 所左右的高等学校和一批重点学科、专业，使其到 2000 年左右在教育质量、科学研究、管理水平及办学效益等方面有较大提高，在教育改革方面有明显进展，力争在 21 世纪初有一批高等学校和学科、专业接近或达到国际一流大学的水平。

教育改革牵动着科技改革。1993 年 5 月 12 日至 14 日，国务院召开全国科技工作会议。这是党的十四大和八届全国人大一次会议后、新一届政府组成后召开的首次全国性会议。受李鹏总理委托，朱镕基副总理作了题为《加快经济发展关键要靠科技进步》的重要讲话，指出当前和今后一个时期的科技工作，要继续面向经济建设主战场，在应用技术研究、发展高新技术及其产业和加强基础性研究这三个层次继续纵深部署，服务于国民经济近期和远期的需要。

为了促进科学技术进步、在社会主义现代化建设中优先发展科学技术、发挥科学技术是第一生产力的作用、推动科学技术为经济建设服务，1993年7月2日，第八届全国人民代表大会常务委员会第二次会议通过了《中华人民共和国科学技术进步法》（以下简称《科技进步法》），自1993年10月1日起施行。《科技进步法》是一部具有基本法性质的法律。它总结了我国科技进步工作的经验，将党和国家关于科技进步的基本方针、政策法律化，又为深化改革、扩大开放作出了一些前瞻性的规定。对于促进科技进步、振兴国民经济，加快我国现代化建设具有重要意义。

党和国家领导人在不同重要场合都一以贯之地重视教育和科技工作。1993年10月，在中央农村工作会议上，江泽民指出："要坚定不移地实施科技、教育兴农的发展战略。振兴我国农村经济，最终取决于我国农业科学技术的重大突破和广泛应用。"

1993年11月，党的十四届三中全会通过的《中共中央关于建立社会主义市场经济体制若干问题的决定》，明确把大力推进科技进步，实现科技经济一体化列为其中的重要内容。市场经济体制的确立，为科技进步创造了有利的环境，也提出了更高的要求。

1994年2月6日，江泽民在为《现代科学技术基础知识》（干部选读）一书撰写的序言中指出，科学技术是生产力发展的重要动力，是人类社会进步的重要标志。科学技术日益渗透于经济发展和社会生活各个领域，成为推动现代生产力发展的最活跃的因素，并且归根到底是现代社会进步的决定性力量。现代国际的竞争，说到底是综合国力的竞争，关键是科学技术的竞争。20世纪90年代到21世纪中叶，是中华民族振兴的关键时期。和平与发展的世界进步潮流、蓬勃兴起的新科技革命，为我国的改革开放和经济发展提供了契机。我们要牢牢把握这一难得的历史机遇，紧紧追踪世界科学技术产业，加快发展新兴产业，不断提高科技进步在推动经济增长中的作用，促进整个国民经济持续快速健康发展。

1994年2月17日，中华人民共和国国家科学技术委员会（简称“国家科委”）、中华人民共和国国家经济体制改革委员会（简称“国家体改委”）联合发布了《适应社会主义市场经济发展，深化科技体制改革实施要点》（以下简称《实施要点》）的通知。《实施要点》提出了科技体制改革的总体目标是建立适应社会主义市场经济发展，符合科技自身发展规律和市场经济运行规律，科技与经济密切结合的新型体制，促进科技进步，实现科技、经济和社会的综合协调发展。《实施要点》从组织结构、运行机制、微观基础和宏观管理等四个方面提出了新体制的基本框架。《实施要点》对“稳住一头，放开一片”的改革方针作了明确的阐释。“稳住一头”，是指稳定支持基础性研究、高技术研究、事关经济建设、社会发展和国防事业长远发展的重大研究开发，形成优势力量，力争重大突破，提高我国整体科技实力、科技水平和发展后劲。“放开一片”，是指放开放活各类直接为经济建设和社会发展服务的研究、开发、创新机构，放开放活科技成果商品化、产业化活动，使之以市场为导向运行。此外，《实施要点》还从推进科技系统调整结构，分流人才；培育、发展技术市场和信息市场；大力发展民营科技型企业；推进区域性综合改革和发展；努力创造人才辈出、人尽其才的良好环境；进一步扩大科技工作的对外开放；健全宏观调控体系，完善科技法制建设等七个方面提出具体目标要求。总的来看，《实施要点》体现出党中央在重视科技成就的同时，开始关注科技产业化。国家既要培养科技顶尖人才，也要培养科技创业人才。这是科技体制改革市场化转型的必然要求。此后，一系列支撑科技体制改革市场化转型的科技人才政策相继出炉。

1994年4月12日，国务院发布《关于印发〈90年代国家产业政策纲要〉的通知》(以下简称《通知》)。《通知》十分重视高新技术产业的发展及其作用，指出20世纪90年代国家产业政策要解决的重要课题是：不断强化农业的基础地位，全面发展农村经济；大力加强基础产业，努力缓解基础设施和基础工业严重滞后的局面；加快发展支柱产业，带动国民经济的全面振兴；合理调整对外经济贸易结构，增强我国产业的国际竞争能力；加快高新技术产业发展的步伐，支持新兴产业的发展和新产品开发；继续大力发展第三产业。同时，要优化产业组织结构，提高产业技术水平，使产业布局更加合理。

为进一步动员全党全社会认真实施《中国教育改革和发展纲要》，落实教育优先发展计划，1994年6月14日至17日，党中央、国务院召开全国教育工作会议。这是改革开放后的第二次全国教育工作会议。会议的主要任务是：以邓小平建设有中国特色社会主义理论和党的基本路线为指导，贯彻党的十四大和十四届三中全会精神，进一步落实教育优先发展的战略，动员全党全社会认真实施《中国教育改革和发展纲要》，为实现20世纪90年代我国教育改革和发展的任务而奋斗。江泽民在会议上发表重要讲话，李鹏代表党中央、国务院作报告。

江泽民从我国社会主义现代化建设的全局和国家、民族前途命运的高度，强调要进一步落实教育优先发展的战略地位。他告诫全党，这一战略地位必须始终坚持，不能动摇。江泽民强调指出："在我们这样一个有近十二亿人口、资源相对不足、经济文化比较落后的国家，依靠什么来实现社会主义现代化建设的宏伟目标呢？具有决定性意义的一条，就是把经济建设转到依靠科技进步和提高劳动者素质的轨道上来，真正把教育摆在优先发展的战略地位，努力提高全民族的思想道德素质和科学文化素质。这是实现我国现代化的根本大计。党的十四届三中全会再一次向全党郑重指出：社会主义市场经济体制的建立和现代化的实现，最终取决于国民素质的提高和人才的培养。”[1]他指出，在整个社会主义现代化建设的过程中，教育优先发展的战略地位必须始终坚持，不能动摇。各级各类学校都要全面贯彻党的教育方针，坚持社会主义办学方向，努力培养德智体全面发展的“四有”新人。

李鹏在讲话中指出，党中央、国务院发布的《中国教育改革和发展纲要》，是我国教育事业发展的纲领性文件。为了实现《纲要》所确定的发展目标，必须重点做好以下几个方面的工作：

在20世纪末基本普及九年义务教育，基本扫除青壮年文盲。这是提高全民族素质的根本要求，也是今后一个时期我国教育事业发展的“重中之重”。要力争到20世纪末在85%左右人口的地区普及九年义务教育，使青壮年中的非文盲率达到95%左右。实现这个任务的难点在农村，特别是占人口20%左右的边远和贫困地区。广大的农村地区要根据不同情况，因地制宜，实行“三教”统筹，农科教相结合。应当把普及九年义务教育、扫除青壮年文盲和职业技能教育结合起来，作为脱贫致富的一项根本性措施，制定规划，分步实施。要重视少数民族教育事业，进一步做好对边远、贫困地区和少数民族教育事业的对口支援。重视发展幼儿教育，解决好女童入学问题。重视发展特殊教育。“希望工程”是一种有益的社会助学活动，所筹集资金应主要用于资助贫困儿童就读。

大力发展职业教育和成人教育。职业教育和成人教育是现代化教育的重要组成部分。大力发展职业教育和成人教育，是提高劳动者素质和振兴经济的必由之路，其重要性不仅为经济发达国家的经验所证明，也为我国这些年来的经验所证明。现在我国职工队伍的总体素质还不适应现代化建设的要求，必须十分重视办好各类职业学校和成人学校，积极开展多种层次的职业培训，使城乡新增劳动者受到必要的职业训练，使广大从业人员的文化素质、职业技能和职业道德得到普遍提高。要特别重视电视教育，

① 江泽民：《江泽民文选》第一卷，人民出版社2006年版，第369页。

提高电视教材的制作水平，这是一种花钱少效率高的办学方式。对函授教育、业余进修、自学辅导等各种办学形式以及在职人员的继续教育，都要予以重视和支持。

以提高教育质量和办学效益为重点发展高等教育。高等学校是培养高级专门人才，发展高新科学技术的重要力量。高等教育要通过改革，走以内涵发展为主的道路，使规模适当，结构合理，质量和效益明显提高。今后一个时期，适当扩大规模的重点是高等专科教育和高等职业教育，注重培养广大农村、中小型企业以及乡镇企业所需要的人才。大学本科教育要把重点放在提高教育质量上。面向 21 世纪，重点建设 100 所左右的高等学校和一批重点学科点，即“211 工程”，这是一项国家重点建设项目，要分期分批地加以实施。要通过这一计划的实施，推动高等教育改革和多种形式联合办学，促使高校布局和结构趋于合理，提高办学规模效益和教育质量。要充分发挥科研优势，发展同企业的结合，推进科研成果的产业化，特别是发展高新技术产业。

要积极开展国际学术交流与合作。硕士生、博士生的培养要基本上立足于国内。同时要进一步做好派遣留学生的工作，对出国留学人员继续实行“支持留学，鼓励回国，来去自由”的政策，鼓励他们以多种形式为祖国服务。①

中央政治局委员、国务院副总理李岚清作会议总结讲话时强调，解决好中国的教育问题，根本出路在改革，当然也要认真解决教育存在的实际困难和问题。我们是一个有近 12 亿人口、经济还比较落后的发展中国家，举办了世界上最大规模的教育。国力有限，教育投入不能满足实际需要是长期存在的矛盾。我们必须从实际出发，通过深化教育改革，把我国的教育办成高效益的教育，走出一条符合中国国情的发展教育的路子。他指出，到 20 世纪末基本普及九年义务教育、基本扫除青壮年文盲，是提高整个民

① 李鹏：《动员起来，为实施〈中国教育改革和发展纲要〉而努力——在全国教育工作会议上的报告》，《人民日报》1994 年 6 月 21 日。

族素质的基础，是社会主义现代化建设的奠基工程。全党、全社会都要把实现“两基”作为一项紧迫而宏伟的历史任务，积极创造条件，克服困难，确保“两基”目标的实现。这次会议确定“两基”的目标为：到20世纪末，85%左右的人口地区普及九年义务教育，初中阶段入学率为85%；青壮年非文盲率达到95%。这是符合我国国情的，实现这个目标，我们也是有信心的。我们已在91%的人口地区普及了小学教育，小学适龄儿童入学率已达到98.3%，初中阶段入学率达到73%。目前青壮年文盲有3600万人，最近几年每年扫盲约500万人。按此速度，经过各级政府和全社会扎扎实实地工作，到20世纪末基本扫除青壮年文盲也是有可能的。

这次全国教育工作会议把基本普及九年义务教育和基本扫除青壮年文盲列为教育工作的“重中之重”。到1998年，全国73%的人口地区普及了九年义务教育，青壮年文盲率降至5.5%。职业教育和成人教育也有了显著发展，五年间有1.8亿职工和近3亿农民接受了各种形式的岗位培训与文化技术教育。高等教育总体规模得到快速发展，1998年在校生总数达643万人。通过管理体制改革，教育质量和办学效益大大提高。

在教育改革如火如荼推进之际，1994年12月5日，党中央、国务院发布《关于加强科学技术普及工作的若干意见》（以下简称《意见》），对我国科普工作进行全面部署。这是党中央、国务院为把经济建设切实转移到依靠科技进步和提高劳动者素质轨道，全面促进社会主义物质文明和精神文明所采取的重大战略举措。

《意见》提出，要把提高全民科技素质，保障国民经济持续、快速、健康发展，促进“两个文明”建设作为科普工作的中心任务。各级党委和政府要把科普工作提到议事日程，通过政策引导、加强管理和增加投入等多种措施，切实加强和改善对科普工作的领导。国家将进一步组织制定科普工作的总体规划，将其纳入国家“九五”计划，并逐级纳入各部门和地方的经济、科技和社会发展的规划，并对政府、团体、公众对普及科学技术知识的行为、权利和义务进行法律规范。

《意见》提出，根据我国经济、社会发展的具体情况，当前科普工作的重点应该放在以下几个方面：从科普工作的内容上讲，要从科学知识、科学方法和科学思想的教育普及三个方面推进；从科普工作的对象上讲，要把重点继续放在青少年、农村干部群众和各级领导干部身上。要结合中小学教育改革，多形式、多渠道地为青少年提供科普活动阵地，帮助他们树立正确的科学观、人生观和世界观；要继续面向亿万农民，特别是贫困地区、少数民族地区的农民，传播和普及先进实用技术，因地制宜、扎实有效地开展农村科普工作；要增强领导干部的科技意识和对科学技术的理解能力，帮助他们不断扩大知识面，了解科技发展动态，推进决策的科学化和民主化进程。同时，要始终高举科学旗帜，引导教育人民，净化社会环境，用科学战胜封建迷信和愚昧落后，提高全社会的科技意识，搞好社会主义物质文明和精神文明建设。

《意见》还提出，随着经济、社会不断发展和财政收入的不断增加，国家将逐步增加对科普工作的投入，并给予长期、持续、稳定的支持。国家鼓励全社会举办科普公益事业，并将制定有关公益事业的法规和政策。要充分利用大众传播媒介，开展多种形式的科普宣传。

在党中央领导、倡导下，依靠科技振兴中华逐步成为全国人民的统一认识和行动。科技兴农、科技兴工、科技兴省、科技兴市、科技兴企等提法纷纷涌现。科技兴农在农村由温饱向小康的进程中，在“菜篮子”“米袋子”等工程中，在促进乡镇企业的发展上起了举足轻重的作用；科技兴企也大见成效，在引进国外先进技术、开发新技术和对企业进行技术改造方面取得了重大成就；科技兴市以点带面响遍全国。至1995年，全国有28个省（自治区、直辖市）制定实施了科技（教）兴省（自治区、直辖市）的战略，全国520余个城市中，有300余个城市实施了科技（教）兴市战略，占全国城市总数的五分之三，提出科技（教）兴县的县也占全国总县数的60%～70%。据对上海市民的一个民意测验表明，科技工作成为最受尊敬的职业。

科技热潮涌动全国，催人奋进。

第二节 确立科教兴国战略

党和政府高度重视教育和科技事业，顺应了时代和国家发展的要求。放眼世界，科技热潮迎面扑来。1993 年，美国成立国家科学技术委员会（NSTC），总统克林顿担任主席；1994 年，欧共体决定成立欧洲科技代表大会；日本提出“新技术立国”方针。新的一轮科技竞争空前激烈。

进入 1995 年后，党和政府持续发力推动教育和科技工作。1995 年 3 月 18 日，八届全国人大三次会议审议通过了《中华人民共和国教育法》，同年 9 月 1 日正式施行。《中华人民共和国教育法》以宪法为依据，规定了我国教育的基本性质、地位、任务以及基本法律法则、基本教育制度，是我国关于教育的“母法”。它的颁布，标志着我国进入了依法治教的新的历史时期，对于推动我国教育事业健康发展、加快社会主义现代化建设的步伐具有重大意义。

在国内外科技热潮的激荡下，1995 年一个令人振奋的口号响彻中华大地，那就是科教兴国。

早在 1994 年初，江泽民在写给国务委员宋健的信中指出，科技是第一生产力的思想能否真正落实，是经济发达、国家强盛的根本所在。同年 6 月，江泽民在中国科学院、工程院院士大会上，号召科学技术要有一个新的解放和大的发展。1994 年 8 月，国务院领导在研究制定“九五”计划及 2010 年长远规划的思路时，提出了“科技兴国”问题。随后，党中央和国务院决定于 1995 年 5 月下旬召开全国科学技术大会，制定《中共中央、国务院关于加速科学技术进步的决定》（以下简称《决定》）。在文件出台过程中，广泛吸取各方面的意见，重大修改有 100 多处，最初几稿提的都是“科技兴国”战略，在几经推敲后，最终确定为“科教兴国”。

1995 年 5 月 6 日，《中共中央、国务院关于加速科学技术进步的决定》发布，首次正式提出在全国实施科教兴国战略。《决定》一开头就开宗明义强调指出："科学技术是第一生产力，是经济和社会发展的首要推动力量，是国家强盛的决定性因素。为大幅度提高社会生产力，增强综合国力，提高人民生活水平，确保我国现代化建设'三步走'战略目标的顺利实现，必须大力发展科学技术，加速全社会的科技进步。"《决定》明确指出科教兴国的内涵，即"科教兴国，是指全面落实科学技术是第一生产力的思想，坚持教育为本，把科技和教育摆在经济、社会发展的重要位置，增强国家的科技实力及向现实生产力转化的能力，提高全民族的科技文化素质，把经济建设转移到依靠科技进步和提高劳动者素质的轨道上来，加速实现国家的繁荣强盛"①。《决定》由11个部分组成，主要内容是：（一）全面落实科学技术是第一生产力的思想；（二）大力推进农业和农村科技进步；（三）依靠科技进步提高工业增长的质量和效益；（四）发展高技术及其产业；（五）推动社会发展领域的科技进步；（六）切实加强基础性研究；（七）深化科技体制改革，建立适应社会主义市场经济体制和科技自身发展规律的新型科技体制；（八）建设高水平的科技队伍，提高全民族科技文化素质；（九）多渠道、多层次地增加科技投入；（十）进一步扩大对外开放，广泛开展国际科技合作与交流；（十一）切实加强党和政府对科技工作的领导。可以说，《决定》全面总结了中华人民共和国成立后特别是改革开放后我国科技发展的经验，进一步明确了新时期科技工作的大政方针和战略部署，决定成立国家科技领导小组，提出各级党委和政府"一把手"要抓第一生产力。

《决定》发布后不久，1995年5月26日至30日，党中央、国务院召开全国科学技术大会。这是一次动员全党全国人民贯彻《决定》精神，在全国实施科教兴国战略的大会，是向世界新科技革命进军的动员大会。

江泽民在大会上作重要讲话。他代表党中央、国务院号召全党和全国人民，全面落实邓小平科学技术是第一生产力的思想，投身于实践科教兴国战略的伟大事业。江泽民指出："最近，党中央、国务院在科学分析经

---

① 中共中央文献研究室编《十四大以来重要文献选编》（中），中央文献出版社2011年版，第348页。

济、科技发展趋势和国内外形势的基础上，集中各地区各部门和党内外许多同志的智慧，作出了关于加速科学技术进步的决定。这是确保实现我国现代化建设‘三步走’战略目标的又一重大战略决策。召开这次大会的主要目的，就是为了动员全党全国各族人民，全面落实邓小平同志科学技术是第一生产力的思想，认真贯彻决定的精神，在全国形成实施科教兴国战略的热潮，进一步解放和发展科技生产力，积极促进经济建设转到依靠科技进步和提高劳动者素质的轨道。”①

江泽民指出，当前，无论是从国际环境还是从国内条件来看，全面落实科学技术是第一生产力的思想，都是我国社会主义现代化建设中的一项十分艰巨和紧迫的战略任务。和平与发展是当今世界的主流。世界科技革命正在形成新的高潮，又一个科技和经济大发展的新时代正在来临。世界许多国家特别是大国，都在加紧调整科技和经济战略，增强以经济和科技实力为基础的综合国力，国际竞争越来越激烈。从国内形势看，建立社会主义市场经济体制的各项改革措施顺利实施，国民经济持续、快速、健康发展，民族团结，社会稳定，各项事业蓬勃发展。同时要看到，我国目前的整体技术水平和经济实力同发达国家相比还有很大差距。以粗放经营为主的经济增长方式尚未根本改观，产品结构、产业结构不合理等经济发展中的一些深层次问题还有待解决，发展农业、搞好国有大中型企业、提高经济效益等任务十分艰巨。人口、自然资源、生态环境等对经济持续发展的压力在增大。立足现实国情，抓住发展机遇，迎接严峻挑战，确保实现我国“三步走”战略目标，是我们必须认真研究解决的重大战略问题。真正把科技进步作为加速经济和社会发展的强大动力，是完成这一战略任务的关键。江泽民指出，党中央、国务院决定在全国实施科教兴国战略，是总结历史经验和根据我国现实情况作出的重大部署，是顺利实现“三步走”战略目标的正确抉择。实施科教兴国战略，必将大大提高我国经济发展的质量和水平，使生产力有一个新的解放和更大的发展。

---

① 江泽民：《江泽民文选》第一卷，人民出版社 2006 年版，第 425—426 页。

江泽民再次强调了科教兴国的内涵，并就探索一条具有中国特色的科技进步道路，事关科技工作全局的几个问题作出指示。第一，关于科技与经济的结合。要正确处理面向经济建设与提高科技水平的关系。要把建立技术创新机制作为建立社会主义市场经济体制的一个重要目标，特别要把建立健全企业的技术创新体系作为建立现代企业制度的重要内容和搞好国有大中型企业的关键环节。通过改革，建立起适应社会主义市场经济体制和科技自身发展规律的新型科技体制。第二，关于近期目标和长远目标的结合。科技工作要始终把经济建设作为主战场，把攻克国民经济发展中迫切需要解决的关键问题作为主要任务。同时要目光远大，加强基础研究和高技术研究，确定有限目标，突出重点，有所赶有所不赶，才能有所作为。第三，关于自主研究开发与引进国外先进技术的结合。江泽民指出，科学技术，总要同世界各国如切如磋、如琢如磨，才能取得更快更大的进步，但必须认识到，最先进的技术是买不来的。他特别强调了技术创新的重大意义，指出："创新是一个民族进步的灵魂，是国家兴旺发达的不竭动力。……一个没有创新能力的民族，难以屹立于世界先进民族之林。作为一个独立自主的社会主义大国，我们必须在科技方面掌握自己的命运。"[①]第四，关于市场机制与宏观管理的结合。江泽民强调，在社会主义市场经济体制下，二者都是科技进步不可缺少的手段。党中央提出的"稳住一头，放开一片"的科技体制改革方针，体现了这两种手段结合的内在规律。同经济建设密切相关的技术开发、成果推广等活动，要以市场机制为主。在目前市场机制尚不健全的情况下，科技成果的商品化、产业化工作，还需政府在各方面给予必要的政策扶持。要以政府投入为主，稳住少数重点科研院所和高等学校的科研机构，从事有关国家整体利益和长远利益的基础性研究、应用研究、高技术研究、社会公益性研究和重大科技攻关活动。第五，关于自然科学与社会科学的结合。当代科学技术的发展，使得自然科学、技术与社会科学相互影响、渗透，联系愈来愈紧密，由此产生的综合学科、交叉学科层出不穷。自然科学工作者要学习社会科学知识，社会

---

① 江泽民：《江泽民文选》第一卷，人民出版社 2006 年版，第 432 页。

科学工作者要学习自然科学知识。另外，江泽民还就培养大批德才兼备的科技人才和加强党对科技工作的领导作了进一步阐述。

江泽民的这一讲话，高屋建瓴，是对邓小平科技思想的丰富和发展，是中国共产党的科技政策的一份纲领性文献，为全党切实实施科教兴国战略指明了方向。

这次全国科学技术大会，是继 1956 年党中央发出“向科学进军”伟大号召和 1978 年召开全国科学大会以后，中国科技发展史上的又一个新的里程碑。

科教兴国战略提出后，党和国家加强宣传工作，同时进行精心部署，制定了一系列政策和措施，努力把这一战略落实到实处。

1995 年 7 月 19 日，国务院办公厅转发中华人民共和国国家教育委员会（简称“国家教委”）《关于深化高等教育体制改革的若干意见》（以下简称《意见》）。《意见》提出，要着重抓好高等教育管理体制的改革，其目标是：争取到 2000 年或稍长一点时间，基本形成举办者、管理者和办学者职责分明，以财政拨款为主，多渠道经费投入，中央和省、自治区、直辖市人民政府两级管理、分工负责，以省、自治区、直辖市人民政府统筹为主，条块有机结合的体制框架。

1995 年 9 月 25 日至 28 日，党的十四届五中全会召开。全会审议并通过了《中共中央关于制定国民经济和社会发展“九五”计划和 2010 年远景目标的建议》，其中把实施科教兴国战略列为今后十五年直至 21 世纪加速我国社会主义现代化建设必须贯彻的九条重要方针之一。1996 年 3 月 17 日，八届全国人大四次会议批准《中华人民共和国国民经济和社会发展“九五”计划和 2010 年远景目标纲要》，确立了我国中长期教育发展的目标和改革的总体思路，其中把科教兴国作为我国的一项基本国策。3 月 18 日，成立了由国务院总理李鹏任组长的国家科技领导小组，温家宝、宋健担任副组长，专门负责实施科教兴国而研究、制定国家科技政策，讨论、决定重大科技项目，协调各部门科教工作的关系等。李鹏指出，要实现“九五”计划和2010年远景目标，必须依靠科技进步，要把科教兴国战略放到很高位置加以重视。他指出，党中央、国务院决定成立国家科技领导小组，将有利于全面落实科学技术是第一生产力的思想，深入实施科教兴国的战略，有利于加强党和国家对科技工作的宏观指导和统一管理，有利于进一步集中人力、物力和财力资源，更好地促进全社会的科技进步。1997年6月4日，国家科技领导小组第三次会议决定制定和实施《国家重点基础研究发展规划》。随后，科技部组织实施国家重点基础研究发展计划（又称“973计划”）。

在科教兴国战略引领下，全国上下，从中央、国家部委到全国各地各单位都积极响应，认真贯彻落实《中共中央、国务院关于加速科学技术进步的决定》和全国科技大会精神，纷纷出台相应政策。

1995年11月18日，国家计委、国家教委、财政部联合发布了《“211工程”总体建设规划》，其中明确了“211工程”的总体建设目标及任务、主要内容、“九五”期间的建设规划任务等。总体建设目标是：面向21世纪，在“九五”期间重点建设一批高等学校和重点学科，并在此基础上经过若干年的努力，使100所左右的高等学校以及一批重点学科在教育质量、科学研究、管理水平和办学效益等方面有较大提高，在高等教育改革特别是管理体制改革方面有明显进展，成为立足国内培养高层次人才、解决经济建设和社会发展重大问题的基地。其中，一部分重点高等学校和一部分重点学科，接近或达到国际同类学校和学科的先进水平，大部分学校的办学条件得到明显改善，在人才培养、科学研究上取得较大成绩，适应地区和行业发展需要，总体处于国内先进水平，起到骨干和示范作用。“211工程”的建设内容主要包括学校整体条件、重点学科和高等教育公共服务体系建设三大部分。学校整体条件建设是基础。重点学科建设是核心，是体现教学科研水平的重要标志，是带动学校整体水平提高的有效途径。高等教育公共服务体系以重点建设的学校为依托，按照资源共享、服务全国的原则，从整体上加强我国高等教育基础设施建设，提高高等学校的办学水平和办学效益。从此，“211 工程”作为我国教育领域唯一的国家重点建设项目列入国家经济和社会发展中长期规划和第九个五年计划，并正式开始实施。1995 年，“211 工程”首批立项建设高校有 15 所：北京大学、清华大学、北京理工大学、北京航空航天大学、中国农业大学、天津大学、南开大学、哈尔滨工业大学、复旦大学、上海交通大学、中国科学技术大学、南京大学、浙江大学、西安交通大学、西北工业大学。建设资金主要由学校所属的部门和地方政府筹措安排，中央安排一定的专项资金给予支持。“211 工程”是中华人民共和国成立后由国家立项在高等教育领域进行的规模最大、层次最高的重点建设工作，是实施科教兴国战略的重大举措，也是高等教育事业的系统改革工程。

1996 年 9 月 25 日至 27 日，国家科委组织召开的国家“星火”计划工作会议在北京举行。会议总结了“星火”计划实施十年来的经验，强调要以求实创新的精神大力推动“星火”计划再上新台阶。会议确定了 2000 年“星火”计划发展的目标、战略和重大措施，决定启动《星火计划“九五”发展纲要》。中央政治局候补委员、书记处书记温家宝和国务委员兼国家科委主任宋健出席闭幕式并讲话。温家宝指出，星火计划把先进实用的科学技术引向农村，是科技与农业、科技人员与农民紧密结合的成功模式，是科技为农民服务的一条有效途径，是以急需、实用、见效快的科技开发项目促进农村经济发展的重要举措，为农业和农村经济的发展注入了新的活力。星火计划的实践告诉我们，农业和农村经济的发展，必须依靠科学技术和提高农民素质。

另外，中国科学院向中央提交了《迎接知识经济时代，建设国家创新体系》的研究报告。文化部出台了《文化部贯彻〈中共中央、国务院关于加速科学技术进步的决定〉的几点意见》，指出在《决定》中第一次提到要加强文化和体育领域的科技工作，这是新形势下文化事业深入发展对文化科技工作提出的新要求，也是对文化科技工作者的莫大鼓舞。要求进一步提高认识，加强对文化科技工作的管理，发展文化科技产业，实施人才培养工程等。[①]中共四川省委、四川省人民政府出台《中共四川省委　四川省人民政府关于贯彻〈中共中央国务院关于加速科学技术进步的决定〉的实施意见》，确定了实施科教兴川战略的总体要求：坚决贯彻党和国家有关科技工作的方针政策，把科技和教育摆在经济和社会发展的优先地位，各级党政“一把手”亲自抓第一生产力，对科教兴川（兴市、兴县、兴行业）实行强有力的组织领导，加快形成经济、科技、教育密切结合并相互促进的机制，切实组织科技主力军进入经济建设主战场，努力增加科技投入，不断提高“科技兴川千亿工程”的实施质量，全面加速科技成果向现实生产力的转化，推动产业结构升级，提高全省经济发展的质量和效益，大力培养造就跨世纪的科技人才队伍，全面推进科技进步和提高劳动者素质。明确了实施科教兴川战略、全面推进科技进步的基本目标：到 2000 年，初步建立起适应社会主义市场经济体制和科技自身发展规律的科技体制；农业、工业和社会发展领域的科学技术研究和开发应用取得重大进展，科技进步对国民经济增长的贡献率达到 50%。到 2010 年，新型科技体制更加巩固和完善，科技与经济有机结合，科技实力大为提高，科技进步对国民经济增长的贡献率达到 60%。[②]中共杭州市委、杭州市人民政府出台《中共杭州市委　杭州市人民政府贯彻〈中共中央、国务院关于加速科学技术进步的决定〉的若干意见》，要求全面实施科教兴市战略、加快推进“科教兴农”、大力发展高新技术及其产业等。

第三节　科教兴国战略的实施

蓝图已经展开，关键在于实施，而实施的关键在于领导。

① 《文化部贯彻〈中共中央、国务院关于加速科学技术进步的决定〉的几点意见》，《艺术科技》1995 年第 4 期。

② 《中共四川省委　四川省人民政府关于贯彻〈中共中央国务院关于加速科学技术进步的决定〉的实施意见》，《四川政报》1996 年第 4 期。

1997 年 9 月，在党的第十五次全国代表大会上的报告中，江泽民再次重点论述了科教兴国战略。他指出：“科学技术是第一生产力，科技进步是经济发展的决定性因素。要充分估量未来科学技术特别是高技术发展对综合国力、社会经济结构和人民生活的巨大影响，把加速科技进步放在经济社会发展的关键地位，使经济建设真正转到依靠科技进步和提高劳动者素质的轨道上来。要从国家长远发展需要出发，制订中长期科学发展规划，统观全局，突出重点，有所为、有所不为，加强基础性研究和高技术研究，加快实现高技术产业化。强化应用技术的开发和推广，促进科技成果向现实生产力转化，集中力量解决经济社会发展的重大和关键技术问题。有重点有选择地引进先进技术，增强自主创新能力。我国是发展中国家，应该更加重视运用最新技术成果，实现技术发展的跨越。”[①] 他还强调指出：“深化科技和教育体制改革，促进科技、教育同经济的结合。充分发挥市场和社会需求对科技进步的导向和推动作用，支持和鼓励企业从事科研、开发和技术改造，使企业成为科研开发和投入的主体。有条件的科研机构和大专院校要以不同形式进入企业或同企业合作，走产学研结合的道路，解决科技和教育体制上存在的条块分割、力量分散的问题。鼓励创新、竞争和合作。实施保护知识产权制度。人才是科技进步和经济社会发展最重要的资源，要建立一整套有利于人才培养和使用的激励机制。积极引进国外智力。鼓励留学人员回国工作或以适当方式为祖国服务。”[②]

同年 12 月 26 日，在会见 1997 年度国家科技奖励获奖代表和普通高等学校国家级教学成果奖获奖代表时，江泽民强调指出，实施科教兴国战略，是关系改革成功、国家强盛和民族振兴的重大决策。国家的发展需要人才，教育是人才培养之基和立国之本，科学技术是第一生产力。当代教育的发展和科技的飞速进步，越来越成为推动经济发展和社会进步的强大力量。这就是我们实行科教兴国战略的基本依据。我们要始终坚持把教育和科技摆在经济、社会发展的重要位置，大力提高全民族的科学文化素质，加快

① 江泽民：《江泽民文选》第二卷，人民出版社 2006 年版，第 25—26 页。
② 江泽民：《江泽民文选》第二卷，人民出版社 2006 年版，第 26 页。

推进经济建设转到依靠科技进步和提高劳动者素质的轨道上来。

1998 年 2 月 4 日，在中科院报来的《迎接知识经济时代，建设国家创新体系》的报告上，江泽民作出重要批示，知识经济、创新意识对于我们 21 世纪的发展至关重要。科学院提了一些设想，又有一支队伍，我认为可以支持他们搞些试点，先走一步，真正搞出我们自己的创新体系。

1998 年 3 月 19 日，在九届全国人大一次会议中外记者招待会上，新任国务院总理朱镕基在人民大会堂庄严宣布："科教兴国是本届政府最大的任务。"会后，新一届政府成立了国家科技教育领导小组，朱镕基任组长，中央政治局常委、国务院副总理李岚清担任副组长。

把科教兴国作为中国跨世纪的基本国策，作为政府的最大任务，这是历史的选择，时代的呼唤，人民的愿望。党中央、国务院亲自抓第一生产力，这就为实施科教兴国战略提供了可靠而坚强的政治保障。

1998 年 5 月 4 日，在庆祝北京大学建校 100 周年大会上，江泽民进一步指出："全党全社会都要高度重视知识创新、人才开发对经济发展和社会进步的重大作用，使科教兴国真正成为全民族的广泛共识和实际行动。我们的大学应该成为科教兴国的强大生力军。教育应与经济社会发展紧密结合，为现代化建设提供各类人才支持和知识贡献。这是面向二十一世纪教育改革和发展的方向。"[①]这一讲话，再次向全党和全国人民发出了实施科教兴国战略的动员令。

面对知识经济的挑战，要实施科教兴国战略，其关键是要加强技术创新，发展高新技术产业，加速科技成果向现实生产力转化。江泽民等中央领导人对此极为重视。江泽民多次强调指出，创新是一个民族进步的灵魂，是一个国家兴旺发达的不竭动力。一个没有创新能力的民族，难以屹立于世界先进民族之林。

---

① 江泽民：《江泽民文选》第二卷，人民出版社 2006 年版，第 123 页。

1998年6月1日，江泽民在会见“两院”院士及外籍院士时指出：“当今世界，以信息技术为主要标志的科技进步日新月异，高新技术成果向现实生产力的转化越来越快，初见端倪的知识经济预示人类的经济社会生活将发生新的巨大变化。世界各国都在抓紧制定面向新世纪的发展战略，争先抢占科技、产业、经济的制高点。面对这个态势，我们必须顺应潮流，乘势而上。”[①]6月9日、10月28日、12月31日，由朱镕基任组长的国家科技教育领导小组先后召开三次会议，分别审议了中科院知识创新工程试点和教育部《面向21世纪教育振兴行动计划》，部署科教兴国战略的实施。

1999年2月10日，江泽民在北京考察工作时再次强调：“发展高新技术及其产业，不仅研究和开发要搞上去，还要注意建立一整套的有效机制。一项技术和一个产品要发展，必须同市场结合起来，没有市场需求的推动就难以发展。”

为鼓励和支持科技创新，推动科教兴国战略进一步深入人心，1999年5月23日，朱镕基签署国务院令，发布《国家科学技术奖励条例》，这标志着中国科技奖励工作进入了一个新的阶段。国家科学技术奖励制度更加完善，形成了国家最高科学技术奖、国家自然科学奖、国家技术发明奖、国家科学技术进步奖和中华人民共和国国际科学技术合作奖五大奖项，在推动技术创新、发展高科技、实现产业化等方面更好地发挥科技奖励的杠杆作用。8月20日，《中共中央、国务院关于加强技术创新，发展高科技，实现产业化的决定》（以下简称《决定》）颁布。《决定》共4个部分：（一）加强技术创新，发展高科技，实现产业化，推动社会生产力跨越式发展；（二）深化体制改革，促进技术创新和高新科技成果商品化、产业化；（三）采取有效措施，营造有利于技术创新和发展高科技、实现产业化的政策环境；（四）加强党和政府的领导，全面推进技术创新，发展高科技，实现产业化。《决定》指出，通过深化改革，从根本上形成有利于科技成果转化的体制和机制，加强技术创新，发展高科技，实现产业化。这既是解决

① 江泽民：《江泽民文选》第二卷，人民出版社2006年版，第132页。

我国经济发展面临的深层问题，进一步提高综合国力、实现跨越发展的要求，也是应对国际竞争、确保中华民族在新世纪立于不败之地的战略抉择。我们一定要发扬当年搞“两弹一星”的那种团结协作和艰苦奋斗的精神，发挥科技第一生产力的强大作用，努力提高国民经济整体素质，增强综合国力，把我国社会主义现代化建设事业推向前进。

在《中共中央、国务院关于加强技术创新，发展高科技，实现产业化的决定》颁布三天后，1999 年 8 月 23 日至 26 日，一个中国科技史上具有里程碑意义的盛会——全国技术创新大会隆重召开。党和国家领导人与来自各方的代表共聚一堂，为发展我国科技事业，为全面实施科教兴国战略共商大计。在大会上，江泽民向全党全国发出号召：“向新科技革命进军。”他指出：“全面实施科教兴国战略，加速全社会的科技进步，关键是要加强和不断推进知识创新、技术创新。我曾经说过，创新是一个民族进步的灵魂，是一个国家兴旺发达的不竭动力。科技创新越来越成为当今社会生产力解放和发展的重要基础和标志，越来越决定着一个国家、一个民族的发展进程。如果不能创新，一个民族就难以兴盛，难以屹立于世界民族之林。对这个问题，不仅各级领导干部要有很强的政治意识，而且要使全社会都树立这样的意识。”①他指出，这次中央提出要进一步加强技术创新，发展高科技，实现产业化，这是一项系统工程，需要把握的问题很多。大家一定要按照中央的决策和部署加紧工作，统筹兼顾，合理安排。科技创新包括很多方面，其中很重要的一个方面是技术创新。技术创新，主要是企业应用新知识、新技术、新工艺，采用新的生产方式和经营管理模式，提高产品质量，开发新的产品，增强市场竞争能力和抵御风险能力。加强技术创新，不仅对我们搞好国有企业具有重大意义，而且对我们提高整个国民经济的质量和效益，提高全社会的劳动生产率，提高我国的国际竞争力也具有决定性的意义。这次中央突出地提出加强技术创新的问题，就是基于这样的基本考虑。加强技术创新，最根本的是要在全社会真正形成推动技术

① 江泽民：《江泽民文选》第二卷，人民出版社 2006 年版，第 392 页。

创新工作的有效机制。

朱镕基在闭幕会上发表讲话。他指出，加强技术创新，发展高科技，实现产业化，直接关系到我国在新世纪中的国际地位和竞争力，关系到我国社会主义现代化建设的进程，关系到祖国的繁荣富强和中华民族的伟大复兴。他强调，各级党委、政府和广大科技工作者要以强烈的历史责任感和紧迫感，锐意进取，扎实工作，把科教兴国战略真正落在实处，以技术创新和高科技发展的新成就迎接新世纪的到来。

科技工作是一项复杂的、艰辛的工作，科技创新需要默默无闻地付出；而被冠以科技创新头衔的科技工作者又是光荣的、幸福的。

2001 年 2 月 19 日，党中央、国务院在人民大会堂隆重召开国家科学技术奖励大会。国家最高科学技术奖、国家自然科学奖、国家技术发明奖、国家科学技术进步奖、中华人民共和国国际科学技术合作奖五大科技奖同时揭晓并颁奖。在 2612 位获奖者中，最引人注目的当属首届国家最高科学技术奖的得主——中国科学院系统研究所研究员、中国科学院院士吴文俊和湖南杂交水稻研究中心研究员、中国工程院院士袁隆平。他们的获奖证书由国家主席江泽民签署并颁发，每人获得 500 万元的高额奖金。如此高规格的奖励，在全社会引起强烈反响。科学界人士普遍认为，这一大奖的登台亮相无疑加重了对科学、对献身科学而终生探索的科学家的肯定和崇尚。

一年后的 2002 年 2 月 1 日，第二届国家科学技术奖励大会在人民大会堂隆重举行。江泽民为获得国家最高科学技术奖的中科院院士、中国工程院院士、北京大学计算机科学技术研究所王选，中科院院士、中科院半导体研究所黄昆颁发证书和 500 万元奖金。时年 65 岁的王选针对汉字印刷的特点和难点，发明了高分辨率字形的高倍率信息压缩技术和高速复原方法，率先设计出相应的专用芯片，在世界上首次使用控制信息（参数）描述笔画特性的方法。这些成果的产业化应用，使中国告别了沿用上百年的铅字印刷，推动中国报业技术和应用水平处于世界最前列，从而创造出巨大的经济效益和社会效益。时年83岁的黄昆，是中国固体物理学和半导体物理学的奠基人之一，也是世界著名的物理学家。他对固体物理学作出了许多开拓性的重大贡献，提出“黄散射”“黄—里斯因子”“黄方程”等许多著称于世的理论，他与诺贝尔奖获得者玻恩合著的《晶格动力学理论》一书，1954年由牛津大学出版后，一直是该领域最具权威性的经典专著。

500万元，对于当时发展中的中国而言确实属于高额奖金，这充分体现了党和国家在新时期对科技创新工作和杰出科技人才的高度关注和重视，更体现出中国共产党“代表中国先进生产力的发展要求”的能力与品质。2001年7月1日，在庆祝中国共产党成立80周年大会上，江泽民指出：“科学技术是第一生产力，而且是先进生产力的集中体现和主要标志。科学技术的突飞猛进，给世界生产力和人类经济社会的发展带来了极大的推动。未来的科技发展还将产生新的重大飞跃。我们必须敏锐地把握这个客观趋势，始终注意把发挥我国社会主义制度的优越性，同掌握、运用和发展先进的科学技术紧密地结合起来，大力推动科技进步和创新，不断用先进科技改造和提高国民经济，努力实现我国生产力发展的跨越。这是我们党代表中国先进生产力发展要求必须履行的重要职责。”①

面对知识经济的挑战，实施科教兴国战略，必须尊重知识、尊重人才。人才是科技进步和经济社会发展最重要的资源，而高等学校是培养和造就高素质人才的摇篮和主体。以江泽民同志为核心的党中央为中国能有若干所世界一流大学殚精竭虑，不断探索。

1998年5月在庆祝北京大学建校100周年大会上，江泽民向全社会宣告：“为了实现现代化，我国要有若干所具有世界先进水平的一流大学。这样的大学，应该是培养造就高素质的创造性人才的摇篮，应该是认识未知世界、探索客观真理、为人类解决面临的重大课题提供科学依据的前沿，应该是知识创新、推动科学技术成果向现实生产力转化的重要力量，应该

① 江泽民：《江泽民文选》第三卷，人民出版社2006年版，第275页。

是民族优秀文化与世界先进文明成果交流借鉴的桥梁。”[①]由此，国家决定重点支持国内部分高校创建世界一流大学和高水平大学，并以这次讲话发表的时间（1998 年 5 月）命名为“985 工程”。

1998 年 12 月 24 日，教育部制定了《面向 21 世纪教育振兴行动计划》。明确提出“对于若干所高校和有条件的学科进行重点建设，争取达到世界一流水平”。为促进一流大学的创建，中央政府决定，从自 1998 起的中央本级财政教育经费占本级财政支出比例年增长的 1%中，设专项资金重点支持若干所大学进入国际先进行列。1999 年 1 月 13 日，《国务院批转教育部面向 21 世纪教育振兴行动计划的通知》发布，国家开始以“2+X”模式实施“985 工程”，即把北京大学、清华大学建设为世界一流大学，同时也重点支持了一部分学校，使之成为高水平的大学。同“211 工程”相比，“985 工程”确定的院校更为集中和有限，多数入选院校都经历过“211 工程”的建设过程。在建设过程中，共有 112 所高校入选“211 工程”（考虑到部分学校两地办学相互独立等原因实为 116 所），39 所高校进入“985 工程”。“985”大学的确立，犹如建立起一支“国家队”，是实现教育适度超前发展的重要组成部分，有力地带动了我国高等教育事业的整体发展，引领我国教育事业跨入世界中等偏上行列。

2001 年 4 月 29 日，在庆祝清华大学建校 90 周年大会上，江泽民在讲话中进一步强调：“到本世纪中叶，我们要基本实现社会主义现代化，实现中华民族的伟大复兴。离开科学教育事业的发展，离开全民族科学文化水平的提高，这一光荣而艰巨的任务是不可能完成的。大学应该成为科教兴国的强大生力军。要继续提高高等教育的质量，加快高等教育事业的发展，努力在全国建设若干所具有世界先进水平的一流大学。”他饱含深情地说：“一个国家的大学水平如何，从一个方面反映着这个国家科技文化发展的水平，也是这个国家综合国力的重要体现。我国建设具有世界水平的一流大学，需要党和政府以及全社会的大力支持，需要优化配置和充分利用

① 江泽民：《江泽民文选》第二卷，人民出版社 2006 年版，第 123 页。

教育资源，更需要广大大学师生员工的艰苦努力。中国要实现繁荣富强，中华民族要实现伟大复兴，中国人民要对人类作出更大贡献，必须培养和造就千千万万的人才。要做到这一点，教育战线上的同志们责任尤为重大啊！”[①]

面对21世纪科学技术日新月异的挑战，民族素质和创新能力越来越成为综合国力的重要标志。实施科教兴国战略，需要按照社会主义市场经济建设要求，与时俱进，不断深化教育改革，全面推进素质教育。在这一方面，一些地方已经进行了有益的尝试。比如素有重教传统的江南名城苏州，中小学实施素质教育形成了以师资队伍建设为核心，以课堂教学为重点的发展思路和发展特色，义务教育水平逐年提高。到1998年，全市小学入学率、巩固率、毕业率分别达到100%、100%、99.78%；初中入学率、巩固率和毕业率分别达到99.92%、99.37%、98.31%。普高办学模式改革、课程结构改革、考试制度和学生评价制度改革、初高中分设及九年一贯制试点都取得了新的进展。据统计，苏州农村劳动力人均受教育年限达8.61年，18—21周岁适龄人口中接受各类高等教育的比例达20%左右。苏州社会力量举办的各级各类学校达250所，市区为124所，办学范围从成人教育向基础教育、职业教育和高等教育延伸。职业教育和成人教育在政府统筹管理下，形成了社会各界积极参与、学校面向社会办学的新格局。全市各类中等职业教育中，企业行业和产业部门办学面占70%，市区为80%以上。苏州还积极发挥高校资源丰富的优势，积极开展多层次多形式的联合办学。公办学校有步骤地引进民办学校的管理机制，有20所学校进行了“学校所有权和办学自主权”两权分离改革。实行“强弱联合办学”改革试点，出现以优势学校支撑苏州教育的态势。[②]

1999年6月13日，《中共中央、国务院关于深化教育改革全面推进素质教育的决定》（以下简称《决定》）颁布。《决定》由4个部分组成：（一）全面推进素质教育，培养适应21世纪现代化建设需要的社会主义新人；（二）深

---

① 江泽民：《在庆祝清华大学建校九十周年大会上的讲话》，《人民日报》2001年4月30日。

② 温红彦：《苏州教育形成新格局》，《人民日报》1999年6月17日。

化教育改革，为实施素质教育创造条件；（三）优化结构，建设全面推进素质教育的高质量的教师队伍；（四）加强领导，全党、全社会共同努力开创素质教育的新局面。《决定》赋予素质教育以时代的特征和新的内涵，要求全党、全社会必须从我国社会主义事业兴旺发达和中华民族伟大复兴的大局出发，以邓小平理论为指导，全面贯彻落实党的十五大精神，深化教育改革，全面推进素质教育，构建一个充满生机的有中国特色社会主义教育体系，为实施科教兴国战略奠定坚实的人才和知识基础。

紧接着，6 月 15 日至 18 日，全国教育工作会议（简称“全教会”）召开。这次会议是改革开放后党中央、国务院召开的第三次全国教育工作会议。会议的主题是：动员全党和全国人民，以提高民族素质和创新能力为重点，深化教育体制和结构改革，全面推进素质教育，振兴教育事业，实施科教兴国战略，为实现党的十五大确定的社会主义现代化建设宏伟目标而奋斗。江泽民在会上发表重要讲话。他指出：“国运兴衰，系于教育；教育振兴，全民有责。”[①]“我们必须全面贯彻党的教育方针，坚持教育为社会主义现代化建设服务、为人民服务，坚持教育与社会实践相结合，以提高国民素质为根本宗旨，以培养学生的创新精神和实践能力为重点，努力造就有理想、有道德、有文化、有纪律的，德育、智育、体育、美育等全面发展的社会主义事业建设者和接班人。”[②]江泽民强调指出：“事实已经充分说明，象牙塔式的教育，不能适应当今时代的需要。教育与经济、科技、社会实践越来越紧密的结合，正在成为推动科技进步和经济社会发展的重要力量。在我国社会主义初级阶段，教育作为经济、政治、文化建设的基础工程，不仅要为现代化建设提供人才和智力储备，而且要直接参与各方面的建设事业，为推动各项建设事业作出贡献。”[③]300 名代表对讲话报以长时间的热烈掌声，表达了各地党政领导、教育工作者和社会各界人士对中央决策的拥护、赞同之情。

---

① 江泽民：《江泽民文选》第二卷，人民出版社 2006 年版，第 336 页。
② 江泽民：《江泽民文选》第二卷，人民出版社 2006 年版，第 332 页。
③ 江泽民：《江泽民文选》第二卷，人民出版社 2006 年版，第 335 页。

从改革开放后的第一次全教会到第二次全教会，再到第三次全教会，从教育体制改革到教育优先发展地位的确立，再到全面推进素质教育，这不仅仅是中国教育事业发展的量的积累，还是质的飞跃，是历史性的跨越，有力地推动了中国教育事业的改革和发展。会后，教育部根据会议精神，进一步扩大了当年全国高校的招生规模。

在进入 21 世纪的时候，中国如期实现了“两基”（基本普及九年义务教育和基本扫除青壮年文盲）的奋斗目标。全国 85% 的人口地区基本实现“普九”，小学净入学率达到 99.1%，初中阶段入学率达到 88.6%，青壮年人口文盲率下降到 5% 以下。到 2000 年实现“两基”，是 1992 年党的十四大向全党全社会提出的一项重大的战略任务，是党中央、国务院为提高民族素质，实现社会主义现代化建设“三步走”战略目标所作出的重大决策。“两基”奋斗目标的实现，在中国教育史上谱写了辉煌篇章。

2002 年 9 月 8 日，教师节前夕，江泽民等党和国家领导人出席了北京师范大学建校 100 周年庆祝大会。江泽民强调指出：“我们要继续坚定不移地实施科教兴国战略，不断培养大批合格的有中国特色社会主义的建设者，不断造就大批具有丰富创新能力的高素质人才，不断提高全民族的思想道德素质和科学文化素质。这是实现中华民族伟大复兴的必然要求，也是我国社会主义教育事业的历史任务。”[①] 他进一步提出：“要完成这一任务，必须不断推进教育创新。”[②]这一讲话高瞻远瞩，对实施科教兴国战略提出了新的任务和要求。

在党中央高度重视下，科教兴国日益成为全党全国人民的共识。各地纷纷提出了“科教兴省”“科教兴市”“科教兴区”“科教兴县”战略，把科技和教育摆在经济、社会发展的重要位置，把教育摆在优先发展的战略地位，事紧先为教育办，钱少先为教育花。许多地方党委、政府还出台了一系列地方性法规、政策和措施，着力推动教育事业的发展；许多地方党委、

---

① 江泽民：《江泽民文选》第三卷，人民出版社 2006 年版，第 499 页。
② 江泽民：《江泽民文选》第三卷，人民出版社 2006 年版，第 499 页。

政府还把办好教育作为政府为人民办好事、办实事的形象工程，实行教育的一票否决。从农村到城镇，从海滨到内陆，所到之地处处都能看到宣传教育优先的标语。

总之，教育在经济社会发展中的战略地位越来越被人们所认识，教育的战略地位日益得到落实。从党的十三届四中全会到党的十六大这十三年间，我国科技体制改革和教育体制改革取得重大进展，科技、教育事业加快发展。主要表现在科技创新能力大幅度提高。科学研究与试验发展经费支出从1990年的125亿元增加到2001年的1000亿元，占国内生产总值的比重由0.68%提高到1.1%。通过实施国家“863”计划、“973”计划、重大科技攻关计划等一系列科技计划，许多重要领域均取得大量创新成果，我国科技实力总体上已居于发展中国家前列。在信息技术、生物工程、新材料等领域，科技成果的产业化进程明显加快，有力地推动了企业技术水平和竞争能力的提高。教育经费投入持续增加。2001年，全国教育经费总投入4368亿元，其中国家财政性教育经费3051亿元，占国内生产总值的3.19%，达到历史最高水平。经过长期努力，我国实现了基础教育的“两基”目标（基本普及九年义务教育和基本扫除青壮年文盲）。高等教育发展加快。2001年，普通高校招生268.3万人，研究生招生16.52万人，分别为1988年的4倍和4.6倍。①

科教兴国，成效显著，成就斐然。

① 林兆木：《取得重大历史性成就的十三年》，《人民日报》2002年11月26日。

第六章

实施可持续发展战略，促进人和自然的协调与和谐

1992年6月，联合国环境与发展大会宣布可持续发展是人类关注的中心问题。作为人口众多、资源相对不足、处于发展中的中国来说，选择什么样的发展战略，对国家前途影响深远。中国共产党和中国政府高度重视并作出实施可持续发展的战略选择。江泽民指出，必须切实保护资源和环境，不仅要安排好当前的发展，还要为子孙后代着想，决不能吃祖宗饭、断子孙路，走浪费资源和先污染后治理的路子。2002年8月，中国政府发布了《中华人民共和国可持续发展国家报告》，向世人表明中国坚定不移走可持续发展道路的决心。

第一节　一种新的发展观

可以说，人类生成繁衍的历史是人类社会同大自然相互作用、共同发展和不断进化的历史。

在与自然的长期博弈中，人类逐渐萌发出一种可贵的可持续发展思想。在中国古代哲学中，即强调“天人合一”“天人和谐”，力求实现人类社会与自然关系的和谐，强调要有长远眼光，为子孙后代着想，反对竭泽而渔、杀鸡取卵。这些都可以说是有可持续发展思想的萌芽。春秋战国时期，就有保护正在怀孕和产卵的鸟、兽、鱼、鳖以利“永续利用”的思想和封山育林定期开禁的法令。春秋时齐国的管仲，从发展经济、富国强兵的目标出发，十分注意保护山林川泽及其生物资源，反对过度采伐。战国时期的荀子也把对自然资源的保护列为治国安邦之策，特别注意遵从生态系统的季节规律，重视自然资源的持续保护和永续利用。

近代工业革命以来，随着科学技术的极大进步和资本主义在全球范围的殖民扩张，资本主义的西方世界开始忘乎所以，一部分人自认为已经能够彻底摆脱自然的束缚，可以主宰地球。以培根和笛卡儿为代表提出的“驾驭自然，作自然主人”的机械论思想开始影响全球。西方世界放纵地把自然环境同人类社会，把客观世界同主观世界形而上学地分割开来，而没有意识到人类与环境应协同发展的客观规律。

经过一个多世纪的疯狂掠夺与扩张，经过第一、二次世界大战血与火的洗礼，狂热渐渐消退、理性慢慢回归的世人才开始震惊地认识到，威胁人类生存和发展的环境问题不断地在全球显现。第二次世界大战后，世界各国特别是发展中国家纷纷采取西方发达资本主义国家已经用过的、传统的“增长第一战略”来发展本国经济，其主要特征是大力推行工业化，以谋求国民生产总值的迅速增长。

传统片面的追求经济增长的战略，虽然使许多国家在一定时期内取得了经济上的较快增长，但却暴露了一系列严重的弊病。由于它是以人主宰自然为指导思想，以资源的大量消耗、浪费来换取经济的繁荣，从而不可避免地造成了生态环境质量的恶化。同时，为了追求 GNP（国民生产总值）的增长，往往忽略了广大人民群众生活的基本衣食住行需要而主要生产那些高产值、高利润的奢侈品，传统发展模式的弊端还常表现在失业率上升、“城市病”蔓延、发展中国家债台高筑（尤其是拉美和非洲国家更为突出）、贫富两极分化等方面。

人们开始认识到，单纯追求经济发展，不顾环境破坏造成的后果，对全局和后代会带来灾难性的危机。而要避免这一危机的出现，单靠科学技术手段和用工业文明的思维定式去修补环境不可能从根本上解决问题，必须在各个层次上去调控人类的社会行为和改变支配人类社会行为的思想。由此，传统发展模式开始受到质疑和批评，可持续发展理论逐渐被提出、被认同。

1972 年 6 月，联合国在斯德哥尔摩召开人类环境会议。这是国际社会就环境问题召开的第一次世界性会议，标志着全人类对环境问题的觉醒。这次会议的意义在于，将环境问题严肃地摆在了人类面前，引起世人的警觉，世界各国开始把环境问题摆上议事日程，并与人口、经济和社会发展联系起来，统一审视，寻求一条健康、协调的发展之路。这时的中国还处于“文化大革命”时期，周恩来总理高瞻远瞩，决定派代表团参会。他两次亲自修改代表团成员名单，审阅了中国代表团提交大会的关于中国环境问题的报告。周恩来指出，要承认我们还存在污染等问题，要注意学习国外好的经验。中国代表团回国后，周恩来听取了代表团的汇报，指示要立即召开全国性会议，关注环境问题。1973 年 8 月，国务院召开首次全国环境保护工作会议，确定了环境保护 32 字方针，即“全面规划，合理布局，综合利用，化害为利，依靠群众，大家动手，保护环境，造福人民”，并颁布了《关于保护和改善环境的若干规定（试行草案）》，推进了中国环境保护事业的发展。

联合国斯德哥尔摩会议之后，可持续发展理念呼之欲出。而在 1972 年罗马俱乐部当年发表的报告中，也开始涉及这一概念。这一年，美国麻省理工学院梅多斯（D.L.Meadows）研究小组（罗马俱乐部）历时 21 个月，耗资 25 万美元，完成了《增长的极限》报告。他们以系统动力学方法为工具，根据大量的数据，分析了人口增长、粮食生产、经济发展、环境污染和非再生资源消耗之间的关系。其结论是，如果人口和工业按 1900 年至 1970 年期间的趋势发展下去，就无法避免在 2100 年以前发生“崩溃”，社会、经济的增长将突然急剧下降，人类社会必然面临停滞。因此他们提出，为避免这种前景，最好的方法是限制增长，即“经济零增长”。这一报告被西方称为“70 年代爆炸性的杰作”。《增长的极限》过分夸大了人口爆炸、粮食和能源短缺、环境污染等问题的严重性，忽视了科学技术的作用，否认依靠科学技术能解决人类面临的问题，将全球模型过于简单化，因而不能真实地反映客观情况。但它从全球范围来探讨当代世界人口、粮食、能源、资源和环境这五大问题，引起了全人类的关注，提高了人们对环境问题的认识，贡献又是巨大的。

此后，罗马俱乐部又发表了《人类处在转折点》（1974 年）、《重建国际秩序》（1976 年）、《走出浪费的时代》（1977 年）、《人类的目标》（1978 年）等研究报告，进一步呼吁人们重视可持续发展问题。

就在此时，中国的改革开放开始迈出步伐，环境保护问题从一开始就得到中国政府的重视。1979 年 9 月 13 日，五届全国人大常委会第十一次会议原则通过《中华人民共和国环境保护法（试行）》。它的任务是保证在社会主义现代化建设中，合理地利用自然环境，防治环境污染和生态破坏，为人民营造清洁适宜的生活和劳动环境，保护人民健康，促进经济发展。该法对环境保护工作的方针、保护自然环境的措施、防治污染和其他公害的办法、环境保护的机构和职责、环境保护的科学研究和宣传教育对保护环境的奖励以及对污染和破坏环境的惩罚制度等，作了具体的规定。

1987年，联合国委托以挪威首相布伦特莱夫人为主席的世界环境与发展委员会（WCED）提交了《我们共同的未来》的报告，报告指出：“今天的人类应以不牺牲未来几代人需要的情况下，满足我们这代人的需要。”报告提出了一种崭新的理念——“可持续发展”的思想。报告认为，可持续发展的内涵至少包括三个基本原则：（1）公平性原则。就是既要考虑当前发展的需要，又要考虑未来发展的需要。（2）持续性原则。可持续发展的核心是发展，但这种发展必须是以不超越环境与资源的承载能力为前提，是以提高人类生活质量为目标的发展。（3）共同性原则。由于历史、文化和发展水平的差异，世界各国可持续发展的具体目标、政策和实施过程不可能一样，但都应认识到我们的家园——地球的整体性和相互依存性。报告建议拟定联合国可持续发展方案，召开环境与发展问题世界会议。这一报告，推动并促使人们思考改变追求单纯经济增长而不顾及持续发展后果的模式。

1989年12月，联合国第四十四届大会决定在斯德哥尔摩会议召开20周年之际举行关于环境与发展问题的世界首脑会议，联合国认为：“全球环境不断恶化的主要原因是不可持续的生产模式和消费模式，特别是发达国家的生产模式和消费模式。”对此，中国代表丁原洪大使表示支持1992年召开联合国环境与发展会议，并希望这次会议成为国际社会争取继续发展、改善人类环境的一个新的里程碑。丁原洪赞成此会议在一个发展中国家举行，以便使国际社会更加重视占世界人口绝大多数的发展中国家所面临的环境和发展问题。他还表示，中国支持巴西愿意担任会议东道国的建议。丁原洪还就会议的目标、范围和内容等提出五点意见：第一，环境问题和发展问题应作为一个有机联系的整体来考虑，经济发展与环境保护应同步协调进行；第二，要建立一个有利于各国持续发展的、公正的国际经济环境，只有这样才能从根本上改变发展中国家贫穷、不发达和无力保护环境的状况；第三，当今世界环境的损害主要源自工业化的发达国家，它们对治理全球环境负有主要责任，应在资金和技术转让方面采取更多的实际行动，帮助发展中国家解决面临的环境保护问题；第四，保护环境不能以牺牲发展中国家的发展为代价，更不能以保护环境为理由任意干涉发展中国家的发展政策和侵犯这些国家对其自然资源的永久主权；第五，在拟定有关环境问题的国际法规时，应由各国尤其是发展中国家广泛参加，充分顾及它们的特殊困难和需要。[①]同年，联合国环境署第十五届理事会发表了《关于“可持续发展”的申明》，提出可持续发展，“系指满足当代人的需要而又不削弱子孙后代满足其需要的能力的发展”。1992 年，世界银行发布的《1992 年世界发展报告：发展与环境》称：“这个原则已被广为接受，而且得到本报告的坚决支持。”

与此同时，随着我国经济社会的发展，国内环境与发展之间的矛盾日益凸显。联合国关于举行环境与发展问题世界首脑会议的倡议，自然得到中国政府的高度重视。就在联合国发起倡议的当月，1989 年 12 月 26 日，七届全国人大常委会第十一次会议通过了《中华人民共和国环境保护法》，这是中华人民共和国成立 40 年后的第一部环境立法。它明确规定了国务院及县级以上人民政府环境保护行政主管部门实施统一监督管理相应行政区域的环境保护工作，规定了国务院及县级以上各级人民政府环境保护行政主管部门环境监督管理和保护改善环境的任务，规范了产生环境污染和其他公害的单位防治环境污染和其他公害的义务以及违反本法规应承担的法律责任，以保障公众健康，促进社会主义现代化建设的发展。1979 年的《中华人民共和国环境保护法（试行）》同时废止。

一年后，1990 年 12 月 5 日，《国务院关于进一步加强环境保护工作的决定》（以下简称《决定》）颁布。《决定》明确提出：“保护和改善生产环境与生态环境、防治污染和其他公害，是我国的一项基本国策。”《决定》指出：“经过长期努力，我国的环境保护工作取得了一定进展。但是，随着人口增长和现代工业的发展，向环境中排放的有害物质大量增加，还有局部地区人为造成的对自然生态环境的损害，致使环境质量逐步恶化，当前，防治环境污染和生态破坏已成为十分紧迫的任务。”《决定》指出，为

① 刘开宸：《支持联合国召开环境与发展会议》，《人民日报》1989 年 10 月 25 日。

促使经济持续、稳定、协调发展，深入贯彻执行《中华人民共和国环境保护法》，在改革开放中进一步搞好环境保护工作，特作出以下决定：（1）严格执行环境保护法律法规。环境保护监督管理部门要会同政府法制部门进行执法检查，同时进一步完善环境立法。（2）依法采取有效措施防治工业污染。企事业单位应建立环境保护责任制，企业升级考核应有环境保护的内容，严格执行“三同时”制度和环境影响评价制度，禁止向国内转移污染。（3）积极开展城市环境综合整治工作。环保部门负责定量考核并公布考核结果。（4）在资源开发利用中重视生态环境的保护。实行“谁开发，谁保护”的原则，各主管部门应加强对森林、水资源、农业环境、野生动植物及自然保护区的管理。（5）利用多种形式开展环境保护宣传教育。加强普通学校中的环境教育及在职干部的环境教育。（6）积极研究开发环境保护科学技术。（7）积极参与解决全球环境问题的国际合作。（8）实行环境目标责任制，各级人民政府要对本辖区的环境质量负责，并在计划中加以落实。

对于处理好经济发展与环境保护之间关系的问题，中国政府一贯高度重视并积极参与和支持国际合作。1991 年 6 月 6 日，由联合国和中国能源部、外经贸部和北京市人民政府主办，国家科委、环保局协办的联合国“能源、环境与经济发展”会议在北京举行。来自印度、埃及、匈牙利等 32 个发展中国家和美国、德国等 8 个发达国家，以及联合国有关组织的 100 多位专家相聚一堂，共同研究能源与环境的协调发展问题，并交流各自的先进技术与政策。6 月 18 日至 19 日，发展中国家环境与发展部长会议在北京举行，41 个发展中国家的部长在会议上深入讨论了国际社会在确立环境保护与经济发展合作准则方面所面临的挑战，阐述了发展中国家在环境与发展问题上的原则立场，并发表了《北京宣言》，表达了发展中国家保护环境、谋求发展的共同愿望，也表明了中国政府对环境与发展问题的原则立场，产生了广泛的影响。

进入 1992 年，中国积极行动，为即将于 6 月份召开的联合国环境与发展大会提供助力。1992 年 2 月 14 日，应国家计委邀请，联合国环境与发展大会（简称“环发大会”）副秘书长尼廷·德赛来华通报1992年环发大会特别是第四次筹委会的准备情况。德赛说，中国在确定1992年环发大会的主题方面提供了巨大的帮助。2月19日，国务院总理李鹏会见巴西政府高级代表团，代表团向李鹏递交了巴西总统科尔邀请李鹏总理出席联合国环境与发展大会的信件，并介绍了大会的筹备情况。李鹏指出，中国在发展中十分重视环保，将派高级代表团出席联合国环境与发展大会。

1992年6月3日至14日，联合国环境与发展大会在巴西里约热内卢召开。这次大会是继1972年在瑞典斯德哥尔摩举行的联合国人类环境会议之后，规模最大、级别最高的一次国际会议，183个国家的代表团和联合国及其下属机构等70个国际组织的代表出席了会议，102位国家元首或政府首脑亲自与会。会议制定并通过了《关于环境与发展的里约热内卢宣言》和《21世纪议程》，正式把可持续发展作为未来共同的发展战略，并得到与会的183个国家的普遍认同，宣言明确规定了为实现可持续发展进行广泛国际合作的原则和途径，宣布可持续发展是人类关注的中心问题。会议期间，国务院总理李鹏分别与20多个国家的领导人进行了会见、会谈，共商人类生存与发展的大计，并就共同关心的重大国际问题和发展双边关系问题深入交换了意见，取得了广泛的共识。

里约会议，让全世界接受了可持续发展的战略方针，并在发展中开始付诸实施。这是人类发展方式的大转变，标志着全球可持续发展战略的确立。

第二节　确立可持续发展战略

里约会议之后，以江泽民同志为核心的党中央深刻总结国内外经济社会发展的经验教训，果断地把中国现代化建设的航船导入可持续发展的轨道。

1992年6月27日，国家环境保护局局长曲格平受国务院委托，向七届全国人大常委会第二十六次会议汇报关于我国出席联合国环境与发展大会的情况。曲格平在汇报中介绍了会议的主要成果：（一）通过和签署了5个文件。这5个文件是：《关于环境与发展的里约热内卢宣言》《21世纪议程》《关于森林问题的原则声明》《联合国气候变化框架公约》《联合国生物多样性公约》。这些会议文件有利于保护全球生态环境和生物资源，要求发达国家承担更多的义务，同时也照顾到发展中国家的特殊情况和利益。（二）普遍提高了环保意识。（三）环境保护与经济发展密不可分的道理被广泛接受，那种"高生产、高消费、高污染"的传统发展模式受到否定，环境保护和经济发展相协调的主张成为与会各国的共识和会议的基调。（四）启动了停滞多年的南北对话，并在一些问题上表现出了南北合作的诚意，取得了一些积极成果。（五）国家主权、经济发展权等重要原则得到了维护。（六）广大发展中国家在会议上发挥了主导作用，充分说明它们是当今世界上不可忽视的、愈来愈重要的力量。曲格平在汇报中还介绍了十几年来我国环境保护工作取得的明显进步：逐步建立和完善环境法制；工业污染防治取得较大进展；城市环境综合整治初见成效；环保投资逐年提高，监督管理不断加强；植树造林取得很大成绩；自然保护工作也有一定进展；实行计划生育，努力减缓人口对环境的压力。曲格平说，在发展过程中，我们没有选择"先污染后治理"的老路，也不可能采取目前发达国家实行的"高技术、高投入"的模式，而是根据中国国情，在投入有限的情况下，主要依靠强化环境管理，走出了一条具有中国特色的环境保护道路，受到了国际社会的积极评价。但是，必须清醒地看到，我国的环境形势依然十分严峻。城市大气污染相当严重，水污染问题也很突出，城市噪声普遍超标，固体废弃物日益增多；自然生态环境的某些方面也有恶化趋势，如水土流失、耕地减少、草原退化、沙漠蔓延、物种减少、水资源短缺，这些都成为制约经济、社会发展的不利因素，必须引起我们的高度重视。曲格平还就承担会议文件和公约的责任义务，做好我国的环保工作、推动经济加速发展等问题作了汇报。

紧接着，1992年7月，国务院环境保护委员会（简称“国务院环委会”）决定组织编制《中国21世纪议程》（以下简称《议程》），并于8月份成立了由国家计委和国家科委副主任任组长的领导小组，组织和领导《议程》文本和相应的优先项目编制工作。同时组成52个部门、300余名专家参加的工作小组，成立了“中国21世纪议程管理中心”，承办日常管理工作。《议程》的编制工作，也得到联合国开发计划署（UNDP）的支持和帮助，编制和实施《议程》被列为中国政府和联合国开发计划署的正式合作项目。联合国开发计划署几次派出咨询专家小组来华，通过与中方专家共同工作和召开国际研讨会等方式，在文本制定等方面给予了很大的帮助，使《议程》文本基本符合国际规范。国外很多有关政府机构和国际组织的高级人士主动表示，愿意以多种方式支持《议程》及其优先项目计划的实施。

1992年8月10日，经党中央、国务院批准，中办、国办转发了外交部、国家环保局《关于出席联合国环境与发展大会的情况及有关对策的报告》（以下简称《报告》）。《报告》指出，我国在联合国环发大会上，同世界各国一起，共同接受了会议通过的文件，并签署了两项公约。这不仅是我国在国际上承担了一定的义务和责任，也是做好我国环境保护工作、推动经济加速发展的实际需要。按照联合国环发大会精神，根据我国具体情况，《报告》提出了我国环境与发展领域应采取的10条对策和措施，明确提出实施可持续发展战略，并将其列为十大对策之首。具体内容是：（1）实行可持续发展战略；（2）采取有效措施，防治工业污染；（3）深入开展城市环境综合整治，认真治理城市“四害”；（4）提高能源利用效率，改善能源结构；（5）推广生态农业，坚持不懈地植树造林，切实加强生物多样性的保护；（6）大力推进科技进步，加强环境科学研究，积极发展环保产业；（7）运用经济手段保护环境；（8）加强环境教育，不断提高全民族的环境意识；（9）健全环境法制，强化环境管理；（10）参照环发大会精神，制订我国行动计划。

中国政府积极履行国际义务、承担国际责任。1993年八届全国人大一次会议设立了全国人大环境保护委员会，次年更名为全国人大环境与资源保护委员会（简称“全国人大环资委”）。在其组织与推动下，环境立法步伐进一步加快。从1993年开始，由全国人大环资委牵头，中央宣传部、国家环保局等14个部门参加，开展了“中华环保世纪行”活动。此后，此活动陆续在全国31个省、自治区、直辖市所辖的400多个城市陆续展开。1993年1月，中国政府批准了《联合国气候变化框架公约》，2002年8月核准了《京都议定书》。

在制定《中国21世纪议程》的同时，国务院还组织各部门编制《中国21世纪议程优先项目计划》。它是《议程》的行动方案并分解为可操作的项目，成为实施《中国21世纪议程》的一个重要步骤。

1994年3月25日，国务院常务会议通过了《中国21世纪议程》，即《中国21世纪人口、环境与发展白皮书》，确定实施可持续发展战略，向世界公布了中国政府履行《关于环境与发展的里约热内卢宣言》的责任和义务，以及实施可持续发展的行动计划和措施，中国也成为世界上率先编制国别《21世纪议程》的国家。

《中国21世纪议程》是从中国的具体国情和环境与发展的总体出发提出的促进经济、社会、资源、环境以及人口、教育相互协调、可持续发展的总体战略和政策措施方案，是制定中国国民经济和社会发展中长期计划的一个指导性文件。

《中国21世纪议程》有4个部分、20章、78个方案领域，共20余万字。

第一部分：可持续发展总体战略与政策。从总体上论述了中国可持续发展的背景、必要性、战略与对策，提出了到2000年各主要产业发展目标、社会发展目标和与上述目标相适应的可持续发展对策。它包括：建立中国可持续发展的法律体系，通过立法保障妇女、青少年、少数民族、工人、科技界等社会各阶层参与可持续发展以及相应的决策过程；制定和推行有利于可持续发展的经济政策、技术政策和税收政策，包括考虑将资源和环境因素纳入经济核算体系；逐步建立《中国21世纪议程》发展基金，广泛争取民间和国际资金支持；加强现有信息系统的联网和信息共享；重视对各级领导和管理人员实施能力培训等。

第二部分：社会可持续发展。主要包括：控制人口增长和提高人口素质；引导民众采用新的消费方式和生活方式；在工业化和城市化的进程中，发展中心城市和小城镇，发展社区经济，注意扩大就业容量，大力发展第三产业；加强城乡就业规划，合理使用土地；等等。

第三部分：经济可持续发展。主要包括：利用市场机制和经济手段推动可持续发展，提供新的就业机会；完善农业和农村经济可持续发展综合管理体系；要在工业生产中积极推广清洁生产，尽快发展环保产业，发展多种交通模式，提高能源效率与节能，推广少污染的煤炭开发开采技术和清洁煤技术，开发利用新能源和可再生能源。

第四部分：资源的合理利用与环境保护。主要包括：在自然资源管理决策中推选可持续发展影响评价制度；通过科学技术引导，对重点区域的流域进行综合开发整治；完善生物多样性保护法规体系，建立和扩大自然保护区网络；建立全国土地荒漠化的监测和信息系统，采用新技术和先进设备控制大气污染和防治酸雨；开发消耗臭氧层物质的替代产品和替代技术；大面积造林；建立有害物质处理利用的法规、技术标准等。

《中国21世纪议程》的发布，展示出中国政府对发展问题的鲜明立场，在国际上引起了巨大反响。

1994年7月，国家计委、国家科委、外交部和联合国开发计划署在北京联合召开中国21世纪议程高级国际圆桌会议，有20多个国家政府、10多个国际金融组织和许多外国企业代表出席了会议，并普遍表示了合作意愿。同年7月，国务院发布《关于贯彻实施〈中国21世纪议程——中国21世纪人口、环境与发展白皮书〉的通知》(以下简称《通知》),《通知》要求各地人民政府要广泛开展可持续发展战略宣传活动，要将《议程》的基本思想和内容在“九五”计划和2010年远景发展目标中得到具体体现。同时要求各地方、各部门结合实际工作，通过各种途径组织实施《议程》。

为推进《议程》的实施，国家还作出具体安排，主要内容是：（一）采取有效措施广泛宣传《议程》。即通过报刊、广播、电视等公共媒介，编写干部读本与各种普及读物等，宣传国家可持续发展战略，提高全民族的可持续发展意识。（二）制定《中国21世纪议程优先项目计划》。即根据所确定的发展目标和方案领域，结合国际热点问题和发展趋势，建立国家可持续发展优先项目库。（三）将《议程》及其优先项目计划纳入国家国民经济与社会发展计划，为配合制定我国“九五”计划及其他有关计划而提出一套切实可行的方案。（四）开展国际合作，广开资金渠道。（五）建立以可持续发展为目标的社会发展综合实验区。即选择有一定基础，具有典型性、代表性和推广意义的农村、乡、镇、中小城市和大城市的行政区作为经济、社会和自然界协调与持续发展的实验区，其实验内容包括各经济领域、环境保护、资源再生与综合利用、社会服务和社会保障等，通过制定规划和政策、科技引导、总体设计、实施、评审、验收等阶段，完成实验过程，并通过示范扩大推广。（六）开展可持续发展培训活动，国家计划建立中国可持续发展培训国际中心，并拟通过联合国有关机构和国际组织的支持帮助，把该中心办成亚洲或发展中国家的一个培训基地。培训计划首先是中央和省一级的管理人员，以后再扩大到企业和基层管理人员。

按照以上安排，各省、自治区、直辖市及有关部门积极行动，加快《议程》的实施进程。

1995年9月，在党的十四届五中全会上，江泽民论述了在推进社会主义现代化建设过程中需要正确处理好的十二大关系，其中第三个方面着重论述了“经济建设和人口、资源、环境的关系”。江泽民明确指出：“在现代化建设中，必须把实现可持续发展作为一个重大战略。要把控制人口、节约资源、保护环境放到重要位置，使人口增长与社会生产力发展相适应，使经济建设与资源、环境相协调，实现良性循环。”①他强调指出：“我国耕地、水和矿产等重要资源的人均占有量都比较低。今后，随着人口的增加和经济的发展，对资源总量的需求更多，环境保护的难度更大。必须切实保护资源和环境，不仅要安排好当前的发展，还要为子孙后代着想，决不能吃祖宗饭、断子孙路，走浪费资源和先污染、后治理的路子。要根据我国国情，选择有利于节约资源和保护环境的产业结构和消费方式。坚持资源开发和节约并举，克服各种浪费现象。综合利用资源，加强污染治理。”②

党的十四届五中全会郑重地将可持续发展战略纳入国民经济和社会发展“九五”计划和2010年远景目标，提出“必须把社会全面发展放在重要战略地位，实现经济与社会相互协调和可持续发展”。这是在党的文件中第一次使用“可持续发展”这个概念。这样就形成了一个具有中国特色的以经济建设为中心，经济与社会、经济与自然相互协调和可持续发展的新型社会发展战略。

1996年3月5日至17日召开的八届全国人大四次会议通过了《中华人民共和国国民经济和社会发展“九五”计划和2010年远景目标纲要》。其中把可持续发展战略作为现代化建设的一项重大战略，要求加强国土资源的保护和开发；依法保护并合理开发土地、水、森林、草原、矿产和海洋资源，完善自然资源有偿使用制度和价格体系，逐步建立资源更新的经济补偿机制和价格体系，加强土地管理；加强环境和生态保护；健全环境保护的管理体系和法规体系；到2000年，力争使环境污染和生态破坏加剧的趋势得到基本控制，部分城市和地区的环境质量有所改善；到2000年，县及县以上工业废水处理率达到83%，废气处理率达到86%，固体废物综合利用率达到50%；城市污水集中处理率达到25%，绿化覆盖率达到27%，垃圾无害化处理率达到50%，城市区域环境噪声达标率提高5% ~ 10%；重点治理淮河、海河、辽河、太湖、巢湖、滇池和酸雨控制区、二氧化硫控制

① 江泽民：《江泽民文选》第一卷，人民出版社2006年版，第463页。
② 江泽民：《江泽民文选》第一卷，人民出版社2006年版，第463—464页。

区的污染；到2000年，森林覆盖率达到15.5%；等等。

1996年3月10日，在中央计划生育工作座谈会上，江泽民强调，要从可持续发展的战略高度认识人口问题的重要性。他指出："可持续发展，就是既要考虑当前发展的需要，又要考虑未来发展的需要，不要以牺牲后代人的利益为代价来满足当代人的利益。实现可持续发展，是人类社会发展的必然要求，已经成为世界许多国家关注的一个重大问题。中国是世界上人口最多的发展中国家，这个问题更具有紧迫性。……要实现可持续发展，首先必须合理控制人口规模。如果人口盲目膨胀，与社会生产力发展不相适应，不仅难以满足当代人的生活需要，而且势必破坏资源和环境，危及后代人的生存和发展。……良好的人口环境，是指适度的人口总量、优良的人口素质、合理的人口结构。良好的人口环境，将促进人口与经济、社会、环境、资源的协调发展和可持续发展。"①

7月16日，在第四次全国环境保护会议上，江泽民指出："环境保护很重要，是关系我国长远发展的全局性战略问题。在社会主义现代化建设中，必须把贯彻实施可持续发展战略始终作为一件大事来抓。"②他再次强调指出："经济发展，必须与人口、资源、环境统筹考虑，不仅要安排好当前的发展，还要为子孙后代着想，为未来的发展创造更好的条件，决不能走浪费资源和先污染后治理的路子，更不能吃祖宗饭、断子孙路。"③他指出，控制人口增长，保护生态环境，是全党全国人民必须长期坚持的基本国策；环境意识和环境质量如何，是衡量一个国家和民族的文明程度的一个重要标志。最后，江泽民要求："各级党委和政府要把环境保护工作摆上重要议事日程，每年要听取环保工作的汇报，及时研究和解决出现的问题。这要成为一项制度。"④

① 江泽民：《江泽民文选》第一卷，人民出版社2006年版，第518—519页。
② 江泽民：《江泽民文选》第一卷，人民出版社2006年版，第532页。
③ 江泽民：《江泽民文选》第一卷，人民出版社2006年版，第532页。
④ 江泽民：《江泽民文选》第一卷，人民出版社2006年版，第535页。

1997 年 9 月，党的十五大把科教兴国战略和可持续发展战略明确为中国共产党跨世纪的两大战略，从而将可持续发展战略提到了前所未有的高度。党的十五大报告指出："我国是人口众多、资源相对不足的国家，在现代化建设中必须实施可持续发展战略。坚持计划生育和保护环境的基本国策，正确处理经济发展同人口、资源、环境的关系。资源开发和节约并举，把节约放在首位，提高资源利用效率。统筹规划国土资源开发和整治，严格执行土地、水、森林、矿产、海洋等资源管理和保护的法律。实施资源有偿使用制度。加强对环境污染的治理，植树种草，搞好水土保持，防治荒漠化，改善生态环境。控制人口增长，提高人口素质，重视人口老龄化问题。"[①] 也正是从 1997 年开始，党中央连续五年在"两会"期间召开座谈会，研究部署人口、资源、环境工作。

1999 年 3 月，在中央人口资源环境工作座谈会上，江泽民指出，在世纪之交，促进我国经济和社会的可持续发展，必须在保持经济增长的同时，控制人口增长，保护自然环境，保持良好的生态环境。这是根据我国国情和长远发展的战略目标而确定的基本国策。一年后的 2000 年 3 月，江泽民又强调指出，能不能坚持做好人口资源环境工作，关系到我国经济和社会的安全，关系到我国人民生活的质量，关系到中华民族生存和发展的大计。

2000 年 10 月，党的十五届五中全会通过的《中共中央关于制定国民经济和社会发展第十个五年计划的建议》强调，"实施可持续发展战略，是关系到中华民族生存和发展的长远大计"，并把实现可持续发展列为未来五至十年中国经济结构战略性调整的主要任务之一，对加强人口和资源管理、重视生态和环境保护提出了明确要求。走可持续发展之路，成为中国经济和社会发展战略的重要组成部分。2001 年 3 月，九届全国人大四次会议通过了《中华人民共和国国民经济和社会发展第十个五年计划纲要》（以下简称《纲要》），《纲要》再次阐述了"人口、资源和环境"问题的重要性。

---

① 江泽民：《江泽民文选》第二卷，人民出版社 2006 年版，第 26 页。

2001年7月1日，江泽民在庆祝中国共产党成立80周年大会上的讲话中指出，进入全面建设小康社会的新阶段，我们"要促进人和自然的协调与和谐，使人们在优美的生态环境中工作和生活。坚持实施可持续发展战略，正确处理经济发展同人口、资源、环境的关系，改善生态环境和美化生活环境，改善公共设施和社会福利设施。努力开创生产发展、生活富裕和生态良好的文明发展道路"①。把可持续发展作为全面建设小康社会的重要历史任务，这在党的历史上还是第一次，体现出党中央对可持续发展战略的高度重视。

第三节 可持续发展战略的实施及重大意义

重视不重视可持续发展战略，不仅要听其言，还要观其行。党中央、国务院制定了一系列适合中国国情的方针政策，把可持续发展战略的要求贯穿国民经济和社会发展的各个领域。

第一，党和政府加强了在推进可持续发展战略过程中的组织协调力度。

如上所述，1992年，国务院就成立了由国家计委和国家科委牵头的跨部门的制定《中国21世纪议程》领导小组及其办公室，随后还设立了具体管理机构——中国21世纪议程管理中心，该中心在国家发展计划委员会和国家科学技术部的领导下，按照领导小组的要求，承担制定与实施《中国21世纪议程》的日常管理工作。2000年，制定《中国21世纪议程》领导小组更名为全国推进可持续发展战略领导小组。

2002年8月21日，中国政府发布了《中华人民共和国可持续发展国家报告》（以下简称《报告》）。这一报告是中国政府根据联合国第五十五届大会的要求，专门向即将在南非召开的可持续发展世界首脑会议提交的。中

① 江泽民：《江泽民文选》第三卷，人民出版社2006年版，第295页。

国政府对这次世界首脑会议及国家报告的编写工作十分重视。经国务院批准，于2001年7月成立了以国家发展计划委员会、外交部、科学技术部和国家环境保护总局为核心单位，有关部门组成的可持续发展世界首脑会议中国筹委会。2001年8月，中国筹委会成立了国家报告编制领导小组、工作组和专家组。报告的编写得到了各级政府、有关部门和社会团体的大力支持，并充分听取和征求了非政府组织和社会各界人士的意见和建议。

该报告全面总结了自1992年特别是1996年之后，中国政府实施可持续发展战略的总体情况和取得的成就，阐述了履行联合国环境与发展大会有关文件的进展和中国今后实施可持续发展战略的构想，以及中国对可持续发展若干国际问题的基本原则立场与看法。《报告》指出，自1992年联合国环境与发展大会召开以来，中国积极有效地实施了可持续发展战略，在中国可持续发展的各个领域都取得了突出的成就，特别是在经济、社会全面发展和人民生活水平不断提高的同时，人口过快增长的势头得到了控制，自然资源保护和生态系统管理得到加强，生态建设步伐加快，部分城市和地区环境质量有所改善。

《报告》指出了中国可持续发展重点领域的行动与成就：（一）人口、卫生与社会保障。中国政府坚持计划生育的基本国策，人口自然增长率由1992年的11.60‰下降到2001年的6.95‰。城乡居民收入持续增长，居民受教育程度和健康水平显著提高，医疗卫生服务体系不断健全。妇女与儿童事业取得明显进步，养老保险与医疗保障制度逐步完善。（二）城镇化与人居环境。1992年至2000年，城镇化水平由27.6%提高到36.1%。通过加快城市基础设施建设，开展城市环境综合整治，提高了城乡居民的居住质量。（三）区域发展与消除贫困。国家实施了“八七”扶贫攻坚计划，贫困人口从1992年的8000万减少到2000年的3000万。中国政府实施了区域经济协调发展的政策和西部大开发战略，使地区差异扩大的趋势有所缓解，地区产业结构得到调整。（四）农业与农村发展。经过多年的努力，中国的粮食和其他农产品大幅度增长，解决了中国人民的吃饭问题。政府大力提倡发展生态农业和节水农业，探索适合中国农村经济和农业生态环境协调发展的模式。（五）工业可持续发展。积极转变工业污染防治战略，大力推行清洁生产，提高资源利用效率，减轻环境压力。加强了工业环境保护的执法力度，实行限期达标排放措施，强制淘汰技术落后和污染严重的生产装置。到2000年底，有污染的工业企业中90%实现了达标排放，工业废水排放量比1995年减少三分之一。积极利用高新技术提升传统产业，调整优化工业结构和产品结构，发展高新技术和新兴产业。1995—2000年，中国环保产业年均增长率达15%。（六）生态环境建设与保护。制定了《全国生态环境建设规划》和《全国生态环境保护纲要》，全国建成了20个国家级园林城市、102个生态农业示范县和2000多个生态农业示范点。大规模开展防治沙漠化工作，加快重点区域水土流失治理，全国累计新增治理水土流失面积81万平方公里。自然保护区建设规模与管理质量显著提高，大部分具有典型性的生态系统与珍稀濒危物种得到有效保护。制定和实施了《中国生物多样性保护战略与行动计划》与《中国湿地保护行动计划》。实施野生动植物保护、自然保护区建设工程和濒危物种拯救工程。建立了农作物品种资源保存库，加快建立遗传资源库。（七）能源开发与利用。重视节约能源，制定和实施了一系列节约能源的法规和技术经济政策，万元国内生产总值能耗由1990年的5.32吨标准煤降到2000年的2.77吨标准煤（1990年价格水平）。积极调整能源结构，推广洁净煤、煤炭清洁利用和综合利用技术，实施了清洁能源和清洁汽车行动计划，积极开发利用可再生能源和新能源。（八）水资源保护与开发利用。积极合理地开发水资源，建立健全水资源可持续利用与水污染控制的综合管理体制。全面推行节水灌溉，发展节水型产业，缓解水资源短缺的矛盾。开展了淮河、海河、辽河、太湖、滇池、巢湖等重点流域的水污染防治，加快建设城市污水处理厂，使水环境恶化趋势基本得到控制。在国家扶持下，贫困地区加强了小水电和农村小型、微型水利工程建设。（九）土地资源管理与保护。通过划定基本农田保护区，全国83%左右的耕地得到有效保护。建立了耕地占用补偿制度，1997年到2000年，全国通过开发、整理和复垦增加耕地164万公顷，高于同期建设占用耕地数量，实现了占补平衡。推行荒山、荒地使用权制度改革，确立和完善土地管理社会监督机制。实施基本农田环境质量监测，大力推进农业化学物质污染防治技术，保护和改善农田环境质量。（十）森林资源的管理与保护。制定了森林资源保护的法规和林业可持续发展的行动计划。加强森林资源的培育，实现了森林面积和蓄积量双增长。实施天然林资源保护、退耕还林、京津风沙源治理、三北和长江流域防护林体系、重点地区速生丰产林建设等林业重点生态体系建设工程。实施山区林业综合开发与消除贫困行动，促进贫困山区社会经济的可持续发展。（十一）草原资源管理与保护。制定了《中华人民共和国草原法》等法规，加强了草原资源的保护与管理。编制了《全国草原生态保护建设规划》，全国草原围栏面积达到 1500 万公顷，每年新增约 200 万公顷。（十二）海洋资源的管理与保护。制定和完善了海洋污染控制、生态保护、资源管理的法规体系。到 2000 年底，建立海洋自然保护区 69 个，总面积 13.1 万平方公里。进行了近岸海域环境功能区划，以及近海和大陆架的资源环境调查，海洋环境监测网络与海洋环境信息、预报服务系统得到加强。（十三）固体废物管理。1991 年至 2000 年，工业固体废物排放量下降了 69.2%，综合利用率提高了 15.1%。加快城市生活垃圾收集处理设施的建设，加强危险废物的管理。认真履行《巴塞尔公约》，严格控制危险废物的越境转移。（十四）化学品无害环境管理。通过加大化工行业产业结构和产品结构的调整力度，减少了化学物质对环境的污染。采取有效的安全防范措施，清除有毒化学品生产和储运中的隐患。认真履行和积极参与化学品国际公约的活动。（十五）大气保护。划定二氧化硫和酸雨控制区，在区域内实行二氧化硫总量控制制度。优先发展公共交通，减少和控制机动车污染物排放，改善城市空气质量。认真履行《关于消耗臭氧层物质的蒙特利尔议定书》，控制和淘汰消耗臭氧层物质。（十六）防灾减灾。开展防洪抗旱、防震减灾、地质灾害和生物灾害防治等综合减灾工程建设。建立和完善了全国灾害监测预警系统，提高了灾害监测和预报水平。开展了灾害保险活动，调动社会力量开展减灾援救活动。（十七）发展科学技术和教育。政府大幅度增加对科技和教育的投入，为可持续发展提供了技术支撑。基本普及了九年义务教育和基本扫除了青壮年文盲。（十八）信息化建设。建成覆盖全国的公用电信网。加快可持续发展信息共享进程，促进了可持续发展能力的提高。（十九）地方21世纪议程实施。全国25个省（区、市）成立了地方21世纪议程领导小组并设立了办事机构，半数以上的省（区、市）制定了地方21世纪议程和行动计划。在16个省市开展了实施《中国21世纪议程》地方试点，还建立了100多个可持续发展实验区。（二十）公众参与可持续发展。各级政府通过广播、电视、报纸、刊物等媒体，全面宣传可持续发展思想，提高公众的可持续发展意识。有270多所高等院校新设置了环境保护院、系、学科。全国许多中小学开展了环境教育和创建"绿色学校"活动。在广大农村组织实施了跨世纪青年农民培训工程和"绿色证书工程"。中国各类社会团体对可持续发展战略持积极拥护的态度，妇女、科技界、少数民族、青少年、农民、工会和非政府组织积极参与可持续发展活动。

第二，党和政府十分重视通过国家发展计划实施可持续发展战略。

"九五"计划明确提出可持续发展是中国推进现代化建设的重大战略，生态建设与环境保护投资达到3800亿元，比上一个五年计划增长了1.75倍。在进入21世纪的历史时刻，"十五"计划（2001—2005年）就落实可持续发展战略提出了全新的思路。强调"十五"期间我国环境保护的政策原则应当是：以最小的资源环境代价发展经济，以最小的社会经济成本保护环境。环境保护的政策目标应当是：遏制生态环境恶化的趋势，以免在未来的环境治理中付出更大的代价，并使重点地区和城市的环境质量有所改善。"十五"期间和到2015年我国的环保目标：到2005年，初步建立适应社会主义市场经济体制的环境保护政策法规和管理体系，力争环境污染的状况有所减轻，生态环境恶化的趋势开始减缓，重点城市和地区的环境质量得到改善。到2010年，基本改变生态环境恶化的状况，城乡环境质量有比较明显的改善，建成一批经济快速发展、环境清洁优美、生态良性循环的城市和地区。到2015年，环境污染得到控制，力争使生态环境有所改善，城乡环境质量基本满足人民群众生产生活的需要。“十五”计划指出，环境保护的重点应当有所为，有所不为。今后生态环保工作的重点应当是：为了使环境污染的状况有所减轻，继续深化污染物总量控制制度。主要污染物在2000年的基础上减少约10%。实施天然林保护工程，停止采伐天然林，把森林植被保护好。绿化荒山荒地，全面恢复林草植被。对陡坡和产量低的耕地要有计划、分步骤地退耕还林还草，同时严禁新的毁林毁草开垦。西部地区应加大对生态环境恢复和建设的力度，加强水土保持，提高植被覆盖率，减缓土地荒漠化的速度。沿海地区要加大对工业污染的防治，城市要重点防治大气污染和河道的水污染。农村要推广使用无公害农药，减少农药在粮食上的残留；提高化肥的使用效率，防止其流失造成水体富营养化。通过生态城市建设的试点，推进城市化进程中中小城市的可持续发展。

2002年8月14日，根据《中华人民共和国国民经济和社会发展第十个五年计划纲要》，以及未来十年我国可持续发展面临的人口、资源、环境等重大问题，科技部制定发布了《可持续发展科技纲要（2001—2010年）》（以下简称《纲要》），《纲要》指出，我国要突破一批人口、资源、环境领域的重大关键技术，增强自主创新解决重大问题的科技能力；加强科技成果的应用与转化，促进相关产业的发展；建成和完善与可持续发展相关的技术标准与产业技术体系；建成一批各具特色的可持续发展科技示范区；形成高素质、结构合理的科研队伍，建成与可持续发展相适应的科技创新体系，促进经济、社会与环境协调发展。

第三，国家加强了可持续发展有关法律法规体系的建设及管理体系的建设工作。

1997年《中华人民共和国刑法》修订中规定了“破坏环境资源保护罪”，中国进入了打击环境违法与犯罪的新阶段。截至2001年底，国家制定和完善了人口与计划生育法律1部，环境保护法律6部，自然资源管理法律13部，防灾减灾法律3部。国务院制定了人口、资源、环境、灾害方面的行政规章100余部，为法律的实施提供了一系列切实可行的制度保障。全国人大常委会专门成立了全国人大环资委，在法律起草、监督实施等方面发挥了重要作用。国家加大了对资源、环境、灾害领域的执法力度，坚决查处各种违法和犯罪行为，法律的权威性显著提高。

第四，党和国家领导人的身体力行，以巨大的组织力和感召力，推动了中国可持续发展战略深入人心。

如上所述，1997年至2002年，每年在“两会”召开期间，党中央都要召开中央人口资源环境工作座谈会（前两届称“中央计划生育和环境保护工作座谈会”）。这一由中央主要领导人主持并发表重要讲话、中央政治局委员全部出席的会议，显示了党和国家领导人对人口、资源与环境问题的重视，为推动可持续发展、做好环保工作提供了有力的政治保障。

1997年8月5日，江泽民在国务院副总理姜春云《关于陕北地区治理水土流失建设生态农业的调查报告》上作长篇重要指示，强调要大抓植树造林、绿化荒漠，治理水土流失，再造山川秀美的西北地区。“再造一个山川秀美的西北地区”的号召，掀起了中国生态环境事业新高潮。每年春季，党和国家领导人都带头履行植树义务，十年如一日，风雨无阻。

1998年特大洪水灾害过后，党中央、国务院果断决定，长江上游、黄河中上游地区的天然林停止采伐，把砍树人变成种树人，实施天然林保护工程。1999年9月，朱镕基在四川考察工作时指出，实施天然林保护工程，加强生态环境建设，是贯彻执行可持续发展战略的重大部署。他强调，要下决心在长江、黄河中上游地区恢复植被、绿化荒山、保持水土、保护生态，力争五年初见成效、十年大见成效。2002年1月10日，国务院西部开发办公室召开退耕还林工作电视电话会议，确定在过去两年试点工作的基础上，全面启动退耕还林工程；4月11日，国务院发布《关于进一步完善退耕还林政策措施的若干意见》；12月14日，国务院发布《退耕还林条例》。

作为中共中央总书记的江泽民同志，对环境保护和可持续发展的重要性强调的最多。2001 年 2 月，江泽民在海南考察工作时特别指出，要增强广大干部群众的环保意识和生态意识。要使广大干部群众在思想上真正明确，破坏资源环境就是破坏生产力，保护资源环境就是保护生产力，改善资源环境就是发展生产力。在 2002 年 3 月举行的中央人口资源环境工作座谈会上，他又指出："实现可持续发展，越来越成为各国推进经济社会发展的战略选择。我国有十二亿多人口，资源相对不足，在发展进程中面临的人口、资源、环境压力越来越大。我们绝不能走人口增长失控、过度消耗资源、破坏生态环境的发展道路，这样的发展不仅不能持久，而且最终会给我们带来很多难以解决的难题。我们既要保持经济持续快速健康发展的良好势头，又要抓紧解决人口、资源、环境工作面临的突出问题，着眼于未来，确保实现可持续发展的目标。"①

第五，重视国际合作，为推动全球可持续发展承担中国责任、作出中国贡献。

自 1992 年参加在巴西召开的联合国环境与发展大会后，中国政府言必信，行必果，积极参与全球可持续发展事业，主动承担中国责任、作出中国贡献。

1997 年 2 月 16 日，经全国人大常委会批准，中国正式加入《联合国防治荒漠化公约》。为此，在林业部设立全国荒漠化防治中心，具体负责执行公约的工作。5 月 13 日至 15 日，中国政府和《联合国防治荒漠化公约》秘书处联合举办的亚洲国家履行防治荒漠化公约部长级会议在北京召开。来自 44 个国家、19 个国际组织和非政府组织的 157 名代表出席会议，会议通过了《北京宣言》和亚洲防治荒漠化区域行动框架及有关文件。

1999 年 11 月 29 日，国际保护臭氧层大会高级别会议在北京召开。这是当时中国承办的规模最大的国际环保会议，来自 212 个国家和国际组织的近千名代表出席会议，国家主席江泽民出席会议并发表重要讲话。他指出，

① 江泽民：《江泽民文选》第三卷，人民出版社 2006 年版，第 461 页。

环境问题，关系到地球上每个国家人民的前途和命运。解决环境问题，维护和创造人类共同生活的美好家园，是各国人民共同的愿望，也是各国政府的共同责任。他强调，世界上所有的国家都应义不容辞地承担起保护地球的责任。中国政府历来重视环境保护。中国坚持把环境保护作为一项基本国策，实施可持续发展战略，开展了卓有成效的污染防治和生态保护工作，促进了经济与环境的协调发展。中国正在探索一条适合自己国情的可持续发展道路，并已取得了重要的实践经验。

2002 年是《关于环境与发展的里约热内卢宣言》签署 10 周年，2002 年 8 月 26 日至 9 月 4 日，联合国可持续发展世界首脑会议在南非约翰内斯堡举行，100 多位国家政要出席会议。会前，中国政府发布了《中华人民共和国可持续发展国家报告》。国务院总理朱镕基出席会议，宣布中国核准旨在延缓全球变暖的《京都议定书》，并向与会代表阐明了中国政府促进可持续发展的五点主张：

（一）深化对可持续发展的认识。可持续发展是里约环发大会确立的新的发展观，其实质是改变传统的发展思维和模式。经济发展必须有利于资源的永续利用，有利于生态系统的良性循环，绝不能以浪费资源和破坏生态环境为代价。由于各国国情和发展水平不同，可持续发展模式各异。要坚持以各国的多样化发展为基础，通过局部发展促进全球发展，将解决各国面临的问题和解决全球环境问题结合起来，努力实现全球的可持续发展。（二）实现可持续发展要靠各国共同努力。要以共同发展为目标，建立相互尊重、平等互惠的新型伙伴关系。坚持里约环发大会所确定的各项原则，特别是“共同但有区别的责任”的原则。联合国应在协调国际环境与发展总体战略，以及技术转让、技术咨询、人员培训与援助等方面，发挥积极作用。有关国际、区域组织和机构，应加强与各国特别是发展中国家的合作。各国应发挥社会团体、企业和广大民众的积极性，为实现可持续发展共同奋斗。（三）加强可持续发展中的科技合作。当今世界科学技术迅速发展，日益成为人类社会进步更加强大的动力。要把科学技术特别是信息、生物等高新技术领域的成果，广泛应用于资源利用、环境保护和生态建设。科学技术的传播不应以国划界。国际社会和各国政府要采取新的政策和机制，解决知识产权保护与科技成果推广应用之间的矛盾，促进国际技术转让。（四）营造有利于可持续发展的国际经济环境。实现全球可持续发展，需要公正、合理的国际经济新秩序和国际贸易新体制。用过高的环境标准构筑贸易壁垒，不但解决不了环境保护问题，而且将严重损害发展中国家可持续发展的能力。国际社会应充分理解发展中国家在资金、贸易、债务等方面的困难，采取有力措施，消除各种形式的贸易保护。发达国家尤其应该开放市场，取消贸易壁垒。发展中国家应积极参与国际合作与竞争，不断提升可持续发展能力。（五）推进可持续发展离不开世界的和平稳定。和平是人类生存和发展最重要的前提条件。当今世界总体上是和平、缓和、稳定的，但局部战乱、紧张、动荡也很突出，天下并不太平。各国应遵循《联合国宪章》的宗旨和原则，遵循公认的国际关系准则，共同维护地区与世界的和平稳定。一切国际争端和地区冲突都应通过和平方式解决，反对诉诸武力或以武力相威胁。

这再次向世界宣告了中国坚定不移走可持续发展道路的决心。世贸组织总干事素帕猜说："我为中国这么一个负责任的大国感到自豪。""'责任'一词在国际事务中非常重要，中国履行了自己的承诺，对《京都议定书》的最终生效将发挥很大的推动作用。"①

在可持续发展的道路上，中国的步伐越来越坚定，气度越来越从容。"可持续发展能力不断增强，生态环境得到改善，资源利用效率显著提高，促进人与自然的和谐，推动整个社会走上生产发展、生活富裕、生态良好的文明发展道路。"② 这是党的十六大报告确定的在 21 世纪新形势下全面建设小康社会的目标之一，充分展现出中国作为世界最大的发展中国家勇于担当责任的高度自信和巨大魄力。

---

① 姜岩：《访世贸组织新任总干事素帕猜》，《科技信息》2002 年第 10 期。

② 江泽民：《江泽民文选》第三卷，人民出版社 2006 年版，第 544 页。

总之，实施可持续发展战略，意义重大。这既是吸取当代世界经验的成果，又是对中国发展的得失进行深刻的战略反思的成果。只有克服盲目和近视的发展观，树立可持续发展观，才能实现速度和结构、质量、效益相统一，经济发展和人口、资源、环境相协调。通过十余年的努力，中国实施可持续发展战略取得明显成效。人口自然增长率从 1989 年的 15.04‰ 下降到 2001 年的 6.95‰，人口素质不断提高。1998 年至 2002 年，全国用于环境保护和生态建设方面的投入达 5800 亿元，占同期国内生产总值的 1.29%，五年间全国共植树造林 3.6 亿亩，封山育林 4.8 亿亩。2001 年与 1991 年相比，污水排放量下降 57.2%，固体废物排放量下降 33.4%，废气排放量下降 30.5%，城市污水处理率由 16%提高到 36%。[①] 与此同时，环境污染得到治理。“九五”期间，全国环境污染治理共投资 3600 亿元，占 GDP 的 0.93%，比“八五”期间增加了 2300 亿元。污染物排放总量得到进一步控制，工业污染源达标排放成果得到巩固，重点治理工程取得一定进展。到 2001 年底，国家环境保护模范城市达 22 个。生态安全得到加强。我国坚持污染防治与生态保护并重、生态保护与生态建设并举的方针，先后实施了天然林保护工程、“三北”防护林体系建设工程、退耕还林工程、京津风沙源治理工程、野生动植物保护及自然保护区建设工程等，取得了明显的生态效益。“九五”期间，全国累计完成造林面积 2500 万公顷，森林覆盖率达到 16.55%。到 2001 年底，全国自然保护区达 1551 个，总面积为 12989 万公顷，占陆地国土面积的 12.9%，生物多样性得到有效保护。

随着可持续发展理念的深入人心，“环保”已成为人们日常生活中使用频率最高的词汇之一，“绿色”正成为五彩缤纷的现代中国最时尚的色彩。[②]

---

① 林兆木：《取得重大历史性成就的十三年》，《人民日报》2002 年 11 月 26 日。

② 杨健、白剑峰：《两个战略　中华民族长远发展的基石》，《人民日报》2002 年 11 月 11 日。

第七章

实施西部大开发战略，推动区域协调发展

1988年，邓小平提出了“两个大局”的战略构想。他指出，沿海地区的发展是一个大局；到一定时候，沿海地区要拿出更多力量来帮助内地发展，这也是个大局。1999年6月，江泽民指出：“在继续加快东部沿海地区发展的同时，必须不失时机地加快中西部地区的发展。从现在起，这要作为党和国家一项重大的战略任务，摆到更加突出的位置。”1999年9月，党的十五届四中全会明确提出国家要“实施西部大开发战略”。2000年3月，九届全国人大三次会议对西部大开发作了重要战略部署，西部大开发进入实质性实践阶段。风雷动，旌旗奋，宏图展，西部大开发取得重大成果。

第一节 “两个大局”构想

中华人民共和国成立后，在中国发展的战略棋盘中，使用的是沿海和内地的两大区域划分。从“全国一盘棋”的思想出发，沿海和内地如何发展？这是以毛泽东同志为核心的党的第一代中央领导集体就开始考虑的“两个大局”。

1956年4月，毛泽东在《论十大关系》的报告中论述的一大关系，就是沿海和内地的关系问题。他指出，所谓沿海，是指辽宁、河北、北京、天津、河南东部、山东、安徽、江苏、上海、浙江、福建、广东、广西。我国全部轻工业和重工业，大约70%在沿海，只有30%在内地。这是历史上形成的一种不合理的状况。毛泽东强调，沿海的工业基地必须充分利用，但是为了平衡工业发展的布局，内地工业必须大力发展。在这两者的关系问题上，我们也没有犯大的错误，只是最近几年，对沿海工业有些估计不足，对它的发展不那么十分注重了。这要改变一下。

毛泽东的这一论述，反映出当时党中央主张沿海和内地平衡发展的战略构想。中华人民共和国成立之初，在苏联的援助下，我国集中主要力量进行以苏联帮助设计的156个建设项目为中心、由694个大中型建设项目组成的工业建设，这些建设项目有很大一部分放在中西部地区内部。毛泽东指出，新的工业大部分应当摆在内地，使工业布局逐步平衡，并且利于备战，这是毫无疑义的。由此导致在注重中西部建设的过程中，“对沿海工业有些估计不足”。

尽管如此，中国的近代工业毕竟是从沿海发展起来的，它的工业底子还是比内地强。因此，毛泽东又强调指出：“好好地利用和发展沿海工业的老底子，可以使我们更有力量来发展和支持内地工业。如果采取消极态度，就会妨碍内地工业的迅速发展。所以这也是一个对于发展内地工业是真想还是假想的问题。如果是真想，不是假想，就必须更多地利用和发展沿海工业，特别是轻工业。”①

在沿海和内地平衡发展战略思想的指导下，20 世纪六七十年代中国又进行了大规模的“三线建设”，中西部工业基础又有所加强。

党的十一届三中全会以后，根据生产力发展水平和各方面的条件，以邓小平同志为核心的党的第二代中央领导集体提出了让一部分地区和一部分人先富起来、逐步带动全国人民和整个国家走上共同富裕道路的重大思路。具体到区域发展来说，就是东部沿海地区先加快发展，然后带动和支持中西部地区发展，最终实现全国各地区共同繁荣和共同富裕。这是一种区域非均衡发展战略。

1980 年 3 月 30 日至 4 月 20 日，国务院召开长期计划座谈会。在会议之前和会议期间，邓小平、陈云、李先念、姚依林等谈了一系列重要意见，提出要发挥优势，扬长避短，要承认不平衡。这表明，中国宏观区域经济发展的指导思想开始突破过去着重强调平衡发展的束缚。

在这一认识的基础上，1982 年 12 月，五届全国人大五次会议通过的《中华人民共和国国民经济和社会发展第六个五年计划摘要》专门设“地区经济发展计划”编，分“沿海地区”“内陆地区”“少数民族地区”“地区协作”4 章内容。其中明确提出，要积极利用沿海地区现有基础，充分发挥沿海地区的特长，带动内地经济进一步发展，并开始采取一些措施向沿海地区倾斜。1986 年，“七五”计划（1986—1990 年）明确把全国划分为东部、中部、西部三大经济地带，详细制定了东部、中部、西部三大经济地带非均衡发展梯度推移的宏观区域经济发展战略，随之实施了一系列向东部区域倾斜的政策措施。

① 中共中央文献研究室编《毛泽东文集》第七卷，人民出版社 1999 年版，第 26 页。

第一，对外开放向东部倾斜。从设立深圳、珠海、汕头、厦门4个经济特区开始，到开放沿海14个港口城市和确定沿海经济开放区，形成了面积32万平方公里、人口1.6亿的广大沿海开放地带，并在这些地带实行相应的优惠政策。第二，优惠政策向东部倾斜。无论是财政、税收还是信贷、投资等，都体现了这一点。第三，投资布局向东部倾斜。1981年至1985年，东部沿海地带11省区的工业基本建设投资占全国比重由"五五"期间的44%提高到46%；1986年至1989年间，几乎所有的沿海省份的投资份额都有所提高，投资份额前六名的省市依次为广东、上海、辽宁、山东、江苏和北京，大部分是东部沿海省份。第四，体制改革向东部倾斜。国家的许多改革方案和措施，或是在东部区域试行和实施，或是较多考虑东部区域的情况和需要。

总之，沿海和东部地区凭借地理之便，加之中央政策的倾斜，发展大大加速。

与此同时，中央也采取多种措施支持西部地区发展，特别是对老（老区）、少（少数民族地区）、边（边远地区）和穷（穷困地区）经济发展大力支持，但限于交通、基础设施、电讯、教育、科技、原先基础、自然生态条件等诸多方面的落后、困难和矛盾，西部地区总体经济发展水平明显地落后于东部沿海地区。

对东西部发展的不平衡性，邓小平有清醒的认识。1988年9月，在《中央要有权威》的讲话中，他明确提出了"两个大局"的思想。他说："沿海地区要加快对外开放，使这个拥有两亿人口的广大地带较快地先发展起来，从而带动内地更好地发展，这是一个事关大局的问题。内地要顾全这个大局。反过来，发展到一定的时候，又要求沿海拿出更多力量来帮助内地发展，这也是个大局。那时沿海也要服从这个大局。"①

邓小平在提出"两个大局"构想的时候，强调了"中央要有权威"。他

① 邓小平：《邓小平文选》第三卷，人民出版社1993年版，第277—278页。

说：两个大局，“如果没有中央的权威，就办不到。各顾各，相互打架，相互拆台，统一不起来。谁能统一？中央！”①

而对于实施西部大开发——第二个大局的战略构想的时间选择，邓小平在 1992 年的南方谈话中提供了一个时间表。他说：“走社会主义道路，就是要逐步实现共同富裕。共同富裕的构想是这样提出的：一部分地区有条件先发展起来，一部分地区发展慢点，先发展起来的地区带动后发展的地区，最终达到共同富裕。……什么时候突出地提出和解决这个问题，在什么基础上提出和解决这个问题，要研究。可以设想，在本世纪末达到小康水平的时候，就要突出地提出和解决这个问题。”②

根据这样一个时间表，结合我国经济和社会发展的现实和需要，以江泽民同志为核心的党的第三代中央领导集体最终作出了西部大开发的重大决策。

第二节　时机逐渐成熟

以江泽民同志为核心的党的第三代中央领导集体对西部地区发展很早就给予了关注。

进入 20 世纪 90 年代后，在党中央的统一领导下，开始酝酿对宏观区域经济发展战略进行调整，缩小东西部地区差距。

1990 年 12 月通过的《中共中央关于制定国民经济和社会发展十年规划和“八五”计划的建议》提出，要“促进地区经济的合理分工和协调发展”，“优势互补，协调发展”。

1991 年 12 月 19 日至 26 日，江泽民在贵州考察。在谈到东部和中西部

---

① 邓小平：《邓小平文选》第三卷，人民出版社 1993 年版，第 278 页。
② 邓小平：《邓小平文选》第三卷，人民出版社 1993 年版，第 373—374 页。

经济发展时，他强调，要把中西部地区的经济振兴作为一个重要发展战略有计划有步骤地实施好。他说，我们是统一的多民族国家，整个国民经济的发展，离不开东部地区，也离不开中西部地区特别是少数民族地区的经济振兴。西部少数民族地区的经济发展与全国经济发达和比较发达的地区相比，还存在相当的差距。我们各级党委和政府要继续贯彻执行大力扶持贫困地区经济开发和建设的方针，通过发展经济，帮助贫困地区摆脱贫困，逐步缩小与经济发达地区的差距。在这个问题上，既要有紧迫感，又要树立长期奋斗的思想。只要从实际出发，脚踏实地、坚持不懈地努力工作，就一定能够达到中西部地区经济振兴的目标。

1992 年 8 月，在甘肃考察工作时，江泽民再次提出要支持西部发展。他指出，一部分经济先发达起来的地区等发展到一定时候，就有责任在技术、财力、物力和人力等方面对尚未发达地区给予积极帮助和支持，国家在这方面适时加以倡导、组织和推动。对某些重点项目要给予必要的优惠和支持。

1993 年 6 月，在西安召开的西北五省区经济工作座谈会上，江泽民指出，缩小东西部地区差距要发挥中央和地方两个积极性。同年 9 月，在广州召开的中南、西南十省区经济工作座谈会上，江泽民指出，要历史地、辩证地看待区域经济差异问题，这种差异是历史形成的，也需要一个历史过程来解决，从长远来说，是必须进一步缩小的。

为缩小东西部地区差距，1994 年 2 月 28 日至 3 月 3 日召开的全国扶贫开发会议，决定实施《国家八七扶贫攻坚计划》（以下简称《计划》），力争用七年左右的时间（1994—2000 年）基本解决全国 8000 万贫困人口的温饱问题。以该《计划》的公布实施为标志，我国的扶贫开发进入攻坚阶段。这是中华人民共和国历史上第一个有明确目标、明确对象、明确措施和明确期限的扶贫开发行动纲领。《计划》指出，20 世纪 80 年代中期以后，国家在全国范围内开展了有组织、有计划、大规模的扶贫工作，实现了从救济式扶贫向开发式扶贫的转变。经过多年的艰苦努力，全国农村的贫困问题得到明显缓解，没有完全稳定解决温饱的贫困人口减少到8000万人。尽管目前（1994年）的全国农村贫困人口只占全国农村总人口的8.87%，但是扶贫开发的任务十分艰巨。这些贫困人口主要分布在中西部的深山区、石山区、荒漠区、高寒山区、黄土高原区、地方病高发区及水库库区，而且多为革命老区和少数民族地区。其共同特征是：地域偏远，交通不便，生态失调，经济发展缓慢，文化教育落后，人畜饮水困难，生产、生活条件极为恶劣。这是扶贫攻坚的主战场。与前一阶段扶贫工作比较，解决这些地区群众的温饱问题，难度更大。抓紧扶贫开发，尽快解决贫困地区群众的温饱问题，改变经济、文化、社会的落后状态，解决以至彻底消除贫困，不仅关系到中西部地区经济的振兴、市场的开拓、资源的开发利用和整个国民经济的持续、快速、健康发展，而且关系到社会安定、民族团结、共同富裕以及全国的深化改革。这是一项具有重大的、深远的经济意义和政治意义的伟大事业。为此，要继续坚持开发式扶贫的方针，鼓励贫困地区广大干部、群众发扬自力更生、艰苦奋斗的精神，在国家的扶持下，以市场需求为导向，依靠科技进步，开发利用当地资源，发展商品生产，解决温饱问题，进而脱贫致富。

1995年9月，党的十四届五中全会提出的《中共中央关于制定国民经济和社会发展“九五”计划和2010年远景目标的建议》，把“坚持区域经济协调发展，逐步缩小地区发展差距”作为今后十五年中国经济和社会发展必须贯彻的一条重要方针，并明确指出：“从战略上看，沿海地区先发展起来并继续发挥优势，这是一个大局，内地要顾全这个大局。发展到一定时候沿海多做一些贡献支持内地发展，这也是大局，沿海也要服从这个大局。从‘九五’开始，要更加重视支持内地发展，实施有利于缓解差距扩大趋势的政策，并逐步加大工作力度，积极朝着缩小差距的方向努力。”在闭幕会上，江泽民作了题为《正确处理社会主义现代化建设中的若干重大关系》（后来被称作“论十二大关系”）的讲话，明确提出要处理好“东部地区和中西部地区的关系”。他指出：“东部地区由于有较好的经济基础和有利的地理环境，加上国家政策上的一些支持，发展比中西部地区更快一些。对于东部地区与中西部地区经济发展中出现的差距扩大问题，必须认真对待，正确处理。”[①] 他指出：“要以邓小平同志关于让一部分地区一部分人先富起来、逐步实现共同富裕的战略思想来统一全党的认识。实现共同富裕是社会主义的根本原则和本质特征，绝不能动摇。要用历史的辩证的观点认识和处理地区差距问题。一是要看到各个地区发展不平衡是一个长期的历史的现象。二是要高度重视和采取有效措施正确解决地区差距问题。三是解决地区差距问题需要一个过程。应该把缩小地区差距作为一条长期坚持的重要方针。”[②] 他明确指出，“解决地区发展差距，坚持区域经济协调发展，是今后改革和发展的一项战略任务。从‘九五’计划开始，要更加重视支持中西部地区经济发展，逐步加大解决地区差距继续扩大趋势的力度，积极朝着缩小差距的方向努力。中西部地区要适应发展市场经济的要求，加快改革开放步伐，充分发挥资源优势，积极发展优势产业和产品，使资源优势逐步变为经济优势。……同时，东部地区要通过多种形式帮助中西部欠发达地区和民族地区发展经济，促进地区经济协调发展”[③]。

1995 年 12 月中下旬在陕西、甘肃考察期间，当谈到加快西部地区的开发和发展问题时，江泽民指出，要通过国家的大力扶助，通过其他地区特别是比较发达地区的多方支援，努力加快西部地区的发展步伐。

1996 年 3 月，八届全国人大四次会议通过了《中华人民共和国国民经济和社会发展“九五”计划和 2010 年远景目标纲要》，其中专门设了“促进区域经济协调发展”一章，提出“要按照统筹规划、因地制宜、发挥优势、分工合作、协调发展的原则，正确处理全国经济发展与地区经济发展的关系，正确处理建立区域经济与发挥各省区市积极性的关系，正确处理地区与地区之间的关系”[④]。为此，进一步发挥各地区的优势，发展各具特色的

---

① 江泽民：《江泽民文选》第一卷，人民出版社 2006 年版，第 465—466 页。
② 江泽民：《江泽民文选》第一卷，人民出版社 2006 年版，第 466 页。
③ 江泽民：《江泽民文选》第一卷，人民出版社 2006 年版，第 466—467 页。
④ 中共中央文献研究室编《十四大以来重要文献选编》（中），中共文献出版社 2011 年版，第 806 页。

优势产业。东部地区要充分利用有利条件，多利用国外资金、资源和市场，进一步增强经济活力，发展外向型经济。依靠高新技术、集约经营，重点发展资源消耗少、附加价值高、技术含量高的产业和产品，同时建立比较发达的农业。在深化改革、转变经济增长方式、提高经济素质和效益方面迈出更大的步伐，促进经济又好又快地发展，为全国提供新的经验。中西部地区要积极适应发展市场经济的要求，加快改革开放步伐，加强水利、交通、通信建设，充分利用现有的经济技术基础，发挥资源优势，大力发展农林牧业及其加工业，开发能源和矿产资源，积极发展优势产业和产品，提高加工深度，使资源优势逐步变为经济优势。

具体来说，有六项主要政策措施：

——优先在中西部地区安排资源开发和基础设施建设项目。作为全国性基地的中西部资源开发项目，国家实行投资倾斜。跨地区的能源、交通、通信等重大基础设施项目，以国家投资为主进行建设。调整加工工业的地区布局，引导资源加工型和劳动密集型产业向中西部地区转移。

——理顺资源性产品价格，增强中西部地区自我发展的能力。加大中西部地区矿产资源勘探力度。

——实行规范的中央财政转移支付制度，逐步增加对中西部地区的财政支持。随着全国经济的发展和中央财政实力的增强，逐步提高中央财政用于支持中西部地区的比重。

——加快中西部地区改革开放的步伐，引导外资更多地投向中西部地区。提高国家政策性贷款用于中西部地区的比重。国际金融组织和外国政府贷款 60% 以上要用于中西部地区。

——加大对贫困地区的支持力度，扶持民族地区经济发展。继续组织中央各部门、社会各界和东部沿海地区，以多种形式支援西藏等民族地区、三峡库区和贫困地区的工程建设。

——加强东部沿海地区与中西部地区的经济联合与技术合作。鼓励东部沿海地区向中西部地区投资，组织好中西部地区对东部沿海地区的劳务输出。东部经济发达地区采取多种形式与中西部地区联合开发资源，利用中西部地区丰富的劳动力资源，发展劳动密集型产业。加强人才培训和交流。

1997年9月，党的十五大对这一战略作出明确肯定，江泽民在报告中指出："促进地区经济合理布局和协调发展。东部地区要充分利用有利条件，在推进改革开放中实现更高水平的发展，有条件的地方要率先基本实现现代化。中西部地区要加快改革开放和开发，发挥资源优势，发展优势产业。国家要加大对中西部地区的支持力度，优先安排基础设施和资源开发项目，逐步实行规范的财政转移支付制度，鼓励国内外投资者到中西部投资。进一步发展东部地区同中西部地区多种形式的联合和合作。更加重视和积极帮助少数民族地区发展经济。从多方面努力，逐步缩小地区发展差距。"[①]

加快中西部地区发展需要统筹安排，综合施策。西部地区面临的最突出、最紧迫问题，就是生态环境的保护和治理。1997年8月5日，江泽民在一份《关于陕北地区治理水土流失建设生态农业的调查报告》上批示指出："历史遗留下来的这种恶劣的生态环境，要靠我们发挥社会主义制度的优越性，发扬艰苦创业的精神，齐心协力地大抓植树造林，绿化荒漠，建设生态农业去加以根本的改观。经过一代一代人长期地、持续地奋斗，再造一个山川秀美的西北地区，应该是可以实现的。"[②]1998年5月，江泽民在一次会议上提出，要进一步研究如何加快中西部特别是西部地区的开发步伐。他说，现在离下个世纪中叶基本实现现代化，只有五十年了，逐步加快开发西部地区，是时候了。

西部大开发的时机逐渐成熟，西部大开发战略呼之欲出。

---

① 江泽民：《江泽民文选》第二卷，人民出版社2006年版，第25页。

② 中共中央文献研究室编《江泽民论有中国特色社会主义（专题摘编）》，中央文献出版社2002年版，第176页。

第三节　西部大开发战略的提出与实施

1999年3月3日，在全国“两会”召开前夕，江泽民发表重要讲话。他指出，西部地区那么大，占全国国土面积一半以上，但大部分处于未开发或荒漠化状态。西部地区迟早是要大开发的，不开发，我们怎么实现全国的现代化？中国怎么能成为经济强国？这是我们发展的大战略、大思路。他要求有关部门提出西部大开发的实施步骤、政策、办法和组织形式。

随后，国家发展计划委员会相继召开了4个座谈会，分别听取部门、地方、专家对西部大开发的意见和建议，围绕西部大开发的必要性和可行性，就西部大开发的目标、任务、方式、政策进行探讨。

1999年6月9日，在中央扶贫开发工作会议上，江泽民在阐述了邓小平关于东西部共同富裕的“两个大局”的战略构想后，明确提出实施第二个大局的战略构想。他指出：“加快中西部地区发展步伐的条件已经具备，时机已经成熟。如果我们看不到这些条件，不抓住这个时机，不把该做的事情努力做好，就会犯历史性的错误。在继续加快东部沿海地区发展的同时，必须不失时机地加快中西部地区的发展。从现在起，这要作为党和国家的一项重大的战略任务，摆到更加突出的位置。”①

在向21世纪迈进之时，为什么说西部大开发“条件已经具备，时机已经成熟”呢？

经过改革开放二十年的建设，到1999年时，中国的综合国力显著增强，人民生活总体上接近小康水平，国家有能力加大对西部地区开发和支持的力度。1995年，中国国民生产总值提前五年完成比1980年翻两番的战略任务；1997年，中国的经济总量跃居世界第7位，排在美国、日本、德国、法国、英国和意大利之后；1999年，国内生产总值超过8万亿元，国家财

---

① 中共中央文献研究室编《十五大以来重要文献选编》（中），中央文献出版社2011年版，第34页。

政收入首次突破万亿元，达到 11377 亿元；1978 年至 1998 年中国实际利用外资总额累计 4096 亿美元，而 1999 年一年实际利用外资总额为 563 亿美元；1999 年外汇储备达到 1547 亿美元；城乡居民生活水平显著提高，基本实现了从温饱到小康的历史性跨越。与此同时，中国加入世贸组织的脚步加快，中国一旦融入全球经济，将对全国——东部沿海和西部地区的发展都是极其有利的时机。再者，经过 20 年的改革开放建设，西部地区通过艰苦奋斗，经济社会发展取得巨大成就，经济实力不断增强。1978 年，西南、西北九省区地区生产总值为 558 亿元，而 1999 年西部十省区市为 15354 亿元；人均地区生产总值 1978 年为 251 元，1999 年增加到 4171 元。西部地区也形成了钢铁、有色金属、机械电子、航空航天等门类齐全、实力较为雄厚的工业体系。特别是通过实施《国家八七扶贫攻坚计划》，中国的扶贫开发取得了巨大成就。农村尚未解决温饱问题的贫困人口由 1978 年的 2.5 亿人减少到 2000 年的 3000 万人，农村贫困发生率从 30.7% 下降到 3% 左右，包括广大西部地区在内的农村贫困地区生产生活条件明显改善。群众的文化生活得到改善，精神面貌发生了很大变化，求变、求开放、求发展的思想越来越迫切，西部大开发出现了有利的时机。

中央扶贫开发工作会议结束后不久，1999 年 6 月 17 日，在西安举行的西北五省区国有企业改革和发展座谈会上，江泽民再次就“加快中西部地区发展”发表讲话。他说，现在我们正处在世纪之交，应该向全党和全国人民明确提出，必须不失时机地加快中西部地区的发展，特别是抓紧研究西部地区大开发。江泽民强调，加快开发西部地区，对于推进全国的改革和建设，对于保持党和国家的长治久安，是一个全局性的发展战略，不仅具有重大的经济意义，而且具有重大的政治和社会意义。从现在起，这要作为党和国家一项重大的战略任务，摆到更加突出的位置。江泽民指出：“实施西部大开发，是一项振兴中华的宏伟战略任务。实现了这个宏图大略，其经济、文化、政治、军事、社会的深远意义，是难以估量的。全党同志和全国上下必须提高和统一认识。没有西部地区的稳定就没有全国的稳定，没有西部地区的小康就没有全国的小康，没有西部地区的现代化就不能说实现了全国的现代化。”[①] 他坚定而满怀豪情地说：“我们要下决心通过几十年乃至整个下世纪的艰苦努力，建设一个经济繁荣、社会进步、生活安定、民族团结、山川秀美的西部地区。经过我们一代又一代人持续不懈的奋斗，使从唐代安史之乱以后一千二百年来逐渐衰落的西部地区，从生态环境到经济、文化、社会发展来一个天翻地覆的根本改变，来一个旧貌换新颜。这将是中华民族发展史上一项惊天动地的伟业，也将是世界开发史上一个空前的壮举！”[②]

西部大开发战略，作为我国社会主义现代化建设和中华民族伟大复兴的一项重大决策，提上了党和国家的重要议事日程。

1999 年 9 月 22 日，党的十五届四中全会通过了《中共中央关于国有企业改革和发展若干重大问题的决定》(以下简称《决定》),《决定》明确提出：“国家要实施西部大开发战略。”《决定》指出：“国家要通过优先安排基础设施建设、增加财政转移支付等措施，支持中西部地区和少数民族地区加快发展。国家要实施西部大开发战略。中西部地区要从自身条件出发，发展有比较优势的产业和技术先进的企业，促进产业结构的优化升级。东部地区要在加快改革和发展的同时，本着互惠互利、优势互补、共同发展的原则，通过产业转移、技术转让、对口支援、联合开发等方式，支持和促进中西部地区的经济发展。”

为了贯彻江泽民关于实施西部大开发战略的指示精神和党中央提出的关于西部大开发战略决策，1999 年 8 月和 10 月，国务院总理朱镕基先后赴陕西、云南、四川、甘肃、青海和宁夏进行实地考察和调研。在调研中，朱镕基指出，在世纪之交，我国现代化建设即将全面实施第二步战略目标，并向第三步战略目标迈进的时候，提出加快西部地区大开发，是党中央高瞻远瞩、统揽全局、审时度势作出的战略决策，这不仅在经济上，更重要的在政治上，都具有重大的现实意义和深远的历史意义。他指出，实施西

---

① 江泽民：《江泽民文选》第二卷，人民出版社 2006 年版，第 344 页。
② 江泽民：《江泽民文选》第二卷，人民出版社 2006 年版，第 346 页。

部地区大开发战略，是一项复杂的系统工程，要有步骤、有重点地推进。当前和今后一个时期，最重要的是抓好以下四个方面的工作：第一，进一步加快基础设施建设，这是实施西部大开发的基础。第二，切实加强生态环境保护和建设，这是实施西部地区大开发的根本，并提出“退耕还林（草）、封山绿化、以粮代赈、个体承包”的措施。第三，积极调整产业结构，这是实施西部地区大开发的关键。第四，大力发展科技和教育，这是实施西部地区大开发的重要条件。朱镕基强调，实施西部地区大开发战略是一项长期而又艰巨的伟业，也是一个规模宏大的社会经济系统工程。既要有紧迫感，又要从长计议，坚持从实际出发，按客观规律办事。要突出重点，因地制宜，有所为、有所不为，有计划、有步骤地推进。要采取适应改革开放新形势的新思路、新机制、新办法。他指出，西部地区的一些省（区）是少数民族群众聚居比较集中的地方，加强各民族团结，保持社会政治的稳定，不仅关系到西部地区的稳定和大开发，也关系到全国改革开放和现代化建设的大局。各民族干部群众携手奋进，就一定能够更有力地加快西部地区大开发的进程。

1999 年 11 月 15 日至 17 日，党中央、国务院召开中央经济工作会议。其中，把实施西部大开发战略作为 2000 年经济工作部署中的一个重要方面。会议指出，不失时机地实施西部大开发战略，直接关系到扩大内需、促进经济增长，关系到民族团结、社会稳定和边防巩固，关系到东西部协调发展和最终实现共同富裕。实施这个战略是党中央总揽全局，面向新世纪作出的重大决策。西部大开发是一项宏大的工程，必须统筹规划，突出重点，有步骤、分阶段地实施；必须仅仅依靠西部地区干部群众的积极性，自强不息，艰苦奋斗。同时，国家要逐步加大对西部地区的投入，并通过政策引导，吸引更多的国内外资金、技术和人才。西部大开发要重点抓好基础设施建设，大力植树种草，有计划、有步骤地退耕还林、调整产业结构，优先发展科技教育。

至此，实施西部大开发战略的大幕徐徐拉开。

2000年1月13日，党中央、国务院印发《关于转发国家发展计划委员会〈关于实施西部大开发战略初步设想的汇报〉的通知》，阐明了西部大开发的指导思想、重点任务、政策措施。这一文件成为指导西部大开发的纲领性文件。

为加强对西部大开发工作的组织和领导，根据党中央决定，2000年1月16日，国务院印发《关于成立国务院西部地区开发领导小组的决定》，国务院总理朱镕基任组长，国务院副总理温家宝任副组长，领导小组成员包括国务院有关部门的主要负责人。为便于加强领导、开展工作，西部地区开发领导小组下设办公室，在国家发展计划委员会单设机构，国家发展计划委员会主任曾培炎兼任办公室主任，具体承担领导小组的日常工作。办公室的主要职责：一是研究提出西部地区开发战略、发展规划、重大问题和有关政策、法规的建议，推进西部地区经济持续快速健康发展；二是研究提出西部地区农村经济发展、重点基础设施建设、生态环境保护和建设、结构调整、资源开发以及重大项目布局的建议，组织和协调退耕还林（草）规划的实施和落实；三是研究提出西部地区深化改革、扩大开放和引进国内外资金、技术、人才的政策建议，协调经济开发和科教文化事业的全面发展。

方向明确后，国务院决定召开西部地区开发会议。2000年的农历大年初一是2月5日，会议本可以放到春节之后召开，但为了尽快将西部大开发战略部署下去，国务院决定在春节之前召开会议。按以往惯例，开这样一个全国性大会，从发通知到报名再到开会，一般来说至少要提前一个月筹备。而这次会议，从1月13日下达中央文件，16日成立国务院西部地区开发领导小组，到19日开会，前后只用了一周时间准备，为后来西部大开发的高效推进开了一个好头。①

2000年1月19日至22日，国务院西部地区开发领导小组在北京召开

① 曾培炎：《西部大开发决策回顾》，中共党史出版社、新华出版社2010年版，第21页。

西部地区开发会议。中央政治局常委、国务院总理朱镕基出席会议并发表讲话。中央政治局委员、国务院副总理温家宝主持会议并作工作报告。会议认为，实施西部大开发战略，加快中西部地区发展，是以江泽民同志为核心的党中央根据邓小平同志关于我国现代化建设“两个大局”的战略思想，高瞻远瞩、统揽全局、面向新世纪作出的重大决策。这是进行经济结构战略性调整，促进地区经济协调发展的重大部署；是扩大国内需求，促进国民经济持续快速健康发展的重大举措；是增进民族团结，保持社会稳定和边防巩固的根本保证；是逐步缩小地区差距，最终实现共同富裕的必然要求。实施这个战略决策，不仅对于振兴中西部地区经济，而且对于促进全国经济更大发展、实现我国现代化长远发展的宏伟目标，都将起到极大的推动作用。

会议指出，加快中西部地区发展的条件已经基本具备，时机已经成熟。中华人民共和国成立 50 年特别是改革开放 20 年来，我国综合国力显著增强，人民生活总体上接近小康水平，国家有能力加大对中西部地区的支持力度。特别是当前正在实施扩大内需的积极财政政策，可以用更多的财力直接支持西部开发。现在我国已基本解决全国人民的吃饭问题，粮食出现了阶段性的供过于求，这是在生态脆弱地区，有计划、分步骤退耕还林（草），改善生态环境的大好时机。随着我国加入世界贸易组织进程的加快，对外开放进入了一个新的阶段，中西部地区也将像东部沿海地区一样更加开放。我们必须充分认识和抓住当前的有利时机，增强历史责任感，坚定不移地贯彻落实党中央的重大战略决策。会议认为，实施西部大开发是一项规模宏大的系统工程，也是一项艰巨的历史任务。当前和今后一个时期，要集中力量抓好几件关系西部地区开发全局的重点工作：第一，加快基础设施建设；第二，切实加强生态环境保护和建设；第三，积极调整产业结构；第四，发展科技和教育，加快人才培养；第五，加大改革开放力度。

这次会议研究了加快西部地区发展的基本思路和战略任务，部署了实施西部大开发的重点工作。这些重点工作，写入了 2000 年 3 月朱镕基在九届全国人大三次会议上所作的《政府工作报告》中，对于各地区各部门把思想和行动统一到党中央重大决策上来，发挥了重要作用。西部大开发战略由此进入实施阶段。

西部大开发战略提出后，如何合理界定"西部"的范围，是首先遇到的一个必须解决的问题。范围划得过大，重点不突出，效果也不明显；范围划得过小，起不到开发的作用，解决不了区域发展不协调的问题。

当时，大家对西部范围的划分看法不尽一致，主要有五种意见：一是仍按"七五"计划以后界定的西部地区十省区市的范围考虑。二是在西部十省区市的基础上，增加内蒙古和广西两自治区的西部地区，即内蒙古的包头市、乌海市、伊克昭盟、巴彦淖尔盟、阿拉善盟，以及广西的百色地区和河池地区。三是西部十省区市加上内蒙古和广西两自治区。四是西部十省区市加上内蒙古、广西两自治区以及湖南湘西、湖北恩施等少数民族自治州。五是将中西部地区笼统看作西部地区。在研究西部范围的过程中，不少地方特别是中部省区，要求将本地纳入西部大开发的范围，享受西部大开发的优惠政策。这个范围之争，背后蕴藏着积极的因素，那就是大家都渴望发展，盼望着能抓住西部大开发这个机遇。2000 年 6 月，朱镕基主持召开国务院西部地区开发领导小组第一次会议。会上把西部大开发范围的几种方案都摆了出来，经过充分讨论，会议决定，西部大开发的范围为"10+2"，即重庆市、四川省、贵州省、云南省、西藏自治区、陕西省、甘肃省、宁夏回族自治区、青海省、新疆维吾尔自治区和内蒙古自治区、广西壮族自治区。2000 年 10 月 9 日至 11 日，党的十五届五中全会审议并通过了《中共中央关于制定国民经济和社会发展第十个五年计划的建议》，对实施西部大开发作了进一步部署。10 月 26 日，国务院下发《国务院关于实施西部大开发若干政策措施的通知》（以下简称《通知》）。《通知》明确了适用西部大开发政策的 12 个省区市：重庆市、四川省、贵州省、云南省、西藏自治区、陕西省、甘肃省、宁夏回族自治区、青海省、新疆维吾尔自治区和内蒙古自治区、广西壮族自治区。明确从 2001 年 1 月 1 日起，西部地区将在资金投入、投资环境、对内对外开放、科技教育等方面享受多项优惠政策措施。2001 年 9 月 29 日，国务院办公厅转发《国务院西部开发办关于西部大开发若干政策措施的实施意见》，扩大了实施西部大开发若干政策措施的适用范围，除了以上 12 个省区市外，还明确规定属于“其他地区”的自治州（包括湖南省湘西土家族苗族自治州、湖北省恩施土家族苗族自治州、吉林省延边朝鲜族自治州）要“在实际工作中比照有关政策措施予以照顾”。因此，这 3 个自治州虽不在西部地区，却也能“享受”西部地区的“待遇”。

随着国家政策、投入向西部地区倾斜，创业者进军西部热土，西部广大干部群众热情涌动，希望一下子把西部发展起来；同时又感到千头万绪，不知从何着手。这种矛盾情绪在当时十分普遍。

为了加强对实施西部大开发战略的宣传和引导，《人民日报》特开设《西部纪行》专栏，宣传中央的战略性决策，介绍西部现实状况，讨论和研究西部大开发中的难点、热点和一些重要问题。曾培炎为专栏写的《面向新世纪的重大决策》的开栏文章中指出，西部大开发是一项规模宏大的系统工程，也是一项长期而艰巨的任务。当前，要着力抓好基础设施建设、生态环境建设、经济结构调整、科技教育发展等方面的工作。

搞好西部大开发，需要做好调查研究。2000 年 6 月 14 日至 19 日，江泽民先后在宁夏、甘肃两省区，重点就加强新时期农村党建工作和西部大开发进行考察。20 日，在兰州召开的西北五省区党建工作和西部开发座谈会上，江泽民指出，当前广大干部群众热情很高，对西部开发充满了希望。各级党委和政府一定要把人民群众的积极性引导好、保护好、发挥好，使之成为西部大开发的强大动力。要因势利导，讲求实效，充分认识和运用我们在长期经济建设中取得的有益经验，认真按经济规律和科学规律办事，推动西部大开发有序、快速、高效地展开。江泽民强调，西部地区面貌的根本改变，需要许多代人持续努力，不可能毕其功于一役。我们必须充分做好长期艰苦奋斗的思想准备，同时又要有只争朝夕的精神。他说，在整个西部大开发的实施过程中，都要坚持立足当前、着眼长远、量力而行、逐步推进的方针。要坚持有所为、有所不为，搞好科学规划，选准实施重点，集中财力物力解决一些关系西部发展全局的重大问题，以带动西部开发的全局。要根据西部各地的经济优势，选好投资项目，努力提高经济效益，同时在开发和建设中要高度注重社会效益和生态效益。要始终既重视物质文明建设又重视精神文明建设，既重视经济发展又重视社会发展，使物质文明建设和精神文明建设相得益彰，相互促进。西部地区广大干部、群众要大力发扬自力更生、艰苦奋斗的精神，认真分析并善于发挥自己的优势，在不断开拓创新中形成地区自我发展的良性机制，走出一条西部开发的新路子。力争用五到十年时间，在促进西部地区的经济繁荣、社会进步、民族团结和山川秀美上有一个新的良好开局。

7月26日，国务院召开中西部地区退耕还林还草试点工作座谈会。朱镕基在会上强调指出，既要充分认识退耕还林还草工作的重要性、紧迫性，又要清醒地看到这项工作的复杂性和艰巨性，必须进一步加强领导，认真落实各项政策，完善具体办法，切实注重实效，积极稳妥、健康有序地搞好试点和示范工作。

为推动各民主党派、工商联和无党派人士认真贯彻落实中共中央、国务院关于实施西部大开发战略部署，充分发挥统一战线优势，经中共中央批准，由中共中央统战部协助组织，各民主党派中央、全国工商联负责人和无党派人士200多人，从2000年5月上旬开始至7月底历时两个多月，分七路赴新疆、西藏、内蒙古、陕西、甘肃、宁夏、青海、四川、贵州、云南、重庆、鄂西北等12个省、自治区、直辖市近70个县（市、区），就加快基础设施建设、加强生态环境保护、调整产业结构、发展科技教育、加大改革开放力度等关系西部地区开发全局的重点工作，进行了深入考察和调查研究。考察团认为，通过实地考察，使民主党派、工商联及无党派人士进一步在实践中了解了国情，体察了民意，理解了国家改革开放的方针政策，增强了共识。进行西部开发考察活动也是新形势下民主党派、工商联和无党派人士参政议政的具体实践，不仅对加快西部地区的经济发展和社会进步有利，而且对加强自身建设、提高素质和参政议政的水平都有十分积极的作用。

2000年9月15日，中共中央召开座谈会，听取各民主党派中央、全国工商联负责人和无党派人士关于实施西部大开发战略的意见和建议。江泽民主持座谈会并发表讲话。江泽民强调指出，实施西部大开发战略，要认真落实中央的部署和要求，特别要注意牢牢把握好两条：一是必须实事求是、按客观规律办事。要适应发展社会主义市场经济的新形势，适应在深化改革和扩大开放的新条件下国际国内市场的发展要求，紧密结合西部地区的实际，努力探索新思路、新机制、新方法，立足当前、着眼长远、量力而行、逐步推进，以保证西部大开发有序、快速、高效地展开。首先要搞好科学规划，选准实施重点，集中财力物力解决关系西部发展全局的重大问题，带动经济和社会全面发展。在项目决策时，要统筹考虑经济效益、社会效益和生态效益，促进西部地区资源、生态、经济、人口和社会协调发展。西部开发与东、中部地区发展要结合起来，努力形成我国东、中、西部地区相互支持、相互促进、协调发展的良好格局。要按照市场经济规律，转换政府职能，通过经济、政策、法律等手段，为西部地区经济发展和公平竞争创造良好环境。在推进经济发展的过程中，始终要高度重视实现社会全面进步，努力使西部地区在物质文明建设和精神文明建设上都取得新的丰硕成果。二是必须埋头苦干、扎扎实实地加以推进。西部大开发既是一项紧迫的任务，也是一项十分艰巨的历史任务，不可能一蹴而就，需要经过几代人坚持不懈的努力才能取得成功。我们既要有只争朝夕的精神，加紧做好各项工作，又要牢固树立长期奋斗的思想。坚持办实事，求实效，有计划、有步骤、一步一个脚印地推进工作，不能急于求成，不能搞短期行为，更不能搞花架子。国家和全社会都要为西部大开发提供支持和帮助，西部地区各族干部群众更要发扬自力更生、艰苦创业的奋斗精神，深化改革，扩大开放，发挥优势，开拓进取，不断创造新的业绩。

在实施依法治国基本方略下，搞好西部大开发，需要法治的保驾护航。为此，2000 年 9 月 22 日，党中央在中南海怀仁堂举办法制讲座，内容是西部开发与加快中西部发展的法治保障。江泽民指出，西部大开发是一项宏大的系统工程，既关系广阔国土的开发，又涉及多民族群众的生产和生活，既要推进经济建设，又要实现经济、资源、人口、文化、环境的协调发展，工作千头万绪，很复杂也很艰巨。必须坚持实事求是、按客观规律办事，加强领导，统筹规划，使西部大开发的工作建立在科学的基础上。同时要十分重视法制建设，坚持贯彻依法治国的基本方略，将西部大开发纳入法治轨道，充分发挥社会主义法治的作用。江泽民指出，要通过加强法治，推动西部地区形成适应发展社会主义市场经济要求的充满活力的开发机制和良好社会环境。特别要坚持深化改革，积极探索和实行有利于促进西部大开发的新思路、新机制、新方法。要按市场经济规律和客观规律，依法开展西部大开发的各项工作，保证在西部大开发中实现经济效益、社会效益和生态效益的共同提高，促进西部地区经济和社会的协调发展。江泽民指出，要认真总结二十多年改革开放的经验，并上升为法律法规，用以引导和规范西部大开发更好地进行。深入研究西部大开发中法制建设的规律和特点，抓紧制定有利于西部发展的有关法律法规，用法制保证中央关于西部大开发的方针、政策得到贯彻。要切实加强与西部大开发相关的法制建设，突出重点，抓住当前急需解决的问题。对现行的有关法律法规，需要修改、补充和完善的，也要加紧进行。同时，注意借鉴国外运用法制手段促进区域开发的有益经验。

2000 年 10 月 11 日，党的十五届五中全会通过了《中共中央关于制定国民经济和社会发展第十个五年计划的建议》（以下简称《建议》），《建议》共 16 节，第 6 节《实施西部大开发，促进地区协调发展》专门论述西部大开发，把实施西部大开发作为战略性、宏观性、政策性的问题，进一步确定了西部大开发的战略目标和主要任务。10 月 26 日，国务院下发《国务院关于实施西部大开发若干政策措施的通知》（以下简称《通知》）。《通知》明确了制定政策的原则，即实施西部大开发是一项宏大的系统工程和艰巨的历史任务，既要有紧迫感，又要充分做好长期艰苦奋斗的思想准备。要坚持从实际出发，按客观规律办事，积极进取、量力而行，立足当前、着眼长远，统筹规划、科学论证，突出重点、分步实施，防止一哄而起，反对铺张浪费，不搞“大呼隆”。要加快转变观念，加大改革开放力度，贯彻科教兴国和可持续发展战略，把发挥市场机制作用同搞好宏观调控结合起来，把西部地区广大干部群众发扬自力更生精神同各方面支持结合起来。《通知》确定了重点任务和战略目标，即当前和今后一段时期，实施西部大开发的重点任务是：加快基础设施建设；加强生态环境保护和建设；巩固农业基础地位，调整工业结构，发展特色旅游业；发展科技教育和文化卫生事业。力争用五到十年时间，使西部地区基础设施和生态环境建设取得突破性进展，西部开发有一个良好的开局。到21世纪中叶，要将西部地区建成一个经济繁荣、社会进步、生活安定、民族团结、山川秀美的新西部。

2001年3月5日，九届全国人大四次会议通过了《中华人民共和国国民经济和社会发展第十个五年计划纲要》(以下简称《纲要》),《纲要》共10篇26章，第8章《实施西部大开发，促进地区协调发展》规定了“十五”时期实施西部大开发战略的目标、方针、主要任务等。

至此，西部大开发战略被纳入21世纪国民经济和社会发展的规划之中，成为中国现代化建设第三步战略部署的重要组成部分。

西部大开发也在2000年迈出实质性步伐，新开工了“十大工程”，即宁西（南京至西安）铁路、渝怀（重庆至湖南怀化）铁路、西部公路建设、西部机场建设、重庆轻轨、涩北—西宁—兰州输气管线、青海30万吨钾肥工程、西部退耕还林还草工程、西部高校基础设施建设、四川紫坪铺水利枢纽等。2000年11月8日，贵州省洪家渡水电站、引子渡水电站、乌江渡水电站扩机工程同时开工建设，标志着我国“西电东送”工程全面启动。

第四节　西部大开发成效显著

我国西部地区与蒙古国、俄罗斯、塔吉克斯坦、哈萨克斯坦、吉尔吉斯斯坦、巴基斯坦、阿富汗、不丹、尼泊尔、印度、缅甸、老挝、越南等 14 个国家接壤，陆地边境线长达 1.8 万余公里，约占全国陆地边境线的 91%；与东南亚许多国家隔海相望，有大陆海岸线 1595 公里，约占全国海岸线的十分之一。西部地区面积约 680 万平方公里，约占全国总面积的 71%。1999 年末，西部地区总人口约 3.65 亿，约占全国总人口的 29%。

西部大开发是全国经济社会发展的大局、大战略、大思路，必须通盘考虑，统筹安排。以江泽民同志为核心的党中央自始至终予以高度重视。2002 年 4 月、5 月，江泽民分别在西安和重庆召开西北地区和西南地区西部大开发座谈会，对西部大开发实施两年多的情况进行总结，并明确下一步工作方向。对于有关部门提出的一头抓事关西部发展全局的重大项目、一头抓与广大人民群众生产生活密切相关的中小项目的“两头抓”工作思路，江泽民予以肯定。他指出，坚持为民谋利，这是西部大开发的一条重要经验。要把推进西部大开发与不断提高人民群众的生活水平紧密结合起来，使各族群众得到真正的实惠。

在党中央坚强领导下，全国树立“一盘棋”思想，支持西部大开发，服务西部大开发，把西部地区的发展潜力转换为现实生产力，把潜在市场转换为现实市场，把资源优势转换为经济优势，为国民经济发展提供了更广阔的空间和巨大的推动力。全国人大常委会会议专题听取了实施西部大开发战略的报告，为西部大开发提供完备的法制保障，更好地为西部大开发服务。全国人大有关专门委员会多次围绕西部大开发专题进行深入调查研究，并提出意见。全国政协组织全国政协常委、委员就西部大开发问题建言献策，并组织委员们组成西部大开发考察团，围绕西部大开发中的一些重要问题，到西部地区深入调研考察，并提出许多有建设性的意见和建议。

在各方的共同推动下，西部大开发扬帆奋进。到 2002 年上半年，实施近三年的西部大开发迈出了实质性步伐，开局良好。

统计显示，2000 年至 2002 年，西部地区国内生产总值分别增长 8.5%、8.7% 和 9.9%，比 1999 年的 7.2% 明显加快，与全国各地平均增长速度的差距由 1999 年的 1.5 个百分点，缩小为 2002 年的 0.6 个百分点。固定资产投资年均增长 18.8%，比全国平均水平高出近 6 个百分点。2002 年 1 月至 4 月，西部地区固定资产投资同比增长 40.8%，继续领先于东、中部地区；地方财政收入同比增长 14.4%，接近全国平均水平。

三年中，国家先后实施了退耕还林、退牧还草、天然林保护、京津风沙源治理、江河上游水污染治理等生态环境保护工程，形成了加快建设祖国西部生态屏障的良好态势。2002 年 1 月 10 日，国务院西部开发办公室召开退耕还林工作电视电话会议，确定在过去两年试点工作的基础上，全面启动退耕还林工程。到 2002 年 4 月底，累计完成退耕还林 1.69 亿亩。天然林资源保护工程累计完成人工造林 2287 万亩、飞播造林 2549 万亩，封山育林 8569 万亩，对 14.3 亿亩天然林实行有效管护。

同时，西部地区重点工程建设也取得实质性进展。2000 年至 2002 年，开工了 36 项西部开发重点工程，投资总规模有 6000 多亿元。2001 年 6 月 29 日，青藏铁路开工典礼在青海格尔木和西藏拉萨同时举行。青藏铁路是我国实施西部大开发战略的标志性工程。2002 年 7 月 4 日，“西气东输”一线工程（新疆轮南至上海）开工典礼举行。该工程途经 10 个省区市，全长 4000 公里。西部地区新增公路通车里程 5.5 万公里，新建铁路新线、复线、电气化线路 4000 多公里，新建和改扩建机场 31 个。2002 年，国家在西部地区新开工 14 项重点工程，总投资 1300 多亿元。

西部地区农村基础设施和社会事业建设加快。2000 年至 2002 年，安排 28 亿元国债资金，解决了 1300 万人饮水困难问题。西部地区农村电网改造总投资 947 亿元，到 2002 年末完成 93.3%。“油路到县”工程到 2002 年 4

月底累计完成投资271亿元。“送电到乡”工程2002年完成699个无电乡的通电。“广播电视到村”工程的实施，使西部行政村通广播电视的比例达到97%以上。三年中，国家在西部地区贫困县安排建设了一批医疗基础设施。此外，西部地区科技教育发展和产业结构调整保持了良好的势头。[①]

西部大开发的良好开局，在青藏铁路建成通车过程中得到很好体现。

修建青藏铁路，是自革命先行者孙中山先生始就有的宏大梦想。中华人民共和国成立后，青藏交通运输进入了新的发展时期，但由于技术、财力等诸多原因，青藏铁路只修到了青海的格尔木，格尔木至拉萨段停建。西部大开发战略的实施，为一系列重大工程的上马创造了条件。青藏铁路再一次成为举国关注的热点。

2000年4月，江泽民连续多次听取《中共中央关于制定国民经济和社会发展第十个五年计划的建议》起草小组的汇报，并围绕与修建青藏铁路有关的冻土、高寒缺氧、运营等问题进行调研。一个月后，总投资7.4亿元的青藏铁路西宁至格尔木段扩能改造工程全面启动。党的十五届五中全会召开期间，江泽民要求铁道部尽快上报有关材料。一个月后，江泽民作出重要批示：修建青藏铁路是十分必要的。应该下决心尽快开工修建。这是我们进入新世纪应该作出的一个大决策，必将对包括西藏广大干部群众在内的全国各族人民带来很大的鼓舞。他要求有关部门抓紧研究，对多个方案进行分析比较，以便党中央、国务院作出正确决策。

2001年2月7日，国务院总理办公会议听取国家发展计划委员会的有关汇报，对青藏铁路建设方案进行研究。朱镕基指出，经过20多年的改革开放，我国综合国力显著增强，已具有修建青藏铁路的经济实力。通过多年不间断的科学研究和工程试验，对高原冻土地区筑路和养护等技术问题也提出了比较可行的解决方案。修建青藏铁路，时机已经成熟，条件也已经基本具备，可以批准立项。3月，九届全国人大四次会议审议通过了《中

① 孙杰：《我国西部大开发开局良好　促进国民经济较快发展》，新华网2003年6月10日。

华人民共和国国民经济和社会发展第十个五年计划纲要》(以下简称《纲要》)。“建设青藏铁路”醒目地出现在《纲要》的第7章第2节中。6月20日，国务院总理办公会议审议青藏铁路建设方案，对项目的运量、主要技术标准、设计原则、主要建设方案、环境保护、管理体制和经济评价等进行深入研究，决定同意工程可行性研究报告和开工报告。九天后，青藏铁路在格尔木和拉萨同时开工。江泽民专门发来贺信，勉励铁路建设大军发扬“开路先锋”精神，团结拼搏，科学施工，加强协作，群策群力，优质高效地建成青藏铁路，为中华民族的伟大复兴作出新的贡献。朱镕基专程到格尔木出席开工典礼。

五年后的2006年7月1日，青藏铁路建成通车。这一天，中共中央总书记胡锦涛专程到格尔木为首趟旅客列车发车剪彩。他指出：“青藏铁路建成通车，是我国社会主义现代化建设取得的又一个伟大成就。”①

五年间，中国铁路实现了人类铁路建设史上亘古未有的穿越：从格尔木到拉萨，1142公里的铁路线，经过海拔4000米以上的地段达960公里，穿越连续多年冻土区550公里，所经地区大部分属于生命禁区和无人区。五年间，高路入云端，天堑变通途。

随着时间的推移，西部大开发的成就越来越明显。截至2005年，西部大开发取得了明显成效：

——中央投入力度不断加大，西部地区经济社会发展加快。五年间，中央财政性建设资金累计投入4600亿元，中央财政转移支付和专项补助资金累计安排5000多亿元。国家投入带动了社会投入，西部地区全社会固定资产投资年均增长20%。国民经济发展逐年加快，2000年至2003年，GDP增长分别为8.5%、8.8%、10.0%、11.3%。

——交通、水利、能源、通信等重大基础设施条件改善。五年累计西

① 胡锦涛：《胡锦涛文选》第二卷，人民出版社2016年版，第465页。

部地区新开工建设 60 项重点工程，投资总规模约 8500 亿元。交通干线建设方面，五年新增公路通车里程 9.1 万公里，其中高速公路 5600 公里；新建铁路铺轨 4066.5 公里，建成投产铁路新线 2819.6 公里，复线 1653.6 公里，电气化铁路 1831.3 公里；青藏铁路累计铺轨 777 公里；建成干线机场和支线机场 22 个，在建项目 16 个。“西电东送”工程，累计开工项目总装机容量 3600 多万千瓦，输变电线路 13300 多公里，新增向广东送电 1000 万千瓦电网建设任务提前一年完工。建设了四川紫坪铺、宁夏沙坡头、广西百色、内蒙古尼尔基等一批大型水利枢纽工程。改造了 115 个灌区、建设了 535 个节水示范项目、安排了 621 座病险水库除险加固工程。

——进一步改善了农村生产生活条件。五年累计安排投资 71 亿元，解决了西部 3200 万人饮水问题。国家投入 46 亿元，将居住在生态环境脆弱、不具备基本生存条件地区的 102 万贫困人口实行了生态移民。安排 10 亿元，用于农村 96 万口户用沼气池建设。解决了 969 个无电乡通电问题，6.8 万个行政村通了广播电视。

——生态建设得到显著加强。到 2004 年末，退耕还林工程累计完成陡坡耕地退耕还林 1.18 亿亩、荒山荒地造林 1.7 亿亩。从 2003 年开始实施退牧还草（采取禁牧、休牧、轮牧、草场围栏等方式恢复草原）工程，累计治理严重退化草原 1.9 亿亩。天然林保护、京津风沙源治理工程以及长江上游水污染治理、中心城市污染治理等项目进展比较顺利。

——社会事业发展步伐加快。教育方面，国家累计投入 150 多亿元，支持西部地区教育特别是农村义务教育。投入 65 亿元，加强西部农村公共卫生设施建设。

——特色产业发展加快，东西合作方兴未艾。五年间，西部地区的电力、煤炭、石油天然气、有色金属、棉花、畜牧、旅游等产业，以及部分装备制造业和高新技术产业加快发展，在全国市场上占有越来越重要的位置。西部地区五年累计吸收外商直接投资 90 多亿美元，东部地区有 1 万多家企业到西部地区投资创业，投资总规模超过3000亿元。

——有效地拉动了国内需求。西部开发和重点工程建设需要大量的设备、材料、技术和人才，为东中部地区企业“西进”提供了广阔的市场空间和大量的投资机会。东中部地区也是西气东输、西电东送、交通干线、退耕还林、天然林保护、京津风沙源治理等一大批西部开发重点工程的直接受益者。①

实践充分证明，党中央关于实施西部大开发重大战略决策是完全正确的。西部大开发创造出很多有益的经验，概括起来主要有五个方面：第一，坚持政府引导、市场运作，是推进西部大开发的基本途径；第二，坚持自力更生、多方参与，是推进西部大开发的重要方针；第三，坚持统筹全局、重点突破，是推进西部大开发的有效方法；第四，坚持调整结构、扬长避短，是推进西部大开发的关键之举；第五，坚持深化改革、扩大开放，是推进西部大开发的根本动力。②

① 张毅：《展开宏图天地阔——西部大开发五年成就综述》，《人民日报》2005年2月5日。
② 曾培炎：《西部大开发决策回顾》，中共党史出版社、新华出版社2010年版，第429—434页。

第八章

全方位对外开放，
加入世界贸易组织

党的十三届四中全会后，在十分复杂和严峻的国际环境中，党毫不动摇地始终坚持对外开放的基本国策，逐步形成了从沿海到沿江、从沿边到内陆，多层次、多渠道、全方位开放的新格局，并根据经济全球化的新趋势，提出并实施了对外开放“引进来”和“走出去”相结合的战略。随着中国社会经济发展和改革开放的扩大，加入一个完整开放的国际贸易体系乃势所必须。为加入世界贸易组织，我国与美国、欧盟等主要缔约方进行了马拉松式的艰苦谈判。2001 年 12 月 11 日，中国正式成为世贸组织的第 143 个成员。这标志着我国对外开放进入了一个新阶段。

第一节　全方位对外开放格局的形成

对外开放作为我国的一项基本国策，与改革相配合，是推动中国在 20 世纪 80 年代经济建设取得前所未有的巨大成就的重要因素。

1989 年 9 月 4 日，邓小平在同江泽民等谈话时强调，要坚持改革开放。他指出，改革开放放弃不得。如果固守成规，照过去的老框框一模一样地搞，没有一些试验、一些尝试，包括受一些挫折、有一些失败的尝试，肯定达不到我们的战略目标。中国自己不要乱，认认真真地把改革开放搞下去。

1990 年 1 月至 2 月，邓小平在上海提出，请上海的同志思考一下，能采取什么样的大动作，在国际上树立我们更加改革开放的旗帜。2 月 13 日，邓小平同上海市委书记、市长朱镕基谈话，朱镕基向他汇报了关于浦东开发的设想以及前期准备工作。

曾担任上海市委书记的江泽民，一直高度重视并推动浦东的开发。早在 1988 年 5 月，浦东新区开发国际研讨会在上海召开。江泽民在开幕式讲话中明确指出："中国共产党第十三次全国代表大会报告指出，要进一步扩大对外开放的广度和深度，不断发展对外经济技术交流和合作，并强调开放城市要着重发展外向型经济，充分发挥它们在对外开放中的基地和窗口作用。上海作为全国最大、位置最重要的一座开放城市，应该更进一步改革开放。开发浦东，建设国际化、枢纽化、现代化的世界一流新市区，是完全符合党的十三大精神的。我们一定要把这件事情办成。"①

1990 年 2 月 17 日，回到北京的邓小平同江泽民、李鹏谈浦东开发问题。

---

① 江泽民：《江泽民文选》第一卷，人民出版社 2006 年版，第 35 页。

他对李鹏说："你是总理，浦东开发这件事，你要管。"3月3日，他又对中央几位负责同志指出："要用宏观战略的眼光分析问题，拿出具体措施。机会要抓住，决策要及时，要研究一下哪些地方条件更好，可以更广大地开源。比如抓上海，就算一个大措施。上海是我们的王牌，把上海搞起来是一条捷径。"①

在邓小平的运筹推动下，受江泽民、李鹏委托，1990年3月28日至4月7日，中央政治局常委、国务院副总理姚依林带队在上海对开发开放浦东进行专题研究、论证。姚依林指出，开发浦东对于上海和全国都是一件具有重要战略意义的大事，不仅可以充分发挥上海的综合优势，振兴上海经济，使这个老工业基地焕发出新的活力，为国家作出更大的贡献，而且对内具有强大的辐射力，可以促进和带动长江两岸经济的发展，同时也是进一步对外开放的一个重要战略措施。

在充分调研的基础上，党中央审时度势，决定加快浦东开发的步伐。1990年4月18日，李鹏在上海视察时正式宣布：党中央、国务院同意上海市加快浦东地区的开发，在浦东实行经济技术开发区和某些经济特区的政策。准备开发的浦东新区，是指黄浦江以东、长江口西南、川杨河以北的紧靠市区的一块三角形地区，面积约350平方公里，人口110万人，过去有一定的工业基础。为了提高对外交通运输力，此时已在浦西与浦东之间建造了两条越江隧道，正积极建设或筹划建设南浦大桥、外高桥新港区和电厂等。李鹏指出，开发浦东、开放浦东，对于上海和全国都是一件具有重要战略意义的事情。中央要给予必要的支持，全国各地也要给予积极的支持，但更主要的是要依靠上海人民的支持和努力。上海有良好的工业基础，有众多的科学技术人才和经营管理人才，有几百万具有光荣革命传统的产业工人，有四通八达的交通网络，又有同国外广泛联系的渠道，依据这些综合优势和中央给予的政策，上海可以有计划有步骤地、扎扎实实地把浦东建设成为一个设施比较配套、齐全、现代化的和外向型的工业基地。

① 邓小平：《邓小平文选》第三卷，人民出版社1993年版，第355页。

4 月 30 日，上海市政府召开新闻发布会，宣布开发浦东的十项政策：（一）区内生产性的“三资”企业，其所得税减免按 15% 的税率计征；经营期在十年以上的，自获利年度起两年内免征，三年减半征收。（二）区内的“三资”企业进口生产用的设备、原辅材料、运输车辆、自用办公用品及外商安家用品、交通工具、免征关税和工商统一税，凡符合国家规定的产品出口，免征出口关税和工商统一税。（三）外商在区内投资的生产性项目，应以产品出口为主，对部分替代进口产品，在经主管部门批准、补交关税和工商统一税后，可以在国内市场销售。（四）允许外商在区内投资兴建机场、港口、铁路、公路、电站等能源交通项目，从获利年度起，对其所得税实行前五年免征，后五年减半征收。（五）允许外商在区内兴建第三产业，对现行规定不准或限制外商投资经营的金融和商品零售等行业，经批准，可以在浦东新区内试办。（六）允许外商在上海，包括在浦东新区增设外资银行，先批准开办财务公司，再根据开发浦东实际需要，允许若干家外国银行设立分行。同时适当降低外资银行现行的所得税率，并按不同业务实行差别税率。为保证外资银行的正常营运，上海将尽快颁布有关法规。（七）在浦东新区的保税区内，允许外商贸易机构从事转口贸易，以及为区内外商投资企业代理本企业生产用原材料、零配件进口和产品出口业务，对保税区内的主要经营管理人员，可办理多次出入境护照，提供出入境方便。（八）对区内中资企业，包括国内其他地区的投资企业，将根据浦东新区的产业政策，实行区别对待的方针。对符合产业政策，有利于浦东开发与开放的企业，也可酌情给予减免所得税的优惠。（九）在区内实行土地使用权有偿转让的政策，使用权限五十年至七十年，外商可成片承包进行开发。（十）为加快浦东新区建设，提供开发、投资的必要基础设施，浦东新区新增财政收入，将用于新区的进一步开发。朱镕基回答记者提问时指出，按照总体规划，浦东开发这项宏大的跨世纪开发工程将分三步实施：第一步，“八五”期间为开发起步阶段；第二步，“九五”期间为重点开发阶段；第三步，2000 年后的二三十年或更长一些时间，为全面建设阶段。

9 月 10 日，国务院有关部门领导又专程来沪发布了一批经国务院批准的有关浦东新区的法规、规章，主要有：《上海外资金融机构、中外合资金融机构管理办法》《关于上海浦东新区鼓励外商投资减征、免征企业所得税和工商统一税的规定》《中华人民共和国海关对进出上海外高桥保税区货物、运输工具和个人携带物品的管理办法》。上海市发布了《上海市鼓励外商投资浦东新区的若干规定》《关于上海浦东新区外商投资企业审批办法》《上海市浦东新区土地管理若干规定》《关于上海浦东新区产业导向和投资指南》《关于上海浦东新区规划建设管理暂行办法》《上海市外高桥保税区管理办法》六个政策法规。这些政策法规具有权威性、综合性和可操作性，综合反映了浦东开发开放所涉及的主要方面，既符合浦东的特点，又使党中央、国务院的十项优惠政策具体化，使外商投资基本上能做到有法可依，有章可循，标志着浦东开发进入了一个实质性启动阶段。

1990 年 12 月，上海证券交易所正式开业。证券交易所的建立，是深化改革具有标志性的举措。1991 年 7 月，深圳证券交易所正式开业。这两家交易所的运营实现了股票的集中交易，形成了全国性的沪市、深市两个证券交易市场，推动了股份制的发展。1990 年 10 月，郑州粮食批发市场开业并引入期货交易机制，成为中国期货交易的开端。沪、深两个交易所的成功开业及期货交易机制的引入，向世界发出了中国改革开放将坚定不移地向前推进的强烈信号。

对进一步推进改革开放特别是开发开放浦东，老一辈革命家给予了充分肯定和大力支持。1991 年春节期间，全国政协主席李先念在上海参加团拜会时，向上海的同志提出了 16 个字的要求："开发浦东，振兴上海，实事求是，开拓前进。"1992 年五一劳动节前夕，陈云在听取上海市工作汇报时说，上海大有希望。我非常赞成开发浦东，开放浦东。

作为浦东开发的主要决策者和奠基者，邓小平更是一直关注、支持浦东的发展。浦东坚持以"面向世界，面向未来，面向现代化"的"三个面向"为坐标，确定了"三个先行"的新战略。

一是金融贸易先行。1991 年 2 月，邓小平在上海听取朱镕基关于浦东开发的工作汇报时，针对浦东新区的“金融贸易先行”，明确指出：“金融很重要，是现代经济的核心。金融搞好了，一着棋活，全盘皆活。上海过去是金融中心，是货币自由兑换的地方，今后也要这样搞，中国在金融方面取得国际地位，首先要靠上海。”[①] 金融贸易先行的方针，对内外商投资起了先导作用，促进了浦东新区金融商贸业蓬勃发展。在金融方面，三年时间里，就有 38 家新的中外金融企业在浦江两岸成立，新区银行存款余额 250 亿元，贷款余额 240 亿元，是 1990 年的 12 倍，新区的证券交易网点不断扩大，交易金额大幅度增长。在金融保险业方面，新区的各类险种承保额达 1200 亿元，比 1990 年净增 14 倍以上。金融业务高速发展，推进了浦东新区各行各业的高速发展。在商业方面，60 万平方米的现代化商业购物设施开工建设，其中有几个中外合资兴建的 10 万平方米以上的超级商店。三年中，浦东新区增加了 2.5 万家工贸企业，出现了万商云集的趋势。

二是基础设施先行。1991 年邓小平在视察南浦大桥工程时说，上海这么大，不搞几座大桥不行。他还一再强调加快能源、交通等重大建设项目的紧迫性：“能早上的就集中资金早上，早上一年早得利一年，不然要拖到下个世纪去了。”为改善投资硬环境，上海市在“八五”期间计划投资 150 亿元，建设新区十大工程。南浦大桥、杨浦大桥、外高桥港区、浦东煤气厂、合流污水工程竣工，凌桥水厂、外高桥电厂进展顺利，上海用三年时间完成了原定五年的基础设施投资计划。为使浦东新区现代化大城市的构架早日形成，加紧进行浦东国际机场、外环线、电厂二期、港口二期、浦东地铁、隧道复线、通信枢纽工程等重大工程的规划前期工作。这些市政建设项目的顺利开工，为把浦东建成具有合理的城市布局、先进的交通网络、便捷的通信系统和良好的生态环境的现代化多功能城区打下扎实的基础。

三是高新技术产业先行。“科学技术是第一生产力”是邓小平对现代

① 邓小平：《邓小平文选》第三卷，人民出版社 1993 年版，第 366—367 页。

经济发展特点的科学概括。在南方谈话中，他强调指出："经济发展得快一点，必须依靠科技和教育。……高科技领域的一个突破，带动一批产业的发展。……高科技领域，中国也要在世界占有一席之地。"[①]三年中，浦东新区注重吸收内外项目投资，逐步提高项目技术含量，一批著名跨国公司将世界先进技术移植到浦东新区，如美国杜邦公司的精细化工、罗斯蒙特的自动化仪表、比利时贝尔公司的程控交换机、日本的JVC电子产品等。张江高科技园区提前启动开发，有13个高新科技项目进区，如计算机软件园、微波炉磁炉管、集成电路等。此外，有300多个科研所和高等院校组成科技集团，进驻浦东。

总之，浦东开发"三个先行"的战略措施，通过"东西联动"的效应，对振兴上海、服务全国产生了积极影响。[②]

党中央高度重视发挥浦东开发的"东西联动"效应。1990年11月，在庆祝深圳经济特区建立10周年招待会上的讲话中，江泽民指出，开发开放上海浦东新区，将充分发挥上海和长江沿岸腹地的经济资源优势和科学技术优势，使我国的对外开放出现一个新的局面。

1992年3月20日至4月3日，第七届全国人民代表大会举行第五次会议。李鹏在大会上作《政府工作报告》时指出："上海浦东新区是今后十年开放开发的重点。要进一步加强基础设施建设，创造良好的投资环境，建设一些投资效益好的项目，通过上海浦东的开放开发带动长江三角洲地区乃至整个长江流域经济的发展，逐步使上海发展成为远东地区经济、金融、贸易的中心之一。"大会通过了《关于兴建长江三峡工程的决议》。与此同时，国务院批准海南省吸收外商投资开发洋浦经济开发区，批准黑河市、绥芬河市、珲春市和满洲里市作为边境地区新的开放城市。不久，6月24日至27日，国务院召开长江三角洲及长江沿江地区经济规划座谈会。长江三角洲和长江沿江地区，东起上海，西至重庆，涉及上海、江苏、浙江、

① 邓小平：《邓小平文选》第三卷，人民出版社1993年版，第377—378页。

② 黄奇帆：《邓小平开放开发思想与上海浦东开发》，《人民日报》1994年1月14日。

安徽、江西、湖北、湖南、四川8个省市，土地面积约33万平方公里，占全国土地面积的3.4%；人口约1.68亿，占全国人口总数的14.7%。1990年国民生产总值3436亿元，占全国的19.4%。这一地区在我国经济战略格局中占有举足轻重的地位，加快这一地区的开发开放，不仅使上海和长江三角洲地区率先成为我国基本实现现代化的地区之一，带动整个长江流域地区经济的新飞跃，而且对于推动我国全方位的对外开放格局的形成，加快社会主义市场经济体制的建立，胜利实现“三步走”战略部署，都有着极为重要的意义。江泽民、李鹏出席会议，并就如何贯彻落实邓小平南方谈话及党中央关于“以上海浦东开发为龙头，进一步开放长江沿岸城市”的决策发表重要谈话。江泽民强调，要充分认识开发开放长江三角洲及沿江地区的战略意义，要坚持改革开放这个基本方针，要抓住重点，统筹兼顾，搞好联合，发挥整体优势。李鹏指出，我们要以上海浦东的开发开放和三峡工程建设为契机，推动长江三角洲及沿江地区的开发开放和经济发展，这是中央继沿海地区开放以后，促使我国经济振兴的又一重大战略决策。

在党中央的积极谋划推动下，1992年我国对外开放迈出新步伐：

——开放重庆、岳阳、武汉、九江、芜湖等5个长江沿岸城市。1993年2月，湖北省黄石市被列为沿江开放城市。为加快三峡地区发展，1994年国务院批准成立长江三峡经济开放区。开放区包括三峡库区的湖北省宜昌市所辖的宜昌、秭归、兴山县，恩施土家族苗族自治州所辖的巴东县；重庆市万州区所辖的巫山、巫溪、奉节、云阳县和开县、忠县，黔江地区所辖的石柱县，涪陵地区所辖的丰都、武隆县，原重庆市所辖的长寿、江北县和巴县、江津市等17个县市。其中宜昌市、万县市、涪陵市被列为沿江开放城市，实行沿海开放城市的政策。至此，一个以浦东为龙头，东起上海，西至重庆的沿江地区开放格局基本形成。

——开放西南和西北地区的9个边境市、县，即内蒙古的二连浩特市，新疆维吾尔自治区的伊宁、塔城、博乐市，广西壮族自治区的凭祥市、东兴镇，云南省的河口县、畹町市、瑞丽县，实行国务院赋予黑河等4个边境开放城市的各项政策。

——开放哈尔滨、长春、呼和浩特、石家庄等4个边境、沿海地区省会（首府）城市，太原、合肥、南昌、郑州、长沙、成都、贵阳、西安、兰州、西宁、银川等11个内陆地区省会（首府）城市，实行沿海开放城市的政策。

在此基础上，1992年党的十四大对对外开放确定了新的目标要求，即“对外开放的地域要扩大，形成多层次、多渠道、全方位开放的格局”①。明确指出：“继续办好经济特区、沿海开放城市和沿海经济开放区。扩大开放沿边地区，加快内陆省、自治区对外开放的步伐。以上海浦东开发开放为龙头，进一步开放长江沿岸城市，尽快把上海建成国际经济、金融、贸易中心之一，带动长江三角洲和整个长江流域地区经济的新飞跃。加速广东、福建、海南、环渤海地区的开放和开发。力争经过二十年的努力，使广东及其他有条件的地方成为我国基本实现现代化的地区。”②

1993年11月，党的十四届三中全会进一步指出：“坚定不移地实行对外开放政策，加快对外开放步伐，充分利用国际国内两个市场、两种资源，优化资源配置。”要“实行全方位开放”，“继续推进经济特区、沿海开放城市、沿海开放地带，以及沿边、沿江和内陆中心城市的对外开放，充分发挥开放地区的辐射和带动作用”。

随着全国多层次、多渠道、全方位对外开放新格局的形成和发展，随着原来在经济特区实行的某些优惠政策和灵活措施在内地逐步推行，并取得显著成效，在经济特区的一些干部中出现了特区已经不“特”、特区还要不要“特”、还要不要继续发展的议论。针对这些思想认识问题，1994年6月，江泽民代表党中央明确提出，中央对发展经济特区的决心不变，中央对经济特区的基本政策不变，经济特区在全国改革开放和现代化建设中的

① 江泽民：《江泽民文选》第一卷，人民出版社2006年版，第230页。
② 江泽民：《江泽民文选》第一卷，人民出版社2006年版，第230页。

历史地位和作用不变，经济特区“要增创新优势，更上一层楼”[①]。

在党中央正确领导下，全国各地以更博大的心胸、更开阔的视野迎接对外开放的新机遇，以更活跃的思路、更有效的措施对已形成的全方位对外开放格局进行深层次的完善和调整，又陆续开放了一大批符合条件的内陆市县。到1997年，我国对外开放的一类口岸达到235个，二类口岸达到350个。我国的对外开放由南到北、由东到西层层推进，基本上形成了“经济特区—沿海开放城市—沿海经济开放区—沿江和内陆开放城市—沿边开放城市”这样一个宽领域、多层次、有重点、点线面结合的全方位对外开放新格局。

1997年，党的十五大进一步提出，对外开放是一项长期的基本国策，要以更加积极的姿态走向世界，完善全方位、多层次、宽领域的对外开放格局，发展开放型经济，增强国际竞争力。1998年2月，党的十五届二中全会深刻总结亚洲金融危机的教训，提出我们既要敢于又要善于参与经济全球化条件下的国际经济技术合作和竞争；既要充分利用其中可以利用的各种有利条件和机遇来发展自己，又要清醒认识和及时防范其中可能带来的各种不利影响和风险，稳步推进对外开放，趋利避害、掌握主动。此后，党中央又进一步指出，经济全球化是一把“双刃剑”，对我国的发展有利也有弊，既要坚定不移地实行对外开放，又要坚持独立自主，增强风险意识，加强防范工作，切实维护我国经济安全，更好地发展壮大自己。

2000年以后，伴随着西部大开发、振兴东北老工业基地和中部崛起等战略的实施，对外开放进一步向全国广大腹地扩展，全方位对外开放的格局更趋完善。同时，利用外资的领域逐步扩大到金融、贸易、商业、交通、旅游和其他第三产业，凡符合国家产业政策经国家批准的重大投资项目和高新技术项目，不分地区都可以享受经济技术开发区的优惠政策。

全方位对外开放格局的形成，使中国彻底摆脱了传统的封闭和半封闭状态。

---

① 江泽民：《江泽民文选》第一卷，人民出版社2006年版，第375页。

第二节　纪念党的十一届三中全会召开20周年

当全国人民认真贯彻党的十五大提出的战略部署、为实现跨世纪宏伟目标而奋斗的时候，1998年中国改革开放迎来了20周年。为了用改革开放二十年的伟大实践和丰富经验教育、激励广大党员干部和人民群众，党中央决定隆重举行纪念党的十一届三中全会召开20周年活动。

1998年5月5日，党中央发出《中共中央关于党的十一届三中全会二十周年纪念活动的通知》（以下简称《通知》），就纪念党的十一届三中全会召开20周年作出部署。《通知》指出，纪念活动的主题是：通过回顾和总结党的十一届三中全会以来我国社会主义改革开放和现代化建设事业的巨大成就与实践经验，使全党全国人民进一步加深对邓小平理论和党的基本路线的理解，自觉用党的十五大精神统一思想和行动，高举邓小平理论伟大旗帜，更加紧密地团结在以江泽民同志为核心的党中央周围，全面推进建设有中国特色社会主义伟大事业。《通知》要求，组织党的十一届三中全会20周年的纪念活动，要努力做好四个方面的宣传教育：（一）宣传党的十一届三中全会重新确立解放思想、实事求是的思想路线，实现党的工作重点转移，开创社会主义现代化建设新时期的重大历史意义。（二）宣传改革开放二十年来，在邓小平理论和党的基本路线指引下，我国经济、政治、科技、教育、文化、军事、外交等方面取得的辉煌成就，进一步增强全党全国人民坚持改革开放的信心，放眼未来，推动我国社会主义改革开放和现代化建设事业不断向前发展。（三）宣传邓小平理论的历史地位和指导意义，兴起学习马列主义、毛泽东思想特别是邓小平理论的新高潮，进一步落实用邓小平理论武装全党、教育人民的战略任务。（四）宣传党的十五大在坚持、发展十一届三中全会以来党的路线、方针、政策上的重大贡献，积极、全面、深入、准确地贯彻落实党的十五大精神。《通知》要求，各地区、各部门自行组织的纪念活动，要按照中央的统一部署进行。纪念活动既要隆重热烈，又要节俭；要讲究实效，不搞形式主义。

与此同时，5 月 4 日至 6 日召开的全国宣传部长座谈会，要求以高度负责的精神搞好纪念活动。

1998 年 5 月 8 日，中央宣传部、中央党校联合召开纪念真理标准讨论 20 周年座谈会。中央政治局常委胡锦涛出席座谈会并发表讲话。他强调指出，二十年前开展的关于实践是检验真理唯一标准问题的大讨论，是在党和国家处于重大历史性转折的背景下，在邓小平等老一辈无产阶级革命家的领导和支持下开展起来的。这场讨论，冲破了“两个凡是”的严重束缚，推动了全国性的马克思主义思想解放运动，是十一届三中全会实现中华人民共和国成立后党的历史上具有深远意义的伟大转折的思想先导，是二十年改革开放历程的思想先导，为党重新确立马克思主义的思想路线、政治路线和组织路线奠定了理论基础，在党和国家的历史进程中产生了重大而深远的影响。胡锦涛指出，关于真理标准问题的讨论在理论上的最大作用，就是恢复了解放思想、实事求是的思想路线。坚持解放思想、实事求是的思想路线，就必须以科学的态度对待马克思主义；就必须尊重实践，尊重亿万人民群众的实践，不断用实践来检验理论、路线和各项方针政策；就必须不断加深对中国国情的认识，坚持一切从社会主义初级阶段实际出发；就必须有世界眼光，重视对当代世界经济、政治、科技、文化的研究，善于把握历史发展潮流，走在时代前列；就必须大力加强社会主义民主政治建设。纪念真理标准讨论 20 周年，最重要的就是要在总结经验的基础上更加自觉更加坚定地坚持实践标准，坚持党的解放思想、实事求是的思想路线，使我们的思想认识和精神状态提高到党的十五大所要求的水平和境界，提高到时代所要求的水平和境界。他指出，二十年来，我们党在理论上的最大成果，就是形成并确立了邓小平理论。我们要按照十五大的要求，始终不渝地坚持邓小平理论，并在实践中继续丰富和创造性地发展这个理论。

1998 年 6 月 24 日，党中央发出《中共中央关于在全党深入学习邓小平理论的通知》（以下简称《通知》）。《通知》就如何把全党的理论学习提高到新水平，坚持以领导干部为重点带动全党的学习，加强对邓小平理论的研究和宣传，改进学风，加强对理论学习的领导等方面，提出了新的要求。7月17日至19日，中央组织部、中央宣传部联合召开学习邓小平理论工作会议。江泽民在会上讲话指出，高举邓小平理论伟大旗帜，把建设有中国特色社会主义事业全面推向21世纪，这是党的十五大的主题，也是全党各项工作的主题，也是兴起理论学习新高潮的主题。

为推动深入学习邓小平理论，中央党校、国防大学、教育部等有关部门和单位成立了邓小平理论研究中心，各地纷纷召开学习邓小平理论研讨会、学习心得交流会。与此同时，文化部和国家广播电影电视总局、新闻出版署组织创作了一批反映党的十一届三中全会召开以来改革开放光辉历程并具有较高思想水平和艺术水平的影视文艺作品和出版物，宣传邓小平理论和党的基本路线，宣传党的十五大精神。

在学习邓小平理论的高潮中，纪念党的十一届三中全会召开20周年的活动氛围越来越浓厚。1998年11月23日至25日，中央宣传部召开全国宣传部长座谈会，强调要根据中央精神，认真组织好党的十一届三中全会召开20周年纪念活动。要坚持团结稳定鼓劲、正面宣传为主的方针，牢牢把握正确舆论导向，认真组织好改革开放、经济建设和重要会议、重大活动的宣传报道。11月22日至12月17日，《人民日报》陆续推出12篇纪念改革开放20周年系列特稿，分别是：《伟大的历史性飞跃——邓小平理论为我们开辟了新境界新道路》《中国的成功，世界的奇迹——我国农业和农村经济改革与发展》《把握基本国情，破解历史难题——我国国有企业的改革与发展》《最根本的战略转变——坚持以经济建设为中心》《建设有中国特色的社会主义民主政治——改革开放二十年我国政治体制改革述评》《划时代的体制创新——建立社会主义市场经济体制》《成功的强国之路——对外开放是一项基本国策》《利在当代，功在千秋——实施可持续发展战略》《走依法治国之路——加强社会主义法制建设》《推动社会全面进步的战略方针——社会主义精神文明建设成效显著》《全面推进新的伟大工程——新时期党的建设新成就》《为改革发展创造和平环境——坚持独立自主的和平外交》。这些特稿，集中展现了改革开放二十年来中国在各领域取得的重大成就及其根本原因。

1998 年 12 月 18 日，党中央在北京隆重举行党的十一届三中全会召开 20 周年纪念大会，江泽民发表重要讲话。他强调，党的十一届三中全会是中华人民共和国成立以来我党历史上具有深远历史意义的伟大转折。它是一个光辉的标志，表明中国从此进入了社会主义事业发展的新时期。实践证明，十一届三中全会以来党确立的基本理论、基本路线、基本纲领和一系列方针政策是完全正确的。江泽民总结指出，二十年来，党在领导改革开放和社会主义现代化建设中积累了丰富的经验：（一）必须坚持党的马克思主义的思想路线。这就是一切从实际出发，理论联系实际，实事求是，在实践中检验真理和发展真理。（二）必须全面、正确、积极地贯彻执行党在社会主义初级阶段的基本路线。这条基本路线是，领导和团结全国各族人民，以经济建设为中心，坚持四项基本原则，坚持改革开放，自力更生，艰苦创业，为把我国建设成为富强、民主、文明的社会主义现代化国家而奋斗。（三）必须把集中力量发展社会生产力摆在首要地位。（四）必须坚定不移地推进改革开放。（五）必须建立和完善适应生产力发展要求的经济制度和经济体制。（六）必须坚持建设有中国特色社会主义民主政治。（七）必须坚持物质文明与精神文明的共同进步。（八）必须维护和保持安定团结的社会政治局面。（九）必须为我国改革开放和社会主义现代化建设争取一个长期的和平国际环境。（十）必须把实现和维护最广大人民群众的利益作为改革和建设的根本出发点。（十一）必须坚持、加强和改善党的领导。这是我们事业胜利前进的根本保证。他强调指出，二十年的历史经验归结到一点，就是把马克思主义的基本原理同中国的具体实际相结合，走自己的路，建设有中国特色社会主义。二十年的历史经验，是极为宝贵的财富，全党同志一定要十分珍惜。江泽民最后指出，二十年的历史经验告诉我们，邓小平理论是指导中国人民胜利实现社会主义现代化的伟大理论。邓小平理论是当代中国的马克思主义，是毛泽东思想的继承和发展。全党同志必须高举邓小平理论伟大旗帜不动摇，坚持把邓小平理论作为我们观察世界、发展自己的强大思想武器，在实践中不断地学习和运用这一理论、丰富和创造性地发展这一理论。这是我们在前进道路上战胜一切困难，排除一切干扰，经受住一切风险考验的最可靠的保证。

与此同时，1998年12月18日至21日，中央宣传部、中央党校、中央文献研究室、中央党史研究室、教育部、中国社会科学院、解放军总政治部联合召开纪念党的十一届三中全会召开20周年理论研讨会，胡锦涛出席会议。参加研讨会的有各省、自治区、直辖市、中央和国家机关、解放军和武警部队的负责同志，以及入会代表和会议特邀代表，约340人。会议认真学习江泽民在党的十一届三中全会召开20周年纪念大会上的重要讲话，高度评价十一届三中全会的伟大意义，充分阐述改革开放和社会主义现代化建设的巨大成就，深刻总结学习运用邓小平理论指导实践取得的重要经验，广泛交流建设有中国特色社会主义事业的研究成果，进一步明确了理论工作者肩负的历史责任。可以说，这次研讨会是对十一届三中全会以来党的基本理论、基本路线的一次深入学习，是对新时期理论工作的一次很好检阅，是面向21世纪加强党的理论建设和繁荣社会科学事业的一次有力动员。

纪念大会和理论研讨会召开后，新华出版社及时出版了《世纪丰碑——纪念党的十一届三中全会和改革开放二十周年》，学习出版社出版了中共中央宣传部理论局编的《纪念党的十一届三中全会二十周年理论研讨会文集》。前者收录了江泽民在纪念党的十一届三中全会召开20周年大会上的讲话、为纪念党的十一届三中全会和改革开放二十年《人民日报》发表的社论、新华社发表的评论员文章以及党的十一届三中全会以来大事记等，精选有关图片和新华社播发的有关新闻报道，生动再现了改革开放二十年间我国各行各业的快速发展，从政治经济到国防军事取得的巨大成就。后者把江泽民在纪念党的十一届三中全会召开20周年大会上的重要讲话作为首篇收入，并收入了胡锦涛、尉健行等中央领导的纪念文章，集中展现了纪念党的十一届三中全会召开20周年理论研讨会的成果。

党的十一届三中全会召开 20 周年纪念大会的隆重举行，表明中国共产党将继续坚定不移地贯彻执行十一届三中全会以来所确定的基本理论、基本路线、基本纲领和一系列方针政策，以及坚定不移地把改革开放和现代化建设推向前进的信心和决心。

第三节　对外开放“走出去”战略

随着全方位、多层次对外关系新格局的构建，在推进改革开放过程中，我国积极引进国外的资金和先进的技术、管理经验来发展自己，取得了很大成绩。我国经济实力的增强和经济全球化的加速发展，要求我们必须不失时机地大胆“走出去”，充分利用好国际国内两种资源、两个市场。这是对二十多年改革开放政策的延续和提升，是对外开放基本国策的极大丰富。

1992 年党的十四大报告指出，就要“积极扩大我国企业的对外投资和跨国经营”。这实际上已有“走出去”的要求。

1996 年 7 月 26 日，江泽民在河北唐山考察工作时明确提出“走出去”的思想。他指出，要加紧研究国有企业如何有重点有组织地走出去，做好利用国际市场和国外资源这篇大文章。广大发展中国家市场十分广阔，发展潜力很大。我们要把眼光放远一些，应着眼于未来、着眼于长远，努力加强同这些国家的经济技术合作，包括利用这些国家的市场和资源搞一些合资、合作经营的项目。

党的十五大闭幕后不久，党中央再次提出中国企业要走出去。1997 年 12 月 24 日，江泽民在会见全国外资工作会议代表时指出，我们要更加努力地完善全方位、多层次、宽领域的对外开放格局，把利用外资提高到新的水平。他进一步指出：“我们不仅要积极吸引外国企业到中国投资办厂，也要积极引导和组织国内有实力的企业走出去，到国外去投资办厂，利用当地的市场和资源。视野要放开一些，既要看到欧美市场，也要看到广大发展中国家的市场。发展中国家的生产力水平比发达国家低，对产品和技术的要求相对也低一些。”① 他强调指出：“‘引进来’和‘走出去’，是我们对外开放基本国策两个紧密联系、相互促进的方面，缺一不可。这个指导思想一定要明确。现在，国际竞争这样激烈，无论从目前搞活国有企业还是从我国经济的长远发展来看，非这样做不可。……这是一个大战略，既是对外开放的重要战略，也是经济发展的重要战略。”②

1998 年 2 月，在党的十五届二中全会上阐述应对亚洲金融危机方针时，江泽民强调指出：“在积极扩大出口的同时，要有领导有步骤地组织和支持一批有实力有优势的国有企业走出去，到国外主要是到非洲、中亚、中东、东欧、南美等地投资办厂。既要‘引进来’，又要‘走出去’，这是我们对外开放基本国策两个紧密联系、相互促进的方面，缺一不可。”③

与此同时，中国积极参与经济全球化竞争、推进加入世界贸易组织的谈判，也要求必须实施“走出去”战略。

2000 年 2 月，江泽民在广东考察工作时指出：“当今世界经济的发展，要求我们必须勇于和善于参与经济全球化的竞争，充分利用好国外国内两种资源、两个市场。我们实行对外开放的基本国策，通过积极引进国外的资金和先进的技术、管理经验来发展壮大自己，这是我国经济社会发展取得重大成就的一条成功经验，必须长期坚持。改革开放二十多年来，我们在‘引进来’方面成绩很大。随着我国经济水平的提高和现代化建设的推进，我们必须加快实施‘走出去’的战略。这同西部大开发战略一样，也是关系我国经济和整个现代化建设发展全局的大战略。‘走出去’和‘引进来’，是对外开放政策相辅相成的两个方面，二者缺一不可。这二十多年，我们是以‘引进来’为主，这是完全必要的。不先‘引进来’，我们的产

---

① 江泽民：《江泽民文选》第二卷，人民出版社 2006 年版，第 92 页。
② 江泽民：《江泽民文选》第二卷，人民出版社 2006 年版，第 92 页。
③ 江泽民：《江泽民文选》第二卷，人民出版社 2006 年版，第 105 页。

品、技术、管理水平就难以提高。你想‘走出去’也出不去。现在情况与二十多年前不同了，实施‘走出去’战略的条件更具备了，要求也更迫切了。我国加入世界贸易组织后，将会为我们实施这一战略带来更多的机遇。必须不失时机地‘走出去’，让我们的企业到国际经济舞台上去施展身手。这个战略实施好了，对增强我国经济发展的动力和后劲，促进我国的长远发展，具有极为重大的意义。”①

2000年10月，党的十五届五中全会通过的《中共中央关于制定国民经济和社会发展第十个五年计划的建议》提出，“要以更加积极的姿态，抓住机遇，迎接挑战，趋利避害，不断提高企业竞争能力，进一步推动全方位、多层次、宽领域的对外开放”，“实施‘走出去’战略，努力在利用国内外两种资源、两个市场方面有新的突破”。

2000年3月九届全国人大三次会议期间，江泽民再次阐述“走出去”战略。他指出，随着我国经济的不断发展，我们要积极参与国际经济竞争，并努力掌握主动权。必须不失时机地实施“走出去”战略，把“引进来”和“走出去”紧密结合起来，更好地利用国内外两种资源、两个市场。这是我们在参与国际竞争中掌握主动权、打好“主动仗”的必由之路。这样做，有利于在更广阔的空间里进行经济结构调整和资源优化配置，从而不断增强我国经济发展的动力和后劲，促进我国经济的长远发展。要鼓励和支持优势企业逐步扩大对外投资，开展跨国经营，通过建立海外销售网络、生产体系和融资渠道，促进企业在更大范围内进行专业化、集约化和规模化的跨国经营，加快培育我们自己的跨国公司，努力促使我国经济在参与国际经济合作与竞争中迈出新的步伐。在“走出去”的实践中，要摸索经验，制定规范，加强管理，积极稳妥地把工作做好。

一年后，在2001年3月九届全国人大四次会议上，朱镕基在《政府工作报告》中指出，要实施“走出去”战略，鼓励有比较优势的企业到境

---

① 江泽民:《论社会主义市场经济》，中央文献出版社2006年版，第519—520页。

外投资，开展加工贸易，合作开发资源，发展国际工程承包，扩大劳务出口等。九届全国人大四次会议通过了《中华人民共和国国民经济和社会发展第十个五年计划纲要》（以下简称《纲要》），“走出去”战略被列为21世纪第一个国家五年计划的主要内容之一。《纲要》强调，鼓励能够发挥我国比较优势的对外投资，扩大国际经济技术合作的领域、途径和方式。继续发展对外承包工程和劳务合作，鼓励有竞争优势的企业开展境外加工贸易，带动产品、服务和技术出口。支持到境外合作开发国内短缺资源，促进国内产业结构调整和资源置换。鼓励企业利用国外智力资源，在境外设立研究开发机构和设计中心。支持有实力的企业跨国经营，实现国际化发展。健全对境外投资的服务体系，在金融、保险、外汇、财税、人才、法律、信息服务、出入境管理等方面，为实施“走出去”战略创造条件。完善境外投资企业的法人治理结构和内部约束机制，规范对外投资的监管。

2001年7月3日，江泽民在会见全国外资工作会议代表时强调，我们既要积极参与经济全球化，又要注意掌握主动，努力把“引进来”和“走出去”结合起来，充分利用经济全球化带来的机遇加快发展。

随着我国成功加入世界贸易组织，尤其是进入2002年后，实施“走出去”战略既顺理成章，又变得更为迫切。

2002年2月，在中共中央举办的省部级主要领导干部国际形势与世界贸易组织专题研究班上的讲话中，江泽民重申：“在新的条件下扩大对外开放，必须更好地实施‘引进来’和‘走出去’同时并举、相互促进的开放战略，努力在‘走出去’方面取得明显进展。实施‘走出去’战略，是把对外开放推向新阶段的重大举措，是更好地利用国内国外两个市场、两种资源的必然选择，是逐步形成我们自己的大型企业和跨国公司的重要途径。”①

2002年3月，在九届全国人大五次会议上，朱镕基在《政府工作报告》

---

① 江泽民：《江泽民文选》第三卷，人民出版社2006年版，第456—457页。

中指出，继续实施“走出去”战略，鼓励和支持有条件的各类所有制企业，到国外特别是周边国家投资办厂和承包工程，带动国内技术、设备、材料和劳务出口；做好先进技术、关键设备和短缺原材料的进口工作；逐步实现重要战略物资进口市场多元化。

党的十六大报告指出：“坚持‘引进来’和‘走出去’相结合，全面提高对外开放水平。适应经济全球化和加入世贸组织的新形势，在更大范围、更广领域和更高层次上参与国际经济技术合作和竞争，充分利用国际国内两个市场，优化资源配置，拓宽发展空间，以开放促改革促发展。”[①]报告强调：“实施‘走出去’战略是对外开放新阶段的重大举措。鼓励和支持有比较优势的各种所有制企业对外投资，带动商品和劳务出口，形成一批有实力的跨国企业和著名品牌。”[②]

根据这一战略部署，我国的对外开放从过去侧重以引进为主，发展为“引进来”和“走出去”相结合，积极参与国际合作，多种形式的对外经济合作业务持续稳定增长。“走出去”战略开端良好。

截至2001年底，我国累计参与境外资源合作项目195个，总投资46亿美元；累计设立各类境外企业6610家，协议投资总额123亿美元，其中中方投资84亿美元；累计签订对外承包工程合同额997亿美元，完成营业额715亿美元，带动出口近60亿美元；累计签订对外劳务合作合同额268亿美元，完成营业额207亿美元，外派劳务252万人次。我国实施“走出去”战略呈现几大特点：一是多种形式的对外经济合作业务持续稳定增长。油气、矿产、林业、渔业等境外资源合作项目运作良好，经济效益逐步显现。二是大型项目不断增多，技术含量日益提高。2001年，我国境外项目平均投资额达252万美元，比上年提升近30%。三是开拓新市场、新领域初见成果。国内企业境外投资领域拓宽到生产加工、贸易、资源开发、交通运输、承包劳务、农业及农产品综合开发、旅游餐饮及咨询等，投资重点逐

① 江泽民：《江泽民文选》第三卷，人民出版社2006年版，第551页。

② 江泽民：《江泽民文选》第三卷，人民出版社2006年版，第551页。

渐从中国港澳、北美地区向亚太、欧洲、非洲、拉美地区扩展，分布日趋均衡。四是大型骨干企业表现突出，龙头作用显著。2001 年，中石油、中石化、海尔等一批大企业渐成我国境外投资主力军。浙江万向、远大空调、新希望等优秀民营企业以开展境外加工贸易为切入点，积极拓展国际市场，成为“走出去”中的重要力量。①

以浙江义乌为例，作为全国著名的小商品集散地，为了适应加入世界贸易组织的新形势，义乌市委、市政府提出，必须在思想观念、工作方法、政策措施等方面来个大转变，推动全方位、多层次、宽领域的对外开放，以大开放促进大发展，实现大提高。

——大力培育外贸出口主体，千方百计扩大小商品出口贸易。他们充分发挥市场的品牌优势、机制优势和网络优势，进一步扩大外贸经营队伍，积极推进外贸经营主体和出口市场多元化，全市外贸出口继续保持高速增长的发展态势。2001 年实现小商品出口交货值 12 亿美元，比上年增长 25%；拥有自营进出口权的企业比上年增加 61 家。

——大力实施“走出去”战略，鼓励和引导优势企业到境外设窗口、建基地、办市场，开拓国际市场，积极扩大对外经济技术交流与合作。全市在南非、乌克兰、泰国等国家设立了 5 个分市场，建立境外机构 10 多家，与 50 多个国家和地区建立了贸易关系。②

在良好开端的基础上，实施“走出去”战略，到 2002 年成效更为显著，特点更加鲜明：一是境外投资初具规模。据统计，截至 2002 年 6 月底，我国非金融类境外企业达 6758 家，协议投资总额 132 亿美元，其中中方投资额 88.8 亿美元。二是投资领域逐步拓宽。过去比较多的是境外加工贸易、餐饮业、劳务承包，近年来扩展到资源开发、产品研发、卫星通信等领域，尤其是开发利用国外石油天然气、铁矿、森林等资源取得了积极进展。三

① 龚雯：《“走出去”企业逾六千六百家》，《人民日报》2002 年 3 月 1 日。
② 朱连芳：《义乌：加快与国际市场接轨》，《人民日报》2002 年 5 月 27 日。

是企业开展国际化经营迈出重要步伐，相当一批大型企业开始拓展海外经营业务。四是对外承包工程和劳务合作迅速发展。中国进入国际工程承包的世界十强，承包方式从以分包为主逐步向施工总承包和“咨询设计—采购—施工”全过程承包转变。[①]

“走出去”是顺应世界经济发展潮流，主动融入世界经济、积极参与国际经济竞争与合作的全球战略。实施“走出去”战略，促进了我国开放型经济的发展，加快了我国经济融入经济全球化进程，拓展了我国经济发展空间。这是党中央在我国社会主义事业跨世纪发展道路上作出的又一项富有远见的战略决策。

第四节　加入世界贸易组织

加入世界贸易组织，是我国改革开放进程中具有历史意义的一件大事，也是进一步推进全方位、多层次、宽领域对外开放的重要契机，对于我国扩大对外开放、促进国内改革发展具有十分重大的意义。

世界贸易组织是当今世界上最重要的国际经济组织之一，其前身是 1948 年生效的关贸总协定（General Agreement on Tariffs and Trade，英文缩写 GATT）。中国是关贸总协定的缔约国之一。1948 年 4 月，国民政府签署关贸总协定《临时适用议定书》，并从当年 5 月 21 日起正式成为关贸总协定缔约国。1949 年中华人民共和国成立，中华人民共和国中央人民政府成为代表中国的唯一合法政府。但由于以美国为首的西方国家的阻挠，中华人民共和国未能继承在联合国的合法席位和在关贸总协定中的缔约国席位，而由台湾国民党当局继续非法占据。1971 年 10 月，联合国大会恢复了中华人民共和国在联合国的合法席位。此后，中国政府逐步建立了与关贸总协定

① 曾培炎：《国民经济和社会发展的历史性变化》，《人民日报》2002 年 9 月 17 日。

的联系。随着1978年后改革开放大潮的涌动，中国的对外经济贸易迅速发展起来，加入一个完整开放的国际贸易体系乃势所必须。

1982年9月，中国政府正式向关贸总协定总干事阿瑟·邓克尔提出申请，要求成为关贸总协定的观察员。1982年12月，国务院批准了由外经贸部、外交部、海关总署等部门提交的中国申请参加关贸总协定的报告。1985年10月，以外经贸部部长助理沈觉人为团长的中国代表团列席了关贸总协定特别缔约国大会。在日内瓦期间，中国代表团就中国“复关”问题与关贸总协定的主要缔约方美、日、加、欧代表团进行了首次“非正式磋商”。1986年1月，关贸总协定总干事阿瑟·邓克尔首次访问中国。7月，中国常驻日内瓦联合国代表团代表钱嘉东大使向邓克尔正式提出，申请恢复中国在关贸总协定中的缔约国席位。1987年2月，钱嘉东大使向邓克尔递交了《中国对外贸易制度备忘录》，详细介绍了中国的经济体制、对外开放政策、对外贸易政策、对外贸易体制、海关关税制度等内容，并表示随时准备与关贸总协定缔约各方进行实质性谈判。

各方对中国“复关”都持谨慎乐观态度。当时主要缔约方最关注的是：中国到底执行什么样的经济体制？在回答这一关键问题时，中国代表只能说中国执行的是“商品经济”。这使身处市场经济的西方国家代表难以理解。20世纪80年代后，以美国为首的西方国家对中国实行经济制裁，并暂时把不让中国“复关”作为其经济制裁的一项主要内容，加之中国国内经济也处于治理整顿阶段，中国的“复关”谈判涉及的双边磋商和以日内瓦工作组形式进行的多边谈判实际上均陷入停顿状态。

经过一段时间的沉寂后，中国“复关”谈判再现转机。1991年5月，关贸总协定总干事邓克尔应邀出席在北京召开的国际榨油商协会年会。国务院总理李鹏会见了邓克尔，希望他积极努力做缔约方的工作，尽快恢复中国与各方的谈判。5月20日，邓克尔出席对外经贸大学关贸总协定研究会成立大会并发表演讲。他希望中国“复关”谈判能顺利进行。

1991 年 10 月，李鹏总理致函关贸总协定各缔约方首脑和关贸总协定总干事，阐明中国“复关”问题的立场，强调当务之急是立即举行工作会议，开始议定书实质性谈判。经过中国政府和有关部门的积极工作，1992 年 2 月，关贸总协定中国工作组第十次会议在日内瓦召开。中国代表团在会上就会前各缔约方普遍关注的焦点、难点、敏感问题作了“全面”“透彻”“具有实质性内容”的发言，并就各缔约方针对《关于中国外贸制度的补充文件》提出的大量书面问题作了精彩回答。

几番面对面的据理力争和辩论过后，中国代表团渐渐赢得了各方的尊重。更重要的是，1992 年初邓小平南方谈话再次掀动中国改革开放大潮，同年 10 月召开的党的十四大确定了建立社会主义市场经济体制的目标。这使谈判工作有了相当进展。这一年 12 月在日内瓦举行的中国“复关”工作组第十二次会议上，中国代表团理直气壮地说，中国实行社会主义条件下的市场经济。这次会议就恢复中国缔约国地位的议定书问题进行了实质性谈判，并形成了非正式议定书的初步框架。

1993 年 3 月至 1994 年 7 月，关贸总协定中国工作组又相继召开了第十三至十七次会议，继续就恢复中国缔约国地位的议定书问题进行实质性的谈判。但是，由于以美国为代表的西方国家对中国议定书谈判和市场准入谈判的要价不仅涉及贸易管理、关税与非关税措施、贸易政策统一实施的透明度等问题，而且把一些不属现行关贸总协定的义务（如知识产权保护、服务业市场开放、农产品与纺织品贸易等），以及纯属中国国内宏观经济调控措施和司法主权的事务（如指定经营、价格协调、财税政策等）也统统放入其要价的盘子中，使中国“复关”谈判陷入一个“怪圈”，即不是谈判问题减少，谈判范围集中，而是越谈问题越多，越谈内容越广，似乎中国无论如何深化改革，完善经贸体制，也达不到“复关”要求；西方的“胃口”不是越“吃”越小，而是越“吃”越大，简直欲壑难填；中国的义务不是越谈越固定，而是越谈越分散；中国的权利不是越谈越明确，而是越谈越模糊。

在中国与主要缔约方双边谈判艰难进行之时，关贸总协定第八轮多边谈判——乌拉圭回合谈判已接近尾声。1994 年 4 月 12 日至 15 日，关贸总协定部长级会议在摩洛哥的马拉喀什举行，乌拉圭回合谈判结束，与会各方签署《乌拉圭回合谈判结果最后文件》和《建立世界贸易组织协议》。关贸总协定将由世界贸易组织取代。中国代表团参会并签署《乌拉圭回合谈判结果最后文件》。根据世贸组织的协议，中国若要成为世贸组织的成员，必须签署乌拉圭回合所有协议，提出自己的关税减让表和服务贸易减让表，并最晚必须在乌拉圭回合协议生效前，即 1995 年 1 月 1 日之前“复关”。

这给中国“复关”谈判带来了紧迫感，也使某些主要缔约方胃口越来越大，要价越来越高。

1993 年 11 月，亚太经合组织领导人非正式会议在美国西雅图举行，第一次参加该会议的中国国家主席江泽民，在会上提出了中国处理“复关”问题的三项原则：“第一，关贸总协定是一个国际性组织，如果没有中国这个最大的发展中国家参加是不完整的；第二，中国要参加，毫无疑问是作为发展中国家参加；第三，中国加入这个组织，其权利和义务一定要平衡。”①

为显示中国对“复关”的诚意，1994 年，中国在外贸、外汇、税制方面推出了一系列重大的改革措施，并大幅降低近 3000 种进口商品的关税。在 1993 年 5 月的关贸总协定中国工作组第十四次会议上，中国政府曾承诺：中国准备用五年左右的时间，实现人民币汇率的统一，以显示中国的灵活性和走市场经济路线的决心。但实际上，仅仅过了七个月，中国就提前兑现承诺，宣布从 1994 年 1 月 1 日起人民币汇率并轨。

尽管中国在改革开放上不断有新举措推出，但主要缔约方胃口越吃越大，越来越高的要价令中国难以接受。针对这种情况，为打破主要缔约方的幻想，使其要价适可而止，中国政府表示，不会拿国家的根本利益作交易。

---

① 江泽民：《江泽民文选》第三卷，人民出版社 2006 年版，第 447 页。

1994年12月，关贸总协定中国工作组第十九次工作会议在日内瓦举行。在这次关系到中国能否在关贸总协定结束其历史使命、世贸组织成立前“复关”成功的关键会议上，中国政府代表团为了国家利益，与美、欧谈判代表展开了激烈交锋和讨价还价，但终因主要缔约方要价过高，中方没能与其他缔约方就中国“复关”和成为世界贸易组织成员问题达成协议。至此，长达八年的中国“复关”路，因主要缔约方的阻挠而功亏一篑。

1995年1月1日，世界贸易组织正式成立，并在一年的过渡期后完全取代关贸总协定。虽然中国“复关”没有成功。但谁都明白：中国需要世贸组织，世贸组织也需要中国，中国迟早会加入世贸组织。

中国“复关”未果后，表示不再主动要求谈判，主要缔约方并不愿看到中国远离谈判桌，反而主动向中国示好。1995年3月，美国贸易代表坎特访问北京，表示美方将在乌拉圭回合谈判的基础上“现实地、有弹性地”考虑中国的“复关”地位问题。

1995年7月，世贸组织决定接纳中国为该组织的观察员。10月，参加联合国成立50周年庆典的中国国家主席江泽民与美国总统克林顿第二次握手，克林顿表示关注中国加入世贸组织的谈判。11月，中国政府照会世贸组织总干事鲁杰罗，把中国“复关”工作组更名为中国“入世”工作组。中国“复关”谈判变成“入世”谈判。

在中美两国元首第二次握手后不久，美国贸易副代表巴尔舍夫斯基即来到北京，向中方提交了一份“关于中国加入WTO的非正式文件”，即所谓的“路线图”。美方前所未有地同意，以过渡期和分阶段实施的办法来解决中国承担的一些义务，并愿意现实地处理中国发展中国家的地位问题。1996年2月，中美就中国“入世”问题举行了第十轮双边磋商。中方对美方的“路线图”逐点作出回应。1996年11月，在菲律宾首都马尼拉举行的亚太经合组织领导人非正式会议上，中国国家主席江泽民与美国总统克林顿会晤，两国高层决定加快中国“入世”谈判进程。

1997 年 4 月，世贸组织总干事鲁杰罗应中国政府邀请来北京访问。李鹏总理、李岚清副总理会见了鲁杰罗。李鹏总理强调指出，中国加入世贸组织的政策是一贯的，但对中国的要求不能超越中国现在经济发展的水平，更不能把中国加入世贸组织的问题政治化。

1997 年 5 月，世贸组织中国工作组举行第四次会议，就《中国加入世贸组织议定书》中关于非歧视原则和司法审议两项主要条款达成协议。同年 8 月，新西兰成为第一个同中国就中国加入世贸组织达成双边协议的国家。同年，中国还与韩国、匈牙利、捷克斯洛伐克、巴基斯坦等国签署了“入世”双边协议，并与智利、哥伦比亚、阿根廷、印度等基本结束了中国“入世”双边市场准入谈判。

1997 年 9 月，党的十五大提出公有制实现形式多样化，多种所有制经济共同发展；紧接着中国宣布从 10 月 1 日起，大幅度降低进口关税总水平。这些无疑推进了中国“入世”进程。

1997 年 10 月 26 日至 11 月 2 日，中国国家主席江泽民应邀访美。这是十二年来中国国家主席首次对美国进行国事访问。访美期间，中美两国发表联合声明。在声明中，中国重申加快“入世”谈判，争取尽早结束。在此前后，中美加紧谈判，虽未达成协议，但谈判进程加快。特别是 1997 年亚洲金融危机爆发后，中国拿出 40 亿美元参与国际货币基金组织的国际救援，坚持人民币不贬值，这极大地显示了中国扩大开放、承担责任、争取“入世”的诚意。

1997 年 12 月 1 日至 12 日，以外经贸部首席谈判代表龙永图副部长为团长的中国代表团在日内瓦出席了世贸组织中国工作组第六次会议，就议定书和工作组报告的绝大部分内容达成了谅解，其间还与美国、欧盟、日本、澳大利亚、巴西、墨西哥等进行了双边磋商。

1998 年 3 月至 4 月，世贸组织中国工作组举行第七次会议，中国代表团向世贸组织秘书处递交了一份近 6000 个税号的关税减让表，得到了主要成员的积极评价。4 月，朱镕基总理出席在英国伦敦举行的“中国—欧盟”领导人会议，并会见英国首相布莱尔以及欧盟委员会主席桑特，双方就经贸合作、中国加入世贸组织等问题进行了广泛讨论并发表联合声明。4 月 27 日，欧盟理事会通过了欧盟委员会 1997 年 12 月 16 日提出的建议，不再将中国列入“非市场经济”国家名单。

1998 年 6 月，美国总统克林顿访华。在克林顿访华前夕，中国国家主席江泽民接受美国记者采访时提再次强调“入世”三原则：（一）WTO 没有中国参加是不完整的；（二）中国毫无疑问要作为一个发展中国家加入 WTO；（三）中国的“入世”是以权利和义务的平衡为原则的。江泽民主席表示，无论中国加入世贸组织谈判的结果如何，中国的改革开放都将继续进行下去，那正是“青山遮不住，毕竟东流去”。针对美国等西方国家在谈判中提出的高要价，从政治上、战略上考虑，党中央相继提出了“态度积极、方法灵活、善于磋商、不可天真”和“态度积极、坚持原则、我们不急、水到渠成”等工作方针。

1998 年 11 月，国家主席江泽民和美国副总统戈尔在亚太经合组织吉隆坡会议上会晤，双方都表示希望在 1999 年早些时候结束中美双边谈判。

进入 1999 年后，中美之间各个层级的谈判夜以继日地进行，一个目的是赶在这年 4 月份朱镕基总理访美期间中美能够结束谈判。2 月至 3 月，中美就中国“入世”问题举行了第十九、二十轮双边磋商。3 月 3 日，美国贸易代表巴尔舍夫斯基率高级贸易代表团来华与中方谈判，双方就降低关税，进一步敞开农业、电信、金融和保险市场谈判至深夜，仍未达成一致。

1999 年 3 月 15 日，在全国人大举行的中外记者招待会上，朱镕基指出：“中国进行复关和入世谈判已经十三年，黑头发都谈成了白头发，该结束这个谈判了。现在存在这种机遇。第一，WTO 成员已经知道没有中国的参加 WTO 就没有代表性，就是忽视了中国这个潜在的最大市场。第二，中国改革开放的深入和经验的积累，使我们对加入 WTO 可能带来的问题提高了监管能力和承受能力。因此，中国准备为加入 WTO 作出最大的让步。”4 月 6 日至 13 日，朱镕基总理访美，外界对此行达成协议抱有很高期待，但由于美国国内政治压力，最后时刻克林顿退缩，放弃与中国签协议的政治意愿。一个月后的 5 月 8 日，以美国为首的北约袭击中国驻南斯拉夫联盟大使馆，这给原本已接近成功的中国“入世”谈判蒙上了一层阴影。国内也有一些人认为，在中国主权受到侵犯的情况下，讨论中国“入世”问题有些不合时宜，主张中国暂缓“入世”的观点有所抬头，中国的“入世”进程遭遇“黎明前的黑暗”。

在这种情况下，1999 年 9 月 8 日，在澳大利亚进行国事访问的国家主席江泽民在会见记者时，重申中国“入世”三原则。江泽民主席指出：“今年 5 月 8 日，我国驻南斯拉夫联盟大使馆被炸，有三位烈士牺牲。虽然美国政府和克林顿总统本人再三向我们道歉，但在那个时候美国提出继续进行中国加入世界贸易组织问题的谈判，时机是很不适宜的。所以，谈判中断了。从今年 8 月开始，美国就不断传来信息，要同中国恢复进行谈判。最近克林顿总统专门就中美恢复谈判问题给我写信，我复信表示同意，谈判又开始了。西方有些舆论称是中国急于要求美国重开谈判，这是不符合事实的。不久，我将去奥克兰，出席亚太经合组织领导人非正式会议，届时将同克林顿总统会晤。我想，中美双方应该根据平等互利的原则进行谈判。1997 年我访问美国，1998 年克林顿总统访华，双方本来是要解决中国加入世贸组织问题的。但是，据说由于美国国会方面的原因没有能谈。今年春天，美国又失去了一个很好的机会，朱镕基总理访问美国，本来也可以达成协议。但据说又是因为美国国会方面的原因没有谈成。中澳两国现已就中国加入世贸组织问题达成了协议。中美之间谈得好不好，能不能达成协议，很大程度上取决于美国。”①

9 月 11 日，国家主席江泽民与美国总统克林顿在亚太经合组织第七次

① 赵章云、李学江、兰红光：《江泽民主席阐述我国在台湾问题和中国加入世贸组织问题上的原则立场》，《人民日报》1999 年 9 月 9 日。

领导人非正式会议上正式会晤。江泽民主席指出，中方对加入 WTO 一直持积极态度，这不仅是中国经济发展和改革开放的需要，也是建立一个完整开放的国际贸易体系的需要，我们希望谈判能在平等互利的基础上进行，争取早日达成协议。克林顿表示，美国支持中国尽早加入 WTO，希望尽快地结束同中国的谈判，希望双方能为此进一步努力。此后，10 月 16 日、11 月 7 日，克林顿两次给江泽民打电话，商谈中美双边谈判事宜。

经过反复较量和艰苦谈判，1999 年 11 月 9 日至 15 日，中美两国最终就中国加入世贸组织达成协议。协议签订后，两国政府就签署中国加入世界贸易组织问题双边协议发布新闻公报，公报指出：

“一九九九年十一月十日至十五日，中华人民共和国对外贸易经济合作部部长石广生率领的中国政府代表团同美利坚合众国贸易代表巴尔舍夫斯基和美国国家经济委员会主席斯珀林率领的美国政府代表团在北京就中国加入世界贸易组织问题举行了谈判。十一月十五日，双方签署中华人民共和国政府和美利坚合众国政府关于中国加入世界贸易组织的双边协议。

“中美两国代表团表示，中美两国政府和领导人，江泽民主席和克林顿总统，都高度重视这一谈判。他们认为，这一谈判不仅具有商业上的重要性，而且对全球经济的发展十分重要，有着深远的战略意义。双方认为，这一协议对中美两国都有利。

“中美两国签署上述协议有助于加快中国加入世界贸易组织的进程和中美两国经贸合作关系的发展。双方期待着今后在世贸组织中密切合作，以确保中美关系的健康发展和世界经济的繁荣。”

中美双方就中国加入世贸组织达成协议，这是中国“入世”迈出的重要一步，意味着中国已站在加入世界贸易组织的门槛上。

1999 年 11 月、2000 年 5 月、2000 年 9 月，中国先后与加拿大、欧盟、瑞士进行磋商，结束了关于加入世贸组织的双边谈判。

多年来，欧盟在中国加入世贸组织问题上，既与美国亦步亦趋，联手向中国要高价；又想表现特立独行，特别是率先提出中国“入世”后的过渡期安排。经过又一年的努力，2001 年 6 月 9 日和 21 日，美国和欧盟先后与中国就中国“入世”多边谈判的遗留问题达成全面共识。7 月，第十七次世贸组织中国工作组会议对中国加入世贸组织的法律文件及其附件和工作组报告书进行了磋商，并最终完成了这些法律文件的起草工作。

2001 年 9 月 13 日，中国和墨西哥就中国加入世界贸易组织达成双边协议。这意味着提出与中国进行双边谈判的 37 个世贸组织成员已全部与中国达成协议，中国加入世贸组织的所有双边障碍均已排除。

原定于 9 月 12 日举行的世贸组织中国工作组第十八次会议，因美国发生“9・11”恐怖袭击事件延迟了几天。17 日，中国加入世贸组织的法律文件获得工作组通过，提交给 11 月在卡塔尔首都多哈举行的世界贸易组织部长级会议审议。中国加入世贸组织的谈判至此全部结束。

中国领导人对中国加入世贸组织表示支持。2001 年 9 月 19 日，国务院总理朱镕基在第六届世界华商大会举行的“中国经济论坛”上说，中国将以更积极的姿态推进全方位、多层次、宽领域的对外开放。10 月 22 日，国家主席江泽民在上海举行的亚太经合组织工商领导人峰会晚宴上的演讲中指出，经过十多年的努力，中国加入世界贸易组织的谈判已经完成。中国加入世界贸易组织，标志着中国的对外开放将进入一个新的阶段。中国将在更大范围和更深程度上参与国际经济合作与分工。

2001 年 11 月 10 日，在卡塔尔首都多哈举行的世界贸易组织第四届部长级会议，通过了中国加入世界贸易组织的决定。11 月 20 日，世贸组织总干事迈克尔・穆尔致函世贸组织成员，宣布中国政府已于 2001 年 11 月 11 日接受《中国加入世贸组织议定书》，这个议定书将于 2001 年 12 月 11 日生效，中国也将于同日正式成为第 143 个世贸组织成员。历经十五年的中国复关、入世谈判终于画上圆满的句号。

2002年2月25日，江泽民在中央举办的省部级主要领导干部国际形势与世界贸易组织专题研究班上的讲话中总结指出："关于加入世界贸易组织的问题，我进行了长期的深入思考。我认为，从政治上看，从二十一世纪国际竞争日趋激烈的大环境看，我们搞现代化建设，必须到国际市场的大海中去游泳。虽然我们这方面的能力还不强，但要奋力地去游，并且要力争上游，不断提高我们搏风击浪的本领。这对我国提高国际竞争力、在国际综合国力的较量中掌握主动有利。"[①] 他指出："加入世界贸易组织，标志着我国对外开放进入了一个新的阶段。我们要在这个新的起点上，进一步深化改革、扩大开放，以更加积极的姿态走向世界，适应经济全球化趋势发展的新形势，继续推进全方位、多层次、宽领域的对外开放，为我国经济发展提供新的强大动力。"[②]

历史和实践证明，加入世界贸易组织，使中国经济在全球化进程中获得参与制定规则和竞争的有利位置，得到更为广阔的发展空间，对推动经济体制改革和现代化建设产生了深刻影响。

---

① 江泽民:《江泽民文选》第三卷，人民出版社2006年版，第450页。
② 江泽民:《江泽民文选》第三卷，人民出版社2006年版，第456页。

第九章

深化分配制度改革，
健全社会保障体系

党的十三届四中全会之后，随着我国社会主义市场经济体制的建立，在党中央领导下，国家逐步建立市场导向的就业机制，致力于维护和谐稳定的劳动关系，改革工资收入分配制度；逐步完善劳动标准体系，改革和完善社会保障制度，使社会保险制度覆盖了大多数城镇从业人员和退休人员，并在城市普遍建立了居民最低生活保障制度，在农村也积极推进社会保障制度建设。经过多年的努力探索，与社会主义市场经济体制相适应的分配制度和社会保障制度初步建立。

第一节　分配和社会保障制度改革的起步

我国的经济体制改革在经历了20世纪80年代初以农村改革为重点，和80年代中后期以城市改革为重点、城乡联动的改革后，进入90年代改革的总体态势是，传统的计划经济体制已被打破，新的经济体制初见端倪但远未建立起来。党的十四大提出建立社会主义市场经济体制的目标后，随着国有企业特别是大中型企业转换经营机制，深化劳动分配制度改革和推进社会保障制度改革成为必然。

搞好国有大中型企业，转换企业经营机制，不外乎两个方面：一是正确确立国家与企业的关系，实行政企分开，经营权与所有权适当分离，使企业成为真正的商品生产者和经营者；二是正确确立企业与职工的关系，使企业成为用工主体，调动企业和职工两个积极性。企业与职工的关系内容很多，但最主要的是劳动、工资和社会保险。因此，深化三项制度改革是正确确立企业与职工关系、转换企业经营机制的重要途径。

1991年3月，国务院总理李鹏在七届全国人大四次会议上作了《关于国民经济和社会发展十年规划和第八个五年计划纲要的报告》(以下简称《报告》)。《报告》中明确提出，“八五”期间，要以增强国营大中型企业活力、健全企业合理的经营机制为中心，协调配套地进行计划、投资、财政、税收、金融、价格、物资、商业、外贸和劳动工资等方面的体制改革，加快社会保障制度和住房制度的改革。到1992年2月底，全国进行劳动人事、工资和社会保险制度改革的企业达4万户、职工1767万人。[①]大部分省市都把三项制度改革摆到重要位置，制定了具体的政策措施。劳动部、中央

---

① 傅刚：《三项制度改革企业已达四万户》，《人民日报》1992年5月1日。

宣传部和全国总工会联合编写和印发了3万多字的《企业劳动、工资、社会保险制度改革宣传提纲》，对三项制度改革的指导思想、基本原则、主要内容以及方法步骤等问题作了具体的介绍和说明。

1992年3月20日，国务院总理李鹏在七届全国人大五次会议上作《政府工作报告》时指出，积极推进企业改革，转换和完善经营机制。所有国营大中型企业都要在转换和完善经营机制上下硬功夫，“要继续完善各种形式的承包经营责任制，改革企业劳动人事制度、工资分配和社会保障制度。继续贯彻按劳分配原则，完善工资总额同经济效益挂钩办法，积极稳妥地进行以岗位技能工资制为主要形式的企业内部分配制度改革，进一步打破平均主义”。

1992年党的十四大报告中指出，“深化分配制度和社会保障制度的改革”，是加速改革开放、推动经济发展和社会全面进步的十个关系全局的主要任务之一。报告指出：“加快工资制度改革，逐步建立起符合企业、事业单位和机关各自特点的工资制度与正常的工资增长机制。积极建立待业、养老、医疗等社会保障制度，努力推进城镇住房制度改革。”①

党的十四大提出建立社会主义市场经济体制的目标，这是一项全新的事业。社会主义市场经济体制的基本框架是：在以公有制为主体、多种经济成分共同发展的方针指导下，建立适应社会主义市场经济要求的现代企业制度；转变政府管理经济的职能，建立以间接手段为主的完善的宏观调控体系，保证国民经济健康运行；建立以按劳分配为主体、多种分配方式并存，效率优先、兼顾公平的收入分配制度，鼓励一部分地区一部分人先富起来，最终实现全体人民的共同富裕；建立多层次的社会保障体系，为城乡居民提供同我国国情相适应的社会保障，促进经济发展和社会稳定。基于此，1993年党的十四届三中全会通过的《中共中央关于建立社会主义市场经济体制若干问题的决定》，专门就“建立合理的个人收入分配和社会

① 江泽民：《江泽民文选》第一卷，人民出版社2006年版，第229页。

保障制度”作出规定，其中指出：

——个人收入分配要坚持以按劳分配为主体、多种分配方式并存的制度，体现效率优先、兼顾公平的原则。劳动者的个人劳动报酬要引入竞争机制，打破平均主义，实行多劳多得，合理拉开差距。坚持鼓励一部分地区一部分人通过诚实劳动和合法经营先富起来的政策，提倡先富带动和帮助后富，逐步实现共同富裕。

——建立适应企业、事业单位和行政机关各自特点的工资制度与正常的工资增长机制。国有企业在职工工资总额增长率低于企业经济效益增长率，职工平均工资增长率低于本企业劳动生产率增长的前提下，根据劳动就业供求变化和国家有关政策规定，自主决定工资水平和内部分配方式。行政机关实行国家公务员制度，公务员的工资由国家根据经济发展状况并参照企业平均工资水平确定和调整，形成正常的晋级和工资增长机制。事业单位实行不同的工资制度和分配方式，有条件的可以实行企业工资制度。国家制订最低工资标准，各类企事业单位必须严格执行。积极推进个人收入的货币化和规范化。

——国家依法保护法人和居民的一切合法收入和财产，鼓励城乡居民储蓄和投资，允许属于个人的资本等生产要素参与收益分配。逐步建立个人收入应税申报制度，依法强化征管个人所得税，适时开征遗产税和赠与税。要通过分配政策和税收调节，避免由于少数人收入畸高形成两极分化。对侵吞公有财产和采取偷税抗税、行贿受贿、贪赃枉法等非法手段牟取收入的，要依法惩处。

——建立多层次的社会保障体系，对于深化企业和事业单位改革，保持社会稳定，顺利建立社会主义市场经济体制具有重大意义。社会保障体系包括社会保险、社会救济、社会福利、优抚安置和社会互助、个人储蓄积累保障。社会保障政策要统一，管理要法制化。社会保障水平要与我国社会生产力发展水平以及各方面的承受能力相适应。城乡居民的社会保障办法应有区别。提倡社会互助。发展商业性保险业，作为社会保险的补充。

——按照社会保障的不同类型确定其资金来源和保障方式。重点完善企业养老和失业保险制度，强化社会服务功能以减轻企业负担，促进企业组织结构调整，提高企业经济效益和竞争能力。城镇职工养老和医疗保险金由单位和个人共同负担，实行社会统筹和个人账户相结合。进一步健全失业保险制度，保险费由企业按职工工资总额一定比例统一筹交。普遍建立企业工伤保险制度。农民养老以家庭保障为主，与社区扶持相结合。有条件的地方，根据农民自愿，也可以实行个人储蓄积累养老保险。发展和完善农村合作医疗制度。

——建立统一的社会保障管理机构。提高社会保障事业的管理水平，形成社会保险基金筹集、运营的良性循环机制。社会保障行政管理和社会保险基金经营要分开。社会保障管理机构主要是行使行政管理职能。建立由政府有关部门和社会公众代表参加的社会保险基金监督组织，监督社会保险基金的收支和管理。社会保险基金经办机构，在保证基金正常支付和安全性流动性的前提下，可依法把社会保险基金主要用于购买国家债券，确保社会保险基金的保值增值。

按照以上要求，我国的分配和社会保障制度改革全面启动。

第二节　构建与社会主义市场经济相适应的新型劳动关系

改革开放十多年后，我国出现了个人消费品的多种分配形式。党政机关和事业单位实行的是基础工资、职务（岗位）工资、工龄工资加奖金的制度；企业是在工资总额与经济效益挂钩的基础上，主要实行等级工资加奖金的制度；农民的分配用通俗的话来说，是“交够国家的、留够集体的、剩下都是自己的”；个体劳动者在纳税之后，根据劳动和经营状况获得收入；私营企业雇佣一定数量的劳动力，给企业主带来了部分非劳动收入；“三资”企业的分配制度各不相同，劳动者不享受我国国有企业职工的社会福利，“三资”企业里的职工收入一般较国有企业高，同时为外国投资者带来了更多的非劳动收入。除此之外，企业发行债券筹集资金，出现了凭借债权取得利息收入；在承包和租赁经营中，企业经营者获得了高于职工几倍以至更多的收入。这些分配形式的出现，打破了单一的按劳分配形式，形成了多种分配形式并存的格局。

在建立和完善社会主义市场经济体制过程中，鉴于我国的劳动关系日趋复杂多样，党和政府致力于维护和谐稳定的劳动关系。1994 年 7 月 5 日，第八届全国人民代表大会常务委员会第八次会议通过了《中华人民共和国劳动法》（自 1995 年 1 月 1 日起施行）。《中华人民共和国劳动法》对宪法赋予劳动者的基本权利作了全面、具体的规定。劳动者依法享有平等就业、选择职业、取得劳动报酬、休息休假、获得劳动安全卫生保护、接受职业技能培训、享受社会保险和福利以及法律规定的其他权利。随着以《中华人民共和国劳动法》为主体的调整劳动关系的法律法规体系的形成，我国逐步建立了劳动合同和集体合同制度、三方协调机制、劳动标准体系、劳动争议处理体制和劳动保障监察制度等制度，与社会主义市场经济相适应的新型劳动关系基本形成。

一、实行劳动合同制度

我国的劳动合同制度自 1986 年 7 月国务院颁布《国营企业实行劳动合同制暂行规定》起开始试点，到 20 世纪 90 年代得到大力推行并在城镇各类企业中广泛实施。1991 年 9 月 25 日，全国劳动制度改革工作会议指出，“八五”期间劳动制度改革重点是进行全员劳动合同制试点。根据《中华人民共和国劳动法》等法律规定，用人单位与劳动者依法建立劳动关系，应该书面订立有固定期限、无固定期限或以完成一定的工作为期限的劳动合同；在订立劳动合同过程中，劳动关系双方必须遵循平等自愿、协商一致的原则。实行劳动合同制度，明确了劳动者与用人单位双方的权利和义务，保障了劳动者择业自主权和用人单位的用人自主权。《中华人民共和国劳动法》贯彻实施一年即成效显著。各地按照法律规定，积极制定劳动合同制的实施方案并组织实施，企业自主用人和劳动者自主择业的新型用工制度基本确立；全国有 80%的企业和职工实行了劳动合同制度，13 个省市全面实行了劳动合同制度。

二、建立集体合同制度

党和政府鼓励企业不断加强职工代表大会和工会的职能，完善职工民主参与制度。为形成企业劳动关系自我协调机制，各地开始探索通过平等协商建立集体合同制度，并加以推广。按照法律法规规定，企业职工可以就劳动报酬、工作时间、休息休假和劳动安全卫生、保险福利等事项，由工会代表或直接推荐职工代表与企业开展平等协商，签订集体合同。平等协商形式多样，集体合同内容丰富。多数企业采取由本单位工会与企业协商签订集体合同的形式。

中华全国总工会要求，工会工作要以贯彻实施《中华人民共和国劳动法》为契机和突破口，以推行平等协商和集体合同制度工作为切入点，抓紧抓好重点工作，以此带动全局工作。中央政治局常委、书记处书记、全国总工会主席尉健行把平等协商和集体合同工作比喻为工会工作的“牛鼻子”。1996 年初，全国总工会正式成立了集体合同办公室。在两年时间里，为推动此项工作，集体合同办公室重点抓了以下工作：一是确定目标、狠抓建制。从 1996 年初，实行全国各省、自治区、直辖市集体合同建制情况季度通报制度。二是典型引路、促进交流。1996 年连续召开两次全国工会集体合同工作电话会议，全国总工会领导同志亲临历次会议，进行动员指导。三是调查研究、分类指导。为了在不同所有制企业中推行集体合同制度，集体合同办公室加大调查研究力度，制定了多项指导意见。四是加强培训、提高素质。从 1997 年始，集体合同办公室分别在云南、北京、江西举办集体合同工作培训班，共培训省一级的集体合同师资 1010 人。之后，各省工会组织实施层层培训，培训出一大批集体合同工作方面骨干队伍。通过全国总工会及各级工会的共同努力，全国推行平等协商和集体合同制度的建制工作取得重大进展。截至 1997 年底，全国建立平等协商和集体合同制度的企业达 236068 家，比 1996 年增长 74.37%；覆盖职工达 6072 万人，比 1996 年增长 59.79%。[①] 集体合同制度不仅在非国有企业推广，而且在国有企业的改革过程中也得到逐步推行。截至 2001 年底，全国企业签订并报送劳动和社会保障行政部门备案的集体合同达 27 万份。

三、建立三方协调机制

在党中央领导下，我国积极建立符合自己国情的政府、工会和企业三方协调机制。这种协调机制，由各级政府劳动和社会保障部门、工会组织、企业组织派出代表，组成协调机构，对涉及劳动关系的重大问题进行沟通和协商，对拟订有关劳动和社会保障法规以及涉及三方利益调整的重大改革方案和政策措施提出建议。

1996 年 9 月，全国人大常委会组织了《中华人民共和国劳动法》颁布后的首次执法检查。在检查过程中，执法检查组明确要求，要积极推行工会代表职工同企业平等协商、签订集体合同的制度，逐步建立由政府劳动行政部门、工会和企业三方组成的协调机制。2001 年 8 月，劳动和社会保障部同中华全国总工会、中国企业联合会建立了国家协调劳动关系三方会议制度，并召开了第一次国家级协调劳动关系三方会议，使中国的劳动关系协调工作有了一个较为规范和稳定的工作机制。随后，北京、天津、河北、山西、江苏等十多个省、直辖市以及深圳、大连等城市相继建立了地区性劳动关系三方协调机制。其中，山西、江苏等省还在省、地（市）、县（区）三个层次建立了三方协调机制。

---

① 袁建达：《工会：落实总体思路》，《人民日报》1998 年 9 月 26 日。

四、完善劳动标准体系

党和政府重视合理确定、依法公布、适时调整劳动标准，保障劳动者合法权益，促进经济和社会发展，初步形成了以《中华人民共和国劳动法》为核心，内容涉及工时、休息休假、工资、禁止使用童工、女职工和未成年工特殊劳动保护、劳动定额、职业安全卫生等方面的劳动标准体系，并根据经济和社会的发展不断调整和完善。

为保证劳动者享有正常工作和休息休假的权益，20世纪90年代中期，我国先后两次缩短法定工作时间，从原先的每周工作48小时调整到每周工作44小时，再调整到每周工作40小时；法定节假日由7天增加到10天，每年形成3个黄金周。职工每年的累计休息时间由原来的59天增加到114天。[①]用人单位延长工作时间时，必须与工会和劳动者协商，一般每日不得超过1小时，特殊原因每日不得超过3小时，每月不得超过36小时。在休息休假方面，劳动者依法享有法定节假日及每周至少休息1日的权利。

国家禁止未满16周岁的未成年人就业，严格查处非法使用童工的行为。对于女职工和未成年工（年满16周岁，未满18周岁），国家禁止用人单位安排他们从事国家明确规定禁止从事的劳动。在职业安全卫生方面制定了国家标准、行业标准和地方标准。为了完善职业安全卫生管理制度，1999年10月，中华人民共和国国家经济贸易委员会（简称“国家经贸委”）颁布了《职业安全卫生管理体系试行标准》，并开展了认证工作。截至2001年底，共制定国家和行业劳动定额定员标准200多项，公布了职业分类标准和职业技能标准等其他劳动标准。

为保证劳动标准的科学性和合理性，并使其得到顺利实施，在制定、公布和调整劳动标准过程中，国务院和有关部门都要向工会组织、企业组织以及专家学者广泛征求意见。我国一贯主张劳动标准必须与本国经济和

---

① 《十三届四中全会以来就业和社会保障改革的历史性成就》，《人民日报》2002年9月29日。

社会发展水平相协调，保障基本人权，促进国民经济发展和社会进步，并在此基础上逐步提高水平。我国还重视国际社会关于制定和实施劳动标准的经验，并结合本国经济和社会发展的实际，适时加入有关国际劳工公约。例如，1990 年 9 月，第七届全国人民代表大会常务委员会第十五次会议决定，批准 1951 年第三十四届国际劳工组织大会通过的《男女工人同工同酬公约》和 1976 年第六十一届国际劳工组织大会通过的《三方协商促进实施国际劳工标准公约》；2001 年 5 月，中华人民共和国劳动和社会保障部和国际劳工局签署了合作谅解备忘录。根据备忘录，中国与国际劳工局之间将在劳动和社会保障的各个领域开展全面合作，这有助于中国在劳动保障领域扩大对外交流和在深化劳动社会保障改革中借鉴国际经验。

五、健全劳动争议处理体制

党和政府主张及时依法处理劳动纠纷，推动建立劳动争议处理机构，充实劳动争议处理人员，以维护当事人双方的合法权益，并提倡和支持劳动争议双方采取自行协商的方式解决争议。按照法律法规规定，劳动者与企业发生劳动争议后，当事人一方可向企业内部劳动争议调解委员会申请调解，调解不成或当事人不愿意进行调解时，也可向当地劳动争议仲裁委员会申请仲裁；当事人对仲裁机构的仲裁裁决不服，可向人民法院提起诉讼。截至 1995 年底，全国各级仲裁委员会组建率达到 98%，各级仲裁委员会按照《中华人民共和国劳动法》的规定妥善处理了大量劳动争议案件。据不完全统计，1995 年前三季度，各级仲裁委员会共受理劳动争议案件 19161 件，结案 17025 件，占受理总数的 88.9%。[①]

截至 2001 年底，全国共建立县级以上（含县级）劳动争议仲裁委员会 3192 个，专职和兼职劳动仲裁员近 2 万人。从 1993 年 8 月 1 日《中华人民共和国企业劳动争议处理条例》公布至 2001 年底，全国各级劳动争议仲裁

---

① 《〈劳动法〉实施一年回眸》,《人民日报》1996 年 1 月 5 日。

委员会共立案受理劳动争议案件 68.8 万件，涉及劳动者 236.8 万人，结案率始终保持在 90%以上。此外，各级劳动争议仲裁委员会还以非立案方式处理劳动争议 50.3 万件。[①]

六、建立劳动保障监察制度

自 1993 年起，我国逐步建立劳动保障监察制度。《中华人民共和国劳动法》《中华人民共和国行政处罚法》等法律法规规定了劳动保障监察机构的职责和工作程序。劳动和社会保障行政部门依法对用人单位遵守劳动和社会保障法律法规的情况进行监督检查，对违反劳动和社会保障法律法规的行为有权制止、责令改正，并可依法给予警告、罚款等行政处罚。任何组织和个人对于违反劳动和社会保障法律法规的行为都有权检举和控告；当事人认为劳动和社会保障行政部门在实施监察执法时侵犯了其合法权益，可以提起行政复议或行政诉讼。

我国各级劳动和社会保障部门按照依法行政、严格执法的原则，不断加强劳动和社会保障行政执法力度，建立健全劳动保障监察组织。截至 2001 年底，全国共建立劳动保障监察机构 3174 个，配备劳动保障监察员 4 万人。

七、改革工资收入分配制度

党和政府坚持以按劳分配为主体、多种分配方式并存的制度，体现效率优先、兼顾公平的原则。通过改革工资制度，发挥市场机制对工资收入的调节作用，劳动者的工资收入水平随着经济发展和企业效益的增长相应提高。1989 年至 2002 年这十三年间，国家先后 7 次提高工资，城镇居民收入明显增加。1990 年，职工年平均工资为 2140 元，1994 年上升到 4538 元，扣除物价上涨因素后，职工实际工资平均每年增长 64%。1999 年，城镇在

① 国务院新闻办公室：《中国的劳动和社会保障状况》，《人民日报》2002 年 4 月 30 日。

岗职工工资总额为9875.5亿元，比上年增长6.2%；城镇在岗职工平均工资为8346元，比上年增长11.6%，扣除价格因素，实际增长13.1%。2001年，城镇在岗职工工资总额达11831亿元，比上年增长11%；城镇在岗职工平均工资为10870元，比上年增长16%，扣除价格因素，实际增长15.2%。

与此同时，《中华人民共和国劳动法》和《企业最低工资规定》（1993年11月24日劳动部发布）、《工资支付暂行规定》（1994年12月6日劳动部发布）等法律法规，对规范工资分配行为作出了明确规定。2000年，劳动和社会保障部制定了《进一步深化企业内部分配制度改革的指导意见》和《工资集体协商试行办法》，依法制定和适时调整最低工资标准，规范工资支付办法，定期向社会发布工资指导线、劳动力市场工资指导价位和人工成本信息，鼓励企业试行工资集体协商制度，引导企业采用灵活多样的工资制度和分配形式，维护企业的工资分配自主权和劳动者依法获得劳动报酬的权利。截至2001年底，全国基本建立了最低工资制度，有1万多户企业开展工资集体协商试点，26个省、自治区、直辖市发布了工资指导线，88个城市发布了劳动力市场工资指导价位。

第三节　建立和完善社会保障制度

1992年确定建立社会主义市场经济体制改革目标以后，为促进经济发展和社会稳定，逐步提高广大人民群众的生活水平和社会保障待遇，在党中央领导下，我国致力于建设一个与社会主义市场经济体制相适应的健全的社会保障体系。

为加强各项社会保障制度的统一规划和社会保障基金的管理、监督，党和政府对社会保障管理体制进行了一系列改革。把过去由多个行政部门分别管理的社会保险转变为由劳动和社会保障行政部门统一管理，各级劳动和社会保障行政部门也建立了相应的社会保险经办机构，承担社会保险具体事务的管理工作。过去由企业承担的社会保险事务逐步转变为由社会机构管理，即社会保险待遇实行社会化发放，社会保险对象实行社区管理。党和政府加强了对社会保险基金的行政管理和社会监督工作。社会保险基金被纳入财政专户，实行收支两条线管理，专款专用。各级劳动和社会保障行政部门专门设立了社会保险基金监督机构，负责对社会保险基金的征缴、管理和支付进行监督、检查，对违法违规问题进行查处。此外，党和政府还通过强化基金征缴和提高社会保障支出占财政支出的比重等一系列措施，努力拓宽社会保障资金的来源。仅 2001 年一年，中央财政用于社会保障支出的资金就达 982 亿元，是 1998 年的 5.18 倍。我国专门成立了全国社会保障基金理事会，负责通过减持国有股所获资金、中央财政投入的资金及其他各种方式筹集的社会保障资金的运营和管理。

1998 年以后，党和政府采取了“两个确保”措施。一是确保国有企业下岗职工的基本生活，在国有企业普遍建立下岗职工再就业服务中心，由再就业服务中心为下岗职工发放基本生活费，并为他们缴纳社会保险费，所需资金由政府、企业和社会（主要是失业保险基金）三方面共同筹集。同时，组织下岗职工参加职业指导和再就业培训，引导和帮助他们实现再就业。二是确保离退休人员的基本生活，保证按时足额发放基本养老金。为保证“两个确保”的实施，党和政府提出了与“两个确保”相衔接的“三条保障线”政策：国有企业下岗职工在再就业服务中心最长可领取三年的基本生活费；三年期满仍未实现再就业的，可继续领取失业保险金，领取时间最长为两年；享受失业保险金期满仍未就业的，可申请领取城市居民最低生活保障金。到 2001 年，绝大多数国有企业下岗职工领到基本生活费，离退休人员养老金基本实现按时足额发放。“两个确保”的实施，为维护下岗职工、离退休人员的合法权益和社会稳定发挥了重大作用。

一、养老保险制度

从 1984 年开始，国家在全民所有制企业进行了养老保险制度改革试点。

1991 年 6 月 26 日，《国务院关于企业职工养老保险制度改革的决定》（以下简称《决定》）发布，养老保险制度改革由自发试点进入有组织的设计阶段。《决定》要求改变养老保险完全由国家、企业包下来的办法，实行国家、企业、个人三方共同负担。

1994 年 12 月 27 日至 29 日，全国城镇企业职工养老保险制度改革试点工作会议召开。国务院副总理邹家华在会上讲话指出，要建立有中国特色养老保险制度，把实行社会统筹与个人账户相结合作为首要原则。1995 年 3 月 1 日，颁布《国务院关于深化企业职工养老保险制度改革的通知》，同时下达了《企业职工基本养老保险社会统筹与个人账户相结合实施办法》，确立建立社会统筹与个人账户相结合的基本养老保险模式，进一步扩大了养老保险的实施范围，同时确定了基本养老金定期调整的机制，以保障企业离退休人员的基本生活。同年 12 月 29 日，《劳动部关于建立企业补充养老保险制度的意见》出台，使得企业补充养老金保险进入规范化运作阶段。但在一些供养人口比例很高的老工业城市，企业缴纳社会统筹的负担很重。而一些新兴城市，则统筹收费率较低，新老城市处在不平等竞争的地位。养老制度的这种缺陷导致参加养老保险的企业出现拖欠或逃避缴费的倾向。经济状况较好、员工年龄结构轻的行业为了避免高缴费，退出公共养老金，建立本行业的养老金计划，导致公共养老金财务上更加捉襟见肘。而非国有企业特别是民营企业和“三资”企业，认为由他们缴纳社会统筹来对老职工作出补偿是不公平的，也不愿参加。

为了解决这些问题，1997 年 7 月 16 日，颁布《国务院关于建立统一的企业职工基本养老保险制度的决定》（以下简称《决定》），开始在全国建立统一的城镇企业职工基本养老保险制度。《决定》规定，企业缴费比例不得超过工资总额的 20%，个人缴费比例 1997 年不低于工资基数的 4%，以后每两年提高 1 个百分点，最终达到 8%；职工缴费全部计入个人账户，企业缴费一部分进入个人账户，使个人账户合计达到职工的 11%，其余部分作为社会统筹。基本养老金由基础养老金和个人账户养老金组成，其发放办法采取“老人”老办法，“中人”中办法，新人新办法。即对《决定》实施后参加工作的职工，只要个人缴费年限累计满 15 年的，退休后就可按月发给。其中基础养老金月标准为省、自治区、直辖市或地（市）上年度职工月平均工资的 20%，个人账户养老金月标准为本人账户储存额除以 120。《决定》实施前参加工作的职工，已离退休的仍按老办法执行，即按原规定发给养老金。《决定》实施前参加工作，实施后退休，且个人缴费（包括视同缴费）年限累计满 15 年的人员，在发给基础养老金和个人账户养老金的基础上，再加上过渡性养老金。到 1997 年底，国有企业养老保险费全部实现了市县级统筹，集体企业职工实行社会统筹的达到近 2000 个县市，非公有制企业也开始逐步纳入统筹范围。企业集团和骨干行业中普遍建立了企业补充养老保险制度。全国参加基本养老保险费用统筹的企业职工达到 8671 万人，企业离退休人员 2533 万人，分别占企业职工总数的 85% 和离退休人员总数的 98% 以上。1996 年，全国共收缴基本养老保险基金 1200 亿元，支付 1080 亿元，累计结余 550 亿元。

经过几年的推进，基本养老保险的参保职工由 1997 年末的 8671 万人增加到 2001 年末的 10802 万人；领取基本养老金人数由 2533 万人增加到 3381 万人，平均月基本养老金也由 430 元增加到 556 元。为确保基本养老金的按时足额发放，国家努力提高基本养老保险基金的统筹层次，逐步实行省级统筹，不断加大对基本养老保险基金的财政投入。1998 年至 2001 年，仅中央财政对基本养老保险补贴支出就达 861 亿元。基本实现了基本养老金由社会服务机构（如银行、邮局）发放，2001 年基本养老金社会化发放率达到 98%。[①] 此外，机关事业单位职工和离退休人员仍实行原有的养老保障制度。

中华人民共和国成立后，对于农村无儿女、无依靠的老人实行“五保供养”（保吃、保穿、保住、保医、保葬）制度，并在许多地方建立了“敬老院”。从 1991 年开始，民政部着手进行农村养老保险的试点工作，农村养

① 国务院新闻办公室：《中国的劳动和社会保障状况》，《人民日报》2002 年 4 月 30 日。

老保险制度实行基金积累的个人账户模式。截至1995年底，全国有1500个县（市）开展了农村养老保险，参加养老保险的农村人口近5000万人。[①]

二、医疗保险制度

中华人民共和国成立后，一直在国有单位实行公费医疗制度，个人和医疗单位吃国家“大锅饭”问题十分严重。1988年，国家开始对机关事业单位的公费医疗制度和国有企业的劳保医疗制度进行改革。

根据党的十四大和十四届三中全会精神，1994年4月14日，国家体改委、财政部、劳动部、卫生部印发《关于职工医疗制度改革的试点意见》确定先在江苏镇江、江西九江进行社会统筹与个人账户相结合的社会医疗保险制度的试点，为全国医疗保险制度改革探索经验。其基本内容为建立职工个人医疗账户和社会统筹基金，费用由用人单位和个人共同缴纳。用人单位缴费按本地区前三年职工医疗费用实际支出占职工工资总额与离退休人员费用总额之和的比例确定，最高不超过10%，个人缴费先按本人工资收入的1%缴纳，以后逐步提高。个人所缴费用和用人单位缴纳的保险费的一部分（一般不少于一半），以职工本人工资为计算基数划入个人医疗账户，专款专用；用人单位缴纳的另一部分，则作为社会统筹医疗基金。职工有病需要的医疗费用，先从个人账户支付，如不够，先由职工自付，按年度进行结算，超过本人年工资收入5%以上部分，由社会统筹医疗基金支付。1996年5月，国务院转发《关于职工医疗保险制度改革扩大试点的意见》。根据各省、自治区和直辖市的申报，至1997年试点扩大到58个城市，全国有29万职工和74万离退休人员参加统账结合的改革，1121万职工和171万离退休人员参加了大病统筹和离退休人员医疗费用统筹。

在总结各地经验的基础上，1998年11月26日至27日，全国城镇职工医疗保险制度改革工作会议召开。会议决定，自1999年起，在全国范围内

① 国务院新闻办公室：《中国人权事业的进展》，《人民日报》1995年12月28日。

进行城镇职工医疗保险制度改革，于当年底完成。1998 年 12 月 14 日，《国务院关于建立城镇职工基本医疗保险制度的决定》（以下简称《决定》）颁布，开始在全国建立城镇职工基本医疗保险制度。《决定》明确了改革应遵循的四大原则，即基本保障原则、广泛覆盖原则、双方负担原则、统账结合原则。明确新的基本医疗保险制度与公费、劳保医疗制度的根本区别在于：一是改变过去国家承担无限责任和福利保障，转为保障职工基本医疗、权利与义务相对应的社会保险；二是增加了个人自我保障责任，规定用人单位缴费率控制在职工工资总额的 6%左右，职工缴费率一般为本人工资收入的 2% ；三是改变过去各个单位分散管理、单位自我保障，转为社会化管理、社会共济，实现医疗保险基金的统筹共济；四是实行社会统筹和个人账户相结合，建立医、患、保三方制约机制，建立稳定的医疗费用筹资机制。

为保障参保职工享有基本的医疗服务并有效控制医疗费用的过快增长，国家加强了对医疗服务的管理，制定了基本医疗保险药品目录、诊疗项目和医疗服务设施标准，对提供基本医疗保险服务的医疗机构、药店进行资格认定并允许参保职工进行选择。为配合基本医疗保险制度改革，国家同时推动医疗机构和药品生产流通体制的改革。通过建立医疗机构之间的竞争机制和药品生产流通的市场运行机制，努力实现“用比较低廉的费用提供比较优质的医疗服务”的目标。

在基本医疗保险之外，各地还普遍建立了大额医疗费用互助制度，以解决社会统筹基金最高支付限额之上的医疗费用。国家为公务员建立了医疗补助制度。有条件的企业可以为职工建立企业补充医疗保险。国家还逐步建立了社会医疗救助制度，为贫困人口提供基本医疗保障。

在党中央、国务院领导下，我国基本医疗保险制度改革稳步推进，基本医疗保险的覆盖范围不断扩大。到 2001 年底，全国 349 个地级以上统筹地区中，有 339 个统筹地区组织实施了基本医疗保险制度改革，登记参保人数达 7630 万人，全国基本医疗保险基金滚存结余 253 亿元。到 2002 年 8 月底，医疗保险制度改革覆盖人数达到 8200 万人，取得了阶段性成果。此外，公费医疗和其他形式的医疗保障制度还覆盖了 1 亿多的城镇人口，各级政府也逐步将这些人口纳入到基本医疗保险制度中。

医疗保险制度改革的实行，从制度上有效保障了参保职工的基本医疗，满足了不同人群的不同医疗需求，解决了过去公费、劳保医疗制度下长期存在的拖欠职工医疗费的问题，解除了职工的后顾之忧。医疗费用初步得到控制。

在城镇改革医疗制度的同时，根据《中共中央关于建立社会主义市场经济体制若干问题的决定》中提出的要“发展和完善农村合作医疗制度”指示，曾经给广大农民带来巨大好处并获世界好评的农村合作医疗制度的重建问题，提上了议事日程。到 1996 年加入合作医疗的人口占农村总人口的 10.1%。1997 年 5 月，国务院批转卫生部等部门《关于发展和完善农村合作医疗的若干意见》(以下简称《意见》)。《意见》指出，举办农村合作医疗，要坚持民办公助、自愿量力、因地制宜的原则。筹资以个人投入为主，集体扶持，政府适当支持，继续推动农村合作医疗事业发展。2002 年 10 月 30 日，《中共中央、国务院关于进一步加强农村卫生工作的决定》出台，提出要建立以大病统筹为主的新型农村合作医疗制度，重点解决农民因患传染病、地方病等大病而出现的因病致贫、返贫问题。其特色为“财政补助”加“农民自愿”。

三、失业保险制度

在中华人民共和国成立初期，曾实行过短暂的失业救济制度。此后，在计划经济体制下，由于实行统包统配的就业制度，失业救济制度逐步被取消。改革开放后，为适应国有企业经营机制的转换和劳动制度的重大改革，1986 年国务院颁布《国营企业职工待业保险暂行规定》，开始逐步建立失业保险制度，为职工失业后的基本生活提供保障。经过几年实践，1993

年，《国有企业职工待业保险规定》正式出台。

随着形势发展，为适应建立社会主义市场经济体制的需要，在总结十多年来实施失业保险经验的基础上，1999 年 1 月，国务院颁布了《失业保险条例》（以下简称《条例》）。《条例》明确将“待业保险”更名为“失业保险”，从而把失业保险制度建设推进到一个新的发展阶段。失业保险覆盖城镇所有企业、事业单位及其职工；所有企业、事业单位及其职工必须缴纳失业保险费。单位的缴费比例为工资总额的 2%，个人缴费比例为本人工资的 1%。享受失业保险待遇需满足三方面的条件：（1）缴纳失业保险费满 1 年；（2）非因本人意愿中断就业；（3）已经办理失业登记并有求职要求。失业保险待遇主要是失业保险金。失业保险金按月发放，标准低于最低工资标准、高于城市居民最低生活保障标准。领取失业保险金的期限根据缴费年限确定，最长为 24 个月。失业者在领取失业保险金期间患病，还可领取医疗补助金；失业者在领取失业保险金期间死亡，其遗属可领取丧葬补助金和遗属抚恤金。此外，失业者在领取失业保险金期间还可接受职业培训和享受职业介绍补贴。

在制度设计的引领和规范下，失业保险的覆盖面不断扩大，保障对象不断增加。1998 年到 2001 年，失业保险参保人数由 7928 万人扩大到 10355 万人，2001 年末领取失业保险金的人数为 312 万人。随着失业保险制度的完善，国有企业下岗职工基本生活保障制度逐步纳入失业保险。

四、其他社会保障制度

工伤保险制度。20 世纪 80 年代末，我国开始对工伤保险进行改革。1996 年 8 月，劳动部出台了《企业职工工伤保险试行办法》，开始在部分地区建立工伤保险制度。同时还制定了《职工工伤与职业病致残程度鉴定标准》，为职工鉴定工伤和职业病致残程度提供了依据。《企业职工工伤保险试行办法》规定，工伤保险费由企业缴纳，职工个人不缴费。工伤保险缴费实行行业差别费率和企业浮动费率。根据不同行业的工伤事故风险和职业危害程度确定不同的行业费率；在行业费率的基础上，根据企业上一年实际的工伤事故风险和工伤保险基金支出情况确定每个企业当年的具体费率。工伤保险基金支付的待遇主要包括：工伤医疗期发生的医疗费用；工伤医疗期结束后根据劳动能力丧失程度确定的伤残补助金、抚恤金、伤残护理费等。2001 年底，全国平均工伤保险费率为 1%，参加工伤保险的职工达 4345 万人。没有参加工伤保险的单位，仍由该单位承担支付工伤待遇的责任。

生育保险制度。自 1988 年起，我国一些地区开始进行企业生育保险制度的改革。1994 年 12 月，在总结各地经验的基础上，劳动部制定了《企业职工生育保险试行办法》。其中规定，生育保险费由企业缴纳，职工个人不缴费。生育保险支付待遇主要包括：因生育发生的医疗费用和产假期间按月发放的生育津贴等。2001 年底，全国平均生育保险费率为 0.7%，参加生育保险的职工达 3455 万人。没有参加生育保险的单位，仍由该单位承担支付生育待遇的责任。

最低生活保障制度。中华人民共和国成立初期就建立了针对城乡贫困居民的社会救济制度。1993 年，我国开始对城市社会救济制度进行改革。同年 6 月，上海市率先建立城市居民最低生活保障制度。在 1994 年召开的第十次全国民政会议上，民政部肯定了“上海经验”，确定“对城市社会救济对象逐步实行按当地最低生活保障线标准进行救济”的改革目标，部署在东部沿海地区进行试点。1996 年初召开的民政厅局长会议决定，进一步加大力度，推行最低生活保障制度。1997 年 9 月 2 日，国务院印发《国务院关于在全国建立城市居民最低生活保障制度的通知》。9 月 3 日，国务院召开全国电视电话会议，部署在全国建立城市居民最低生活保障制度的工作，决定从 1997 年起到 1999 年底，在全国逐步建立起这一制度，使城市居民的基本生活得到保障。1999 年 9 月 28 日，国务院正式颁布《城市居民最低生活保障条例》，为城市所有居民提供最基本的生活保障。城市居民最低生活保障资金由地方人民政府列入财政预算。地方政府根据当地维持城市居民基本生活所必需的费用来确定最低生活保障标准。家庭人均收入低于最低生活保障标准的城市居民均可申请领取最低生活保障待遇。城市居民领取最低生活保障待遇需要经过家庭收入调查，领取的待遇水平为家庭人均收入与最低生活保障标准的差额部分。2001 年，全国领取城市最低生活保障金的人数达 1170.7 万人，中央财政投入用于发放最低生活保障待遇的资金为 23.01 亿元。部分农村地区也开始建立最低生活保障制度。

社会福利制度。社会福利制度是指政府出资为那些生活困难的老人、孤儿和残疾人等特殊困难群体提供生活保障而建立的制度。为保障特殊困难群体的生活权益，国家颁布了《中华人民共和国老年人权益保障法》（1996 年 8 月）、《中华人民共和国残疾人保障法》（1990 年 12 月）和《农村五保供养工作条例》（1994 年 1 月）等法律法规。有关法律法规规定：对城市孤寡老人、符合供养条件的残疾人和孤儿实行集中供养，对农村孤寡老人、符合供养条件的残疾人和孤儿实行集中供养与分散供养相结合；集中供养一般通过举办社会福利院、敬老院、疗养院、儿童福利院等福利机构进行；对于残疾人，通过政府的优惠政策来兴办多种形式的社会福利企业，帮助适合参加劳动的残疾人获得就业机会。截至 2001 年底，全国有政府举办的社会福利机构 3327 个，收养了 19.1 万人；集体举办的社会福利机构 3.5 万个，收养了 66.8 万人；民办社会福利机构 934 家，收养了 3.4 万人；社会福利企业 3.8 万家，安置残疾职工 69.9 万人。此外，国家还通过发行社会福利彩票募集资金支持社会福利事业。2001 年，福利事业共募集资金 42 亿元。

优抚安置制度。优抚安置制度是指对国家和社会有功劳的特殊社会群体给予补偿和褒扬的一种制度。截至 2001 年底，我国有 3800 多万优抚安置对象。为保障优抚安置对象的权益，国家陆续颁布了《军人抚恤优待条例》（1988 年 7 月）、《中国人民解放军士官退出现役安置暂行办法》（1999 年 12 月）等法规。这些法规规定：对于牺牲军人家属、革命伤残军人、老复员军人等重点优抚对象实行定期定量补助；对义务兵家属普遍发放优待金；对革命伤残军人等重点优抚对象实行医疗费用减免；城镇退役士兵可享受政府一次性就业安置，对自谋职业的安置对象发给一次性经济补助。1996年至2001年，国家各级财政累计投入抚恤资金为292亿元。

灾害救助制度。我国是一个自然灾害频繁的国家，大的水灾、旱灾、风灾、冰雹灾等自然灾害不断，严重影响了人民生活。为做好灾民的救助工作，国家建立了针对突发性自然灾害的社会救助制度。各级政府每年都在财政预算中安排救灾支出，用于安置和救济灾民。1996年至2001年，全国各级财政救灾支出达到212.6亿元，向3.9亿人次的灾民提供粮食、衣被等救助，灾害救助制度有力地保障了灾区人民的基本生活。

社会互助制度。邻里互助是中华民族的优良传统。1999年颁布的《中华人民共和国公益事业捐赠法》，对社会捐赠活动的经常化、制度化进行了立法规范和鼓励。2001年，民政部门接收的社会捐赠（含捐赠物资折款）金额为15.9亿元。党和政府还积极倡导机关、企事业单位、社会团体有组织地帮助和扶持贫困户脱贫致富。基层政府通过兴办社区服务业，为贫困对象提供照顾和服务。自1994年起，全国各级工会组织每年开展对困难职工家庭的“送温暖”活动。几年间，共筹集慰问款104.4亿元，走访慰问了3975万户次困难职工、劳动模范、离退休职工和伤病残职工家庭。

经过十几年的努力，我国社会保障体系逐步完善。到2001年底，全国参加基本养老保险的职工达1.4亿人，为1990年参保职工人数的2倍。1998年至2002年6月底，全国国有企业累计下岗职工2600多万人，90%以上下岗职工进入再就业服务中心，基本能按时领到基本生活费；有1700多万人通过各种渠道和方式先后实现了再就业。城市和县级人民政府所在地的镇全部建立了城市居民最低生活保障制度，有1931万人领取了最低生活保障金。①

① 林兆木：《取得重大历史性成就的十三年》，《人民日报》2002年11月26日。

第四节 推进住房制度改革

在分配和社会保障制度改革取得进展的同时，与其密切相关的住房制度改革，也在积极推进。

在计划经济时期，我国住房制度长期以“福利制、供给制”为特征。1978年改革开放以后，随着多种经济成分的形成和市场化的进展，这种机制显然已经不能适应城市化的要求和城市居民消费的需要。1988年2月25日，国务院印发《国务院住房制度改革领导小组关于在全国城镇分期分批推行住房制度改革的实施方案》。决定从当年起用三五年的时间，在城镇分期分批推行住房制度改革。

1991年11月，国务院同意了住房制度改革领导小组提出的《关于全面推进城镇住房制度改革的意见》（以下简称《意见》）。《意见》指出，城镇住房制度改革是经济体制改革的重要组成部分，其根本目的是要缓解居民住房困难，不断改善住房条件，正确引导消费，逐步实现住房商品化，发展房地产业。按照社会主义有计划的商品经济的要求，从改革公房低租金制度着手，将现行公房的实物福利分配制度逐步转变为货币工资分配制度，由住户通过商品交换（买房或租房），取得住房的所有权或使用权，使住房这种特殊商品进入消费品市场。《意见》明确了我国住房改革的方向，吹响了房地产业快速发展的号角。

1992年3月至4月，第七届全国人民代表大会举行第五次会议。李鹏在大会上作《政府工作报告》时指出：“住房和社会保障制度的改革要迈出较大步伐。进行这些方面的改革，人民群众既是受益者，也要承担相应的义务，难度比较大，但经过前一段的试点，已经逐渐为广大群众理解和接受。由于各地经济发展水平不同，在进行这些改革时，国家只提出统一的方针，各地可因地制宜地制定具体政策，不搞‘一刀切’。各种社会保险事业对促进经济发展和保障社会稳定具有重要意义，应当更加积极地加以发展。”1992 年 11 月，国务院下发《国务院关于发展房地产业若干问题的通知》，将房地产业定性为一个新兴产业，是第三产业的重要组成部分。

根据党的十四届三中全会精神，在总结各地试点和全国初步推行住房改革经验的基础上，1994 年 7 月 18 日，国务院颁布了《国务院关于深化城镇住房制度改革的决定》（以下简称《决定》）。《决定》明确了住房改革的基本内容，即三方合理负担，社会方式运行，货币形式分配，两种供应体系，普建公积金制，发展住房金融，规范交易市场。三方合理负担，是指改变住房建设投资由国家、单位统包的体制，实行国家、单位、个人三者合理负担的体制。社会方式运行，是指改变各单位建房、分房和维修、管理住房的体制，实行社会化、专业化运行的体制。货币形式分配，是指改变住房福利性实物分配的体制，实行工资性货币分配体制。两种供应体系，是指建立以一般收入家庭为对象、具有社会保障性质的经济适用住房供应体系和以高收入家庭为对象的商品房供应体系。普建公积金制，是指全面推行住房公积金制度。发展住房金融，是指开办住房储蓄、购房抵押贷款、分期付款和住房保险等，建立政策性和商业性并存的住房信贷体系。规范交易市场，是指建立规范化的房地产交易市场，发展房屋管理和装饰、维修等服务组织，完善相应的管理体制和税收制度。《决定》指出，住房改革的近期任务是全面推行住房公积金制度，积极推进租金改革，稳步出售公有住房，大力发展房地产交易市场和社会化的房屋维修、管理市场，加快经济适用住房建设，到本世纪末初步建立起新的城镇住房制度，使城镇居民住房达到小康水平。《决定》的出台，开启了城镇住房商品化的大门。

与此同时，为加强对城市房地产的管理，维护房地产市场秩序，保障房地产权利人的合法权益，促进房地产业的健康发展，1994 年 7 月，八届全国人大常委会第八次会议通过了《中华人民共和国城市房地产管理法》，自 1995 年 1 月 1 日起施行。

此后几年的住房制度改革，除发展房地产业和房地产市场外，一是建立住房公积金制度，至 1997 年全国公积金累积金额达 800 亿元。与此相适应的是银行开始办理分期付款等业务，以促进居民购房。二是提租与售房并举，加速住房商品化。但提租面临许多实际困难，已提租金赶不上物价上涨，如大幅提租，财政和居民又难以承担。为此，决定以出售公房为侧重点，以加快住房商品化、社会化。三是物业管理初具规模，装饰、维修逐步纳入规范管理。在肯定成绩的同时也要看到，这一时期也出现了房地产规模迅速扩张的问题。新问题只能通过进一步改革来解决。1997 年 1 月，全国住房制度改革工作会议在成都召开。国务院副总理朱镕基在会上强调，必须坚决推行、完善住房公积金制度，采取相应的配套政策措施，引导并实行住房商品化。1997 年，党的十五大报告指出："建立城镇住房公积金，加快改革住房制度。"

1998 年 3 月，在九届全国人大一次会议上，朱镕基总理明确把住房制度改革作为要抓的"五项改革"（粮食流通、投资融资、住房、医疗、财政税收）之一。他指出："我们必须把现行的福利分房政策改为货币化、商品化的住房政策，让人民群众自己买房子。整个房改方案已酝酿三年多。我们准备今年下半年出台新的政策，停止福利分房，住房分配一律改为商品化。"

1998 年 6 月 15 日至 17 日，全国城镇住房制度改革与住宅建设工作会议召开。会议指出，深化城镇住房制度改革的指导思想是：稳步推进住房商品化、社会化，逐步建立适应社会主义市场经济体制和我国国情的城镇住房新制度；加快住房建设，促使住宅业成为新的经济增长点，不断满足城镇居民日益增长的住房需求。7 月 3 日，《国务院关于进一步深化城镇住房制度改革加快住房建设的通知》（以下简称《通知》）颁布。《通知》要求，停止住房实物分配，逐步实行住房分配货币化；建立和完善以经济适用住房为主的住房供应体系；继续推进现有公有住房改革，培育和规范住房交易市场；采取扶持政策，加快经济适用住房建设；发展住房金融；加强住房物业管理；加强领导，统筹安排，保证改革的顺利实施。7 月 20 日，国务院发布《城市房地产开发经营管理条例》（以下简称《条例》）。《条例》指出，房地产开发经营应当按照经济效益、社会效益、环境效益相统一的原则，实行全面规划、合理布局、综合开发、配套建设。

实行住房公积金制度，是深化城镇住房制度改革的重要步骤和措施。住房公积金包括职工个人缴存部分和职工所在单位缴存部分，属于职工个人所有，用于职工购买、建造、翻建、大修自住住房。1999 年 4 月 3 日，国务院发布《住房公积金管理条例》。根据形势的发展和实践的探索，国务院和有关部门不断加强完善住房公积金制度，加强住房公积金监督管理。2002 年 3 月 24 日，国务院发布《国务院关于修改〈住房公积金管理条例〉的决定》；5 月 13 日，国务院发出《国务院关于进一步加强住房公积金管理的通知》；6 月 19 日，建设部等十部门印发《关于完善住房公积金决策制度的意见》。文件要求，直辖市和省会城市以及其他设区的市、地、州、盟只能设立一个住房公积金管理委员会，对住房公积金实行统一管理、统一制度、统一核算。

进入 21 世纪，我国的住房制度改革也进入全面建立新体制阶段。全国可售公用住房的 60%以上已经出售给居民家庭，城镇居民住房自有率达到 70%，基本上打破了单一的住房公有制，形成了以居民自有产权为主、多种产权形式并存的产权格局；70%的大中城市出台了住房货币化方案，部分省区在县级以上的城镇已开始全面实施这一方案。1979 年到 1999 年，在城镇人口翻一番的情况下，人均居住面积由 3.7 平方米增加到 9.6 平方米，提前五年实现 2000 年人均居住面积 8 平方米的预定目标。[①]

第五节　深化分配和社会保障制度改革

2001 年，我国开始执行国民经济和社会发展第十个五年（2001—2005 年）计划。这时，我国分配和社会保障制度改革既存在需要解决的问题，

① 索研：《住房改革步入全面建立新体制阶段》，《人民日报》2000 年 3 月 31 日。

又面临新的发展机遇。改革开放和现代化建设的全面推进，为解决分配和社会保障问题创造了有利条件；国民经济的进一步发展和经济实力的增强，为扩大收入和发展社会保障事业提供了较为坚实的物质基础；已初步建立的市场导向的就业机制和社会保障体系，为进一步推动分配和社会保障事业的发展奠定了良好基础。同时，党和政府也清醒地看到，在今后较长一个时期，城乡就业矛盾依然突出，结构性失业更加严峻，劳动关系趋于复杂化，人口老龄化和失业人员的增加对社会保障的压力将进一步增强，发展农村社会保障事业任重道远。

“十五”计划就“健全社会保障制度”“深化收入分配制度改革”作出专门阐述。21世纪初期，我国深化分配和社会保障改革的目标是：基本建立起适应中国生产力发展水平、符合社会主义市场经济要求的比较完善的劳动和社会保障制度，使广大劳动者得到较为充分的就业和基本的社会保障，维护劳动者和用人单位的合法权益，提高城乡居民的物质和文化生活水平，促进经济发展和社会稳定。主要任务是：不断提高劳动者素质和改善就业结构，基本形成市场导向的就业机制，努力促进就业增长，规范和完善失业率统计，城镇登记失业率控制在5%以内；积极协调劳动关系，保持劳动关系的和谐稳定；完善收入分配宏观调控体系，保持合理的收入分配关系，城镇居民人均可支配收入和农村居民人均纯收入年均增长5%左右；加快城镇社会保障制度建设，改进筹资方式和运营机制，推进社会保障管理和服务的社会化；在农村，以多种形式的农民养老保障和健康保障为先导，积极探索与社会主义市场经济体制和经济发展水平相适应的基本保障体系，建立帮助弱势群体生活和工作的制度。

为完成目标任务，需要采取的政策措施是：

——实行积极的促进就业政策，千方百计扩大就业规模。继续保持经济较快增长，扩大国内需求，最大限度地创造新的就业机会，增加就业总量。改善劳动力就业结构，大力发展劳动密集型产业和企业，将第三产业、中小企业和非公有制经济作为扩大就业的主要渠道。进一步落实优惠政策，促进下岗失业人员再就业。

——建立统一、规范的劳动力市场，统筹城乡就业，完善就业服务体系。深化劳动人事和户籍管理制度改革，引导劳动力在城乡之间、地区之间有序流动，促进农业剩余劳动力转移。改善公共职业介绍机构的服务，推动民营职业介绍机构健康发展。

——全面提高劳动者素质，实行灵活的就业形式。推行劳动预备制度和就业准入制度，强化职业教育、继续教育和再就业培训，推行职业资格证书制度。重视对农村劳动力的职业技术培训，逐步形成完善的农村职业培训体系。采取灵活的就业形式，提倡自主就业。

——巩固和完善劳动合同制度，大力推进集体合同制度，促进劳动关系三方协调机制的建立。积极开展国家基本劳动标准的制定修订工作，完善适合中国国情的劳动标准体系。进一步完善劳动争议处理制度，不断提高预防和处理劳动争议的综合能力。

——推进工资收入分配制度改革，建立收入分配的激励和约束机制。健全最低工资制度，全面推行工资指导线和劳动力市场工资指导价位制度。继续试行工资集体协商制度，规范工资支付行为，保障职工的劳动报酬权益。

——深化社会保障体制改革，加快社会保障体系建设，积极进行完善社会保障体系试点。建立可靠稳定的社会保障基金筹资机制，调整财政支出结构，增加必要投入，充实保障基金，合理调整缴费率和替代水平，提高社会保障基金运营效率和投资收益率。健全社会保障宏观调控和监督体制，提高管理水平和工作效率，促进社会保障体系稳定、健康和有序运行。

——健全基本养老保险和基本医疗保险制度，鼓励有条件的用人单位为职工建立企业年金和补充医疗保险。进一步完善失业保险制度，将国有企业下岗职工基本生活保障制度纳入失业保险。加快推进工伤保险与生育保险制度建设。完善机关事业单位职工基本养老保险制度。规范城市居民最低生活保障制度。加快社区建设，推进社会保障社会化。探索多种保障形式，推进农村基本保障体系建设。完善社会救济、社会互助、优抚安置和社会福利政策，维护妇女、未成年人、老年人和残疾人的合法权益。

——建立行政监督、社会监督和机构内部控制相结合的社会保障基金监管体系。在建立和完善社会保障制度的同时，探索投资管理的途径，根据不同保障项目资金的管理原则，建立与基金管理体制相配套的基金监督管理制度，努力实现基金保值增值，化解社会保障基金的运行风险，维护社会的安全与稳定。

——加快劳动和社会保障法制建设，完善劳动和社会保障监察制度，不断提高监察执法人员的综合素质，开展多种形式的监察活动，推进劳动保障监察执法与社会各方面实行法律监督的有机结合。加强劳动保障管理信息系统建设和科学研究成果推广工作，提高劳动和社会保障管理的科学化、规范化、法制化、信息化水平。继续积极参与国际劳动和社会保障领域的活动，广泛开展对外合作与交流，进一步发挥中国在国际劳工事务中的促进作用，适应加入世界贸易组织的新形势，努力推动劳动和社会保障事业不断取得新的发展。①

目标明确，措施得力，才会效果显著。2002 年，党的十六大报告专门论述了“深化分配制度改革，健全社会保障体系”，指出：“理顺分配关系，事关广大群众的切身利益和积极性的发挥。调整和规范国家、企业和个人的分配关系。确立劳动、资本、技术和管理等生产要素按贡献参与分配的原则，完善按劳分配为主体、多种分配方式并存的分配制度。坚持效率优先、兼顾公平，既要提倡奉献精神，又要落实分配政策，既要反对平均主义，又要防止收入悬殊。初次分配注重效率，发挥市场的作用，鼓励一部分人通过诚实劳动、合法经营先富起来。再分配注重公平，加强政府对收

① 国务院新闻办公室：《中国的劳动和社会保障状况》，《人民日报》2002 年 4 月 30 日。

入分配的调节职能，调节差距过大的收入。规范分配秩序，合理调节少数垄断性行业的过高收入，取缔非法收入。以共同富裕为目标，扩大中等收入者比重，提高低收入者收入水平。”[①] 报告指出：“建立健全同经济发展水平相适应的社会保障体系，是社会稳定和国家长治久安的重要保证。坚持社会统筹和个人账户相结合，完善城镇职工基本养老保险制度和基本医疗保险制度。健全失业保险制度和城市居民最低生活保障制度。多渠道筹集和积累社会保障基金。各地要根据实际情况合理确定社会保障的标准和水平。发展城乡社会救济和社会福利事业。有条件的地方，探索建立农村养老、医疗保险和最低生活保障制度。”[②]这一论述，既是对过去改革成绩的总结和肯定，也为未来深化改革指明了重点和方向。

总之，以江泽民同志为核心的党中央高度重视分配和社会保障制度改革，经过持续不断努力，推动分配和社会保障工作发生了一系列深刻的历史性变化，按劳分配为主体、多种分配方式并存的分配制度和有中国特色的社会保障体系框架得以基本确立。

---

① 江泽民：《江泽民文选》第三卷，人民出版社 2006 年版，第 550 页。

② 江泽民：《江泽民文选》第三卷，人民出版社 2006 年版，第 550—551 页。

第十章

建设精神文明，推动文化体制改革

党的十三届四中全会之后，以江泽民同志为核心的党中央坚持“两手抓、两手都要硬”的方针，大力加强社会主义精神文明建设。为更好应对发展社会主义市场经济和对外开放给精神文明建设带来的新挑战和新考验，1996 年 10 月，党的十四届六中全会通过了《中共中央关于加强社会主义精神文明建设若干重要问题的决议》，制定了社会主义精神文明建设的总体规划，开创了社会主义精神文明建设的新局面。随着社会主义精神文明建设实践的不断发展，1997 年，党的十五大正式提出了有中国特色社会主义的文化建设的基本纲领，明确指出：“有中国特色社会主义的文化，就其主要内容来说，同改革开放以来我们一贯倡导的社会主义精神文明是一致的。”世纪之交，在“三个代表”重要思想指引下，中国特色社会主义文化建设稳步推进，党的十六大报告专门阐述了“文化建设和文化体制改革”问题，指明了精神文明建设和先进文化建设的前进方向。

第一节 党的十四届六中全会和精神文明建设总体规划的制定

改革开放后，新旧文化、中外思想文化的碰撞，使思想文化建设成为人们关注的一个焦点问题。在这一背景下，党中央提出政治文明和精神文明“两手抓”的方针，确立了社会主义精神文明建设的战略地位。

1992 年邓小平南方谈话和党的十四大提出了建立社会主义市场经济体制的改革目标，把我国改革开放和社会主义现代化建设推向一个新的发展阶段。时代的变化和实践的发展，对社会主义精神文明建设提出了新要求。

党的十四大号召全党坚持“两手抓、两手都要硬”，指出“改革和建设的顺利进行，需要强有力的思想和政治保证”。十四大报告着重阐述了“精神文明重在建设”的方针，强调“应当高度重视理论建设，保障学术自由，注重理论联系实际，创造性地开展研究，繁荣哲学社会科学，坚持和发展马克思主义。加强理论队伍建设，重视中青年理论工作者的培养和提高。坚持‘为人民服务、为社会主义服务’的方向和‘百花齐放、百家争鸣’的方针。积极推进文化体制改革，完善文化事业的有关经济政策，繁荣社会主义文化。要重视社会效益，鼓励创作内容健康向上特别是讴歌改革开放和现代化建设的具有艺术魅力的精神产品。加强新闻、出版、广播、电视和文学艺术等方面的工作。发挥思想政治工作的优势，激发广大群众投身社会主义建设的积极性。在全国各族人民特别是青少年中，进一步加强党的基本路线教育，爱国主义、集体主义和社会主义思想教育，近代史、现代史教育和国情教育，增强民族自尊、自信和自强精神，抵御资本主义和封建主义腐朽思想的侵蚀，树立正确的理想、信念和价值观。各行各业都要重视职业道德建设，逐步形成适合自身特点的职业道德规范，坚决纠正利用职权谋取私利的行业不正之风。加强社会公德教育，大力表彰具有时代精神的模范人物。搞好社区文化、村镇文化、企业文化、校园文化的建设，进一步开展军民共建、警民共建文明单位等群众性活动，把精神文明建设落实到城乡基层。精神文明建设要有相应的物质保障，要通过各种渠道增加投入，并把这方面的设施建设纳入城乡建设总体规划”①。党的十四大报告要求：“各级党委要认真总结改革开放以来的新经验，加强和改进对精神文明建设的领导。我们要继承和发扬中华民族优良的思想文化传统，吸收人类文明发展的一切优秀成果，在生动丰富的社会主义实践中，创造出人类先进的精神文明。我们要为改革开放和现代化建设创造有利环境，培养一代又一代有理想、有道德、有文化、有纪律的新人。”②

宣传思想战线是社会主义现代化建设中的一条重要战线，也是社会主义精神文明建设的重要阵地。改革开放越深化，越需要加强和改进宣传思想工作，越需要加强社会主义精神文明建设。1994 年 1 月，在中央召开的宣传思想工作会议上，江泽民阐述了宣传思想工作的根本指针和主要任务。他指出：“邓小平同志建设有中国特色社会主义的理论是全党各项工作的根本指导方针。宣传思想战线必须牢牢地把握这一根本指针，用以指导自己的全部工作。”他强调指出，宣传思想工作要紧紧围绕这一根本指针，“以科学的理论武装人，以正确的舆论引导人，以高尚的精神塑造人，以优秀的作品鼓舞人，不断培养和造就一代又一代有理想、有道德、有文化、有纪律的社会主义新人，在建设有中国特色社会主义的伟大事业中发挥有力的思想保证和舆论支持作用”③。“一个根本指针，四项重要工作”的提出，形成了宣传思想工作的基本思路。在这次会议上，江泽民明确提出准备召开一次专门研究精神文明建设的会议。他指出，社会主义精神文明建设，涉及各个方面，是一项系统工程，十二届六中全会曾经作了一个决议，现在需要根据新的情况，在已有基础上，经过深入调查研究，争取用两三年时

① 江泽民：《江泽民文选》第一卷，人民出版社 2006 年版，第 238—239 页。

② 江泽民：《江泽民文选》第一卷，人民出版社 2006 年版，第 239 页。

③ 中共中央文献研究室编《十四大以来重要文献选编》（上），中央文献出版社 2011 年版，第 565 页。

间，提出精神文明建设的总体规划、阶段性目标和具体措施。

1996年1月，江泽民在全国宣传部长会议上讲话中，对“以科学的理论武装人，以正确的舆论引导人，以高尚的精神塑造人，以优秀的作品鼓舞人”作进一步阐述并要求贯彻落实到宣传思想战线的各项工作中去。关于“以科学的理论武装人”，江泽民指出，以科学的理论武装人，就是全党同志首先是各级领导干部，必须坚持不懈地学习马克思列宁主义、毛泽东思想，特别是邓小平建设有中国特色社会主义理论。以科学的理论武装人，还有一个重要方面，就是要引导广大党员、干部树立正确的世界观、人生观、价值观。关于“以正确的舆论引导人”，他指出，坚持正确的舆论导向，首先要把握好报刊、通讯社、广播电台、电视台、出版社的宣传方向，把这些阵地牢牢地掌握在我们党手里，掌握在马克思主义者手里。用正确的舆论引导人，最根本的是，动员全党同志和全国各族人民为实现党的基本路线而奋斗，为实现人民群众的根本利益而奋斗，坚定不移地推进建设有中国特色社会主义事业。关于“以高尚的精神塑造人”，江泽民指出，我们说的高尚精神，就是指我们党的崇高理想和信念、优良传统和作风，包括中华民族几千年形成、发展起来的优秀文化传统和美德。要深入进行爱国主义、集体主义、社会主义的宣传教育，把我们党一贯倡导的高尚精神，灌输到广大干部群众的思想和行动中去。关于“以优秀的作品鼓舞人”，他指出，宣传文化工作能不能团结人民、鼓舞人民，很大程度上要看有没有一大批好的精神产品。优秀作品是一个国家、一个时代精神文化水平的集中反映，对精神产品生产具有重要的影响和示范作用。树立正确的创作思想，是出好作品的关键。

与此同时，江泽民强调指出，党的十四届六中全会主要研究精神文明建设问题，要就今后五年到十五年精神文明建设的目标任务、重要政策和主要措施等重大问题作出决议。

党的十四届六中全会的文件起草工作从1996年2月中旬开始。中央确定文件起草的指导思想是：以马克思列宁主义、毛泽东思想和邓小平建设有中国特色社会主义理论为指导，坚持党的基本路线，坚持解放思想、实事求是，着眼于从政治上全局上分析新情况，总结新经验，同今后十五年我国经济和社会发展宏伟蓝图相配套，使文件既有思想理论性，又有针对性和可操作性，起到统一认识、推动工作的作用。

在认真筹备的基础上，1996 年 10 月 7 日至 10 日，党的十四届六中全会胜利召开。全会集中全党和全国人民的智慧，全面深入分析了社会主义精神文明建设面临的形势，总结了经验和教训，通过了《中共中央关于加强社会主义精神文明建设若干重要问题的决议》(以下简称《决议》)。江泽民在会上发表重要讲话，详细阐述了“努力开创社会主义精神文明建设新局面”这一重大课题。他指出，邓小平关于精神文明建设的思想，是建设有中国特色社会主义理论体系的重要组成部分。从邓小平同志的重要指示中，我们应该得到一些重要启示：其一，社会主义社会是全面发展、全面进步的社会。社会主义现代化事业是物质文明和精神文明协调发展、相辅相成的事业，缺少任何一个方面，都不成其为有中国特色的社会主义。其二，社会主义精神文明是社会主义的重要特征。建设高度的社会主义精神文明是社会主义现代化的重要目标。精神文明对物质文明建设起巨大推动作用，并且保证它的正确发展方向。其三，社会主义精神文明建设的根本任务是培养有理想、有道德、有文化、有纪律的社会主义公民。要引导广大干部群众树立崇高的理想和正确的世界观、人生观和价值观。

《中共中央关于加强社会主义精神文明建设若干重要问题的决议》共 7 个部分，30 条。7 个部分分别是：(一) 加强社会主义精神文明建设是一项重大战略任务；(二) 社会主义精神文明建设的指导思想和奋斗目标；(三) 努力提高全民族思想道德素质；(四) 积极发展社会主义文化事业；(五) 深入持久开展群众性精神文明创建活动；(六) 切实增加精神文明建设的投入；(七) 加强和改善党对精神文明建设的领导。《决议》深刻分析了国际国内的形势，在全面地科学地总结精神文明建设经验教训的基础上，在精神文明建设的理论和实践上提出了许多新的重要思想和科学论断，回答了在新的形势下怎样巩固、建设和发展社会主义精神文明等一系列基本问题，使党在战略上、理论上对精神文明的认识提高到新的高度，进入新的境界，在实践上推向了一个新的阶段。具体来说，主要表现在以下几个方面：

第一，《决议》以中央文件的形式，第一次对邓小平关于精神文明建设的重要思想，进行了高度的科学概括。《决议》指出："邓小平建设有中国特色社会主义理论包含着极其丰富的关于精神文明建设的思想。"具体说来，包括八个"强调"：在精神文明建设的战略地位问题上，"强调我们要建设的社会主义国家，不但要有高度的物质文明，而且要有高度的精神文明，两个文明都搞好，才是有中国特色的社会主义，搞现代化一定要坚持以经济建设为中心，要有两手，只有一手是不行的"；在精神文明建设的根本目标问题上，"强调精神文明建设包括思想道德建设和教育科学文化建设，要教育人民成为'四有'人民，教育干部成为'四有'干部，特别要教育好青年、教育好后代"；在精神文明建设的指导思想问题上，"强调必须坚持马克思主义，对马克思主义的信仰是我们的精神动力，实事求是是马克思主义的精髓，解放思想、改革开放要贯彻社会主义现代化全过程，坚持四项基本原则、反对资产阶级自由化也要贯彻社会主义现代化全过程"；在精神文明建设和改革开放关系问题上，"强调改革开放是解决中国问题的希望，实行开放政策也会带来一些坏的东西，影响我们的人民，我们用教育和法律手段解决这个问题"；在对待文明成果的态度上，"强调要继承和发扬民族的优秀文化传统和党的优良传统，吸收和借鉴人类社会创造的一切文明成果，反对封建主义残余影响，抵制资本主义腐朽思想的侵蚀"；在精神文明建设队伍问题上，"强调要尊重知识、尊重人才，培养一大批优秀的科学家、教育家、文学艺术家和其他各种专家，思想文化和教育战线上的同志都应当是人类灵魂工程师"；在思想政治工作问题上，"强调思想政治工作和思想政治工作队伍决不能削弱，对思想上的不正确倾向要以说服教育为主，开展批评与自我批评，不能简单粗暴，也不能不闻不问"；在精神文明建设的领导方法问题上，"强调党要加强对精神文明建设的领导，必须狠狠地抓，一天不放松地抓，从具体事件抓起，关键是党风建设和领导干部以身作则”。这八个“强调”，比较全面系统地体现了邓小平关于精神文明建设的重要思想，为加强精神文明建设提供了基本的理论依据。

第二，明确阐明了精神文明建设总的指导思想。《决议》指出：“我国社会主义精神文明建设，必须以马克思列宁主义、毛泽东思想和邓小平建设有中国特色社会主义理论为指导，坚持党的基本路线和基本方针，加强思想道德建设，发展教育科学文化，以科学的理论武装人，以正确的舆论引导人，以高尚的精神塑造人，以优秀的作品鼓舞人，培育有理想、有道德、有文化、有纪律的社会主义公民，提高全民族的思想道德素质和科学文化素质，团结和动员各族人民把我国建设成为富强、民主、文明的社会主义现代化国家。这是精神文明建设总的指导思想，也是精神文明建设总的要求。”

第三，提出了精神文明建设的奋斗目标。《决议》指出：“我们进行的精神文明建设，是以经济建设为中心、坚持四项基本原则和坚持改革开放的精神文明建设，是继承发扬优良传统而又充分体现时代精神、立足本国而又面向世界的精神文明建设。今后十五年，我国社会主义精神文明建设的主要目标是：在全民族牢固树立建设有中国特色社会主义的共同理想，牢固树立坚持党的基本路线不动摇的坚定信念；实现以思想道德修养、科学教育水平、民主法制观念为主要内容的公民素质的显著提高，实现以积极健康、丰富多彩、服务人民为主要要求的文化生活质量的显著提高，实现以社会风气、公共秩序、生活环境为主要标志的城乡文明程度的显著提高；在全国范围形成物质文明建设和精神文明建设协调发展的良好局面。”

第四，设计了社会主义初级阶段中国思想道德体系的基本框架。思想道德建设是社会主义精神文明建设重要的基本的组成部分，集中体现着精神文明建设的性质和方向，对社会政治经济的发展具有巨大的能动作用。《决议》对社会主义初级阶段中国思想道德建设的体系框架，从理论基础、原则要求、主要内容、基本途径、重点对象、主要目标等，都做出了明确的规范表述。

（一）理论基础。《决议》强调，加强思想建设，必须坚持马克思列宁主义、毛泽东思想，特别是用邓小平建设有中国特色社会主义理论武装全党、教育干部和人民。（二）原则要求。《决议》明确指出，思想道德建设的原则要求是把先进性要求和广泛性要求结合起来。我们现在建设和发展有中国特色社会主义，最终目的是实现共产主义，所以既应当在全社会认真提倡社会主义、共产主义思想道德，共产党员特别是领导干部尤其要坚定不移身体力行，又必须在全民范围中从实际出发，要照顾多数，提出切实可行的要求。本着把先进性与广泛性的要求结合起来的原则，在思想道德建设中要坚持民主引导的方法、正面教育的方法。（三）主要内容。《决议》指出，思想道德建设的基本任务是："坚持爱国主义、集体主义、社会主义教育，加强社会公德、职业道德、家庭美德建设，引导人们树立建设有中国特色社会主义的共同理想和正确的世界观、人生观、价值观"；"鼓励支持一切有利于解放和发展社会主义社会生产力的思想道德，一切有利于国家统一、民族团结、社会进步的思想道德，一切有利于追求真善美、抵制假恶丑、弘扬正气的思想道德，一切有利于履行公民权利与义务、用诚实劳动争取美好生活的思想道德"；"以为人民服务为核心，以集体主义为原则，以爱祖国、爱人民、爱劳动、爱科学、爱社会主义为基本要求，开展社会公德、职业道德、家庭美德教育"。《决议》还以文化事业的提高和发展为主题，对各项文化事业主要是文学艺术、新闻出版、哲学社会科学等提出了明确的要求，强调"改革文化体制是文化事业繁荣和发展的根本出路"。（四）基本途径。《决议》指出，社会主义道德风尚的形成、巩固和发展，要靠教育，也要靠法制，要把两者结合起来，统一起来。（五）重点对象。《决议》指出，思想道德建设是全民范围的事情，而重点在于两个方面，一个是领导干部，一个是青少年；一个是关系到我们事业成败的问题，一个是关系到我们事业后继有人的问题。青少年和干部的精神文明建设搞好了，全社会的精神文明建设就能更好地向前发展，我们的事业就会兴旺发达，我们的民族就大有希望。（六）主要目标。《决议》指出，在全民族牢固树立建设有中国特色社会主义的共同理想，牢固树立坚持党的基本路线不动摇的坚定信念；实现以思想道德修养、科学教育水平、民主法制观念为主要内容的公民素质的显著提高，实现以积极健康、丰富多彩、服务人民为主要要求的文化生活质量的显著提高，实现以社会风气、公共秩序、生活环境为主要标志的城乡文明程度的显著提高；在全社会发扬自尊、自信、自强的民族精神，发扬艰苦奋斗、励精图治、知难而进、自强不息的精神，形成团结互助、平等友爱、共同前进的人际关系，在全国范围形成物质文明建设和精神文明建设协调发展的良好局面。

第五，提出精神文明建设要从群众普遍关心的问题抓起，吸引群众参加。《决议》指出，要深入持久开展群众性精神文明创建活动。各项精神文明创建活动，都要同解决人民群众普遍关心的实际问题，同促进经济发展和社会进步紧密结合，持之以恒，务求实效，使群众在参与中受到教育，在实践中得到提高。坚决反对形式主义。社会主义现代化建设中涌现出来的先进集体和先进人物，是实践社会主义精神文明的榜样。要采取多种形式，大力宣传他们的事迹和思想，在全社会形成崇尚先进、学习先进的风气。

第六，提出了贯彻实施精神文明建设的强有力措施。一是加大投入力度，为精神文明建设提供物质保障。二是中央成立精神文明建设指导委员会，各省、自治区、直辖市也可建立相应的机构。三是要求建立领导工作机制。《决议》强调："建设物质文明关键在党，建设精神文明关键也在党。各级党委必须始终坚持两手抓、两手都要硬，把两个文明作为统一的奋斗目标，一起部署，一起落实，一起检查。考核、评价党政领导班子和主要领导干部，不仅要看领导物质文明建设的实绩和本领，而且要看领导精神文明建设的实绩和本领。这要作为对干部使用和奖惩的基本依据。"[①]《决议》还对宣传思想文化工作部门和单位、宣传思想文化教育队伍以及领导干部都分别提出了明确的严格要求。这就从领导体制上为贯彻落实"两手抓"

① 中共中央文献研究室编《十四大以来重要文献选编》（下），中央文献出版社2011年版，第150页。

的战略方针提供了根本保证。

《中共中央关于加强社会主义精神文明建设若干问题的决议》创造性提出和发展了社会主义精神文明建设理论，初步回答了社会主义现代化进程中必须认真解决的“三个如何”的历史性课题，即“如何在以经济建设为中心的前提下，使物质文明建设和精神文明建设相互促进，协调发展，防止和克服一手硬、一手软；如何在深化改革、建立社会主义市场经济体制的条件下，形成有利于社会主义现代化建设的共同理想、价值观念和道德规范，防止和遏制腐朽思想和丑恶现象的滋长蔓延；如何在扩大对外开放、迎接世界新科技革命的情况下，吸收外国优秀文明成果，弘扬祖国传统文化精华，防止和消除文化垃圾的传播，抵御敌对势力对我‘西化’、‘分化’的图谋”①，成为建设社会主义精神文明的跨世纪行动纲领。

第二节　精神文明活动的开展和有中国特色社会主义的文化纲领的提出

党的十四届六中全会通过的《中共中央关于加强社会主义精神文明建设若干重要问题的决议》，体现了党中央关于社会主义精神文明建设的战略决策和理论建构，反映了时代和实践的要求，得到了人民群众的拥护和支持。在《决议》出台前后，以政治理论学习、思想道德教育、文明创建、改造市容村貌、转变社会风气、维护社会秩序、建设美好新生活等为主要内容的群众性精神文明活动在中华大地兴起并迅速发展起来。

第一，实施精神文明建设“五个一工程”，加强理论学习宣传工作。中央宣传部从1991年开始组织实施精神文明建设“五个一工程”（“五个一”是指：一本好书、一台好戏、一部优秀影片、一部优秀电视剧（片）、一篇

---

①　中共中央文献研究室编《十四大以来重要文献选编》（下），中央文献出版社2011年版，第137页。

或几篇有创见有说服力的文章。从1995年度起，一首好歌和一部好的广播剧也被列入评选范围）奖评选活动，评选各省区市、中央部分部委以及解放军总政治部等单位组织生产、推荐申报的精品佳作，鼓励文化艺术坚持正确的创作思想，深入生活，深入群众，满足广大群众精神文化需求，为进一步坚持“为人民服务、为社会主义服务”的方向和贯彻“双百”方针，弘扬主旋律、提倡多样化，繁荣社会主义文化，发挥了导向作用。与此同时，组织编辑出版有关马克思列宁主义、毛泽东思想和邓小平建设有中国特色社会主义理论的著作。1993年，《毛泽东文集》《毛泽东军事文集》《毛泽东外交文选》出版；1993年11月，《邓小平文选》第三卷出版；1994年11月，《邓小平文选》第一卷、第二卷出版；1995年，新版《马克思恩格斯选集》《列宁选集》《马克思恩格斯全集》出版，同年《陈云文选》《张闻天文集》《彭真文选》《万里文选》出版；1996年，《叶剑英选集》《习仲勋文选》出版。这些著作的出版，推动全国掀起学习马克思列宁主义、毛泽东思想和邓小平建设有中国特色社会主义理论的热潮。

第二，全民族的思想道德素质得到提高。1994年8月23日，党中央印发《爱国主义教育实施纲要》（以下简称《纲要》）并发出通知指出，爱国主义历来是动员和鼓舞中国人民团结奋斗的一面旗帜，是推动我国社会历史前进的巨大力量，是全国各族人民共同的精神支柱。要求各级党委和政府要高度重视爱国主义教育的实施工作，依据《纲要》，结合实际，制定具体的实施规划和细则，并采取切实措施，把《纲要》落到实处。8月31日又印发《中共中央关于进一步加强和改进学校德育工作的若干意见》，要求教育战线站在历史的高度，以战略眼光来认识新时期学校德育工作的重要性，大力加强青年学生的思想道德建设。多种形式的爱国主义教育、德育工作的开展，极大地激发了亿万人民投身改革开放、振兴中华的热情。

在进入21世纪新的历史条件下，2001年9月，党中央印发《公民道德建设实施纲要》（以下简称《纲要》）。《纲要》提出，要把法制建设与道德建设、依法治国与以德治国紧密结合起来，通过公民道德建设的不断深化和拓展，逐步形成与发展社会主义市场经济相适应的社会主义道德体系。通过道德建设，在全民族牢固树立建设有中国特色社会主义的共同理想和正确的世界观、人生观、价值观，在全社会大力倡导“爱国守法、明礼诚信、团结友善、勤俭自强、敬业奉献”的基本道德规范，努力提高公民道德素质，促进人的全面发展，培养一代又一代有理想、有道德、有文化、有纪律的社会主义公民。在党中央的号召下，各地区各部门加强领导、重在建设，各行各业注意以人为本、教育引导，广大群众注重道德培养，全社会逐渐形成重视思想道德建设的氛围和良好风尚。

第三，宣传先进，崇尚先进，学习先进。20 世纪 90 年代，我国涌现出了一大批体现时代特色、反映时代精神的先进典型，如孔繁森、徐虎、李素丽、徐洪刚、李国安、吴天祥、吴金印、邱娥国等先进个人，第四军医大学学员二大队、河北农业大学教师集体、徐州下水道四班等先进集体。通过对他们的宣传和学习活动，弘扬了社会正气和新时期的创业精神。特别是在 1998 年的抗洪抢险斗争中，涌现出无数可歌可泣的动人事迹和英雄模范人物，形成了万众一心、众志成城，不怕困难、顽强拼搏，坚韧不拔、敢于胜利的伟大抗洪精神。1998 年 9 月 18 日，中央精神文明建设指导委员会办公室在北京召开全国电话会议。会议要求全国各地认真学习贯彻党中央的重要指示，以抗洪抢险斗争取得伟大胜利的生动事实和先进人物的英雄事迹为最好教材，深入开展群众性思想道德教育，把弘扬伟大抗洪精神作为精神文明建设的突出任务，切实抓紧抓好。9 月 29 日，中央组织部、中央宣传部等单位举办的抗洪抢险英雄模范事迹首场报告会在人民大会堂举行。8 位来自抗洪第一线的英模代表，向首都近万名各界群众和解放军、武警官兵作感人至深的报告，不少人掉下了激动的眼泪，会场上掌声一阵响过一阵。

1998 年 9 月 28 日，在全国抗洪抢险总结表彰大会上的讲话中，江泽民指出：“一个民族，一个国家，如果没有自己的精神支柱，就等于没有灵魂，就会失去凝聚力和生命力。有没有高昂的民族精神，是衡量一个国家综合国力强弱的一个重要尺度。综合国力，主要是经济实力、科技实力，这种物质力量是基础，但也离不开民族精神、民族凝聚力，精神力量也是综合国力的重要组成部分。”[①]伟大抗洪精神，是中国共产党领导力、凝聚力和社会主义中国综合国力的标志之一，也是这种力量的重要组成部分。抗洪精神是社会主义精神文明的大发扬，是中华民族无比珍贵的精神财富，是激励中华儿女克服前进道路上的种种困难，把改革开放和社会主义现代化建设事业全面推向新世纪的强大动力。

第四，群众性的精神文明创建活动深入持续开展。青年人是精神文明创建活动的突击力量。1993 年底，团中央发起实施中国青年志愿者行动，组织各级团组织建立青年志愿服务队，成立青年志愿者协会，推动青年志愿者行动迅速在全国展开。团中央、中国青少年发展基金会实施的救助贫困地区失学少年儿童的“希望工程”，中国儿童少年基金会组织实施的救助贫困地区失学女童重返校园的“春蕾计划”，中国社会服务促进会发起的旨在提高孤儿素质、改善其生活状况的“救孤计划”等活动，在全社会进一步弘扬了扶危济困的美德。

根据党的十四届六中全会通过的《决议》精神，按照中央精神文明建设指导委员会（简称“中央文明委”）的部署，全国上下广泛开展了以提高市民素质和城市文明程度为目标的创建文明城市活动；以提高农民素质、奔小康和建设社会主义新农村为目标的创建文明村镇活动；以服务人民、奉献社会为宗旨的创建文明行业活动。1997 年 3 月，中央宣传部召开全国电话会议，部署创建文明城市、文明村镇活动示范点工作。会上公布了 100 个创建文明城市示范点和 200 个创建文明村镇示范点名单。从布局上看，每个省、自治区、直辖市都有示范点；从结构上看，分为不同层次。创建文明城市、文明村镇、文明行业“三大创建”活动形成示范点网络，示范点工作全面铺开。会议要求，抓好示范点工作，主题要突出，目标要明确，计划要周全，措施要有力，责任要明确，工作要扎实。据此，以“三

---

① 江泽民：《江泽民文选》第二卷，人民出版社 2006 年版，第 230—231 页。

大创建”活动为主要内容的群众性精神文明创建活动丰富多彩、高潮迭起。1997 年 8 月，中央宣传部、解放军总政治部下发《关于组织部队参加创建文明城市文明村镇文明行业活动的意见》，要求组织部队参加“三大创建”活动，形成军民广泛参与、齐抓共建的格局。

与此同时，中央加强了对群众性精神文明创建活动的领导和指导。1997 年 4 月，中央精神文明建设指导委员会成立；5 月 26 日，中央精神文明建设指导委员会召开第一次全体会议，江泽民在会上发表重要讲话。他指出，社会主义社会是全面发展、全面进步的社会。人类社会发展的历史证明，一个民族，物质上不能贫困，精神上也不能贫困，只有物质和精神都富有，才能成为一个有强大生命力和凝聚力的民族。精神文明建设搞好了，人心凝聚，精神振奋，经济建设和其他事业就会全面兴盛。精神文明建设搞不好，人心涣散，精神颓废，经济建设和其他事业也难以搞好。他强调指出，精神文明建设工作着眼点一定要放在紧贴群众利益、为群众所欢迎的事情上，这样才能动员广大人民群众积极参与，也才会有利于密切党和政府同人民群众的关系。要深入群众，深入实际，每年办几件作用大、影响大的实事。

1997 年 7 月 15 日，中央精神文明建设指导委员会决定在全国开展“讲文明树新风”活动。“讲文明树新风”活动是贯彻落实党的十四届六中全会精神的一项重要举措，也是为了迎接党的十五大的胜利召开创建文明环境的一项重要工作。这次活动所要达到的主要目标是集中解决文明言行、环境卫生、服务质量、交通秩序等四个方面存在的突出问题。经过几个月的努力，活动在解决四个突出问题上取得了初步效果。许多地方脏乱差的状况有所改变，多年积累的垃圾山搬走了，交通秩序好转了，窗口单位服务质量有了变化，人们遵守社会公德和行为准则的意识也在增强，人民群众切实感受到了身边出现的新变化、新气象。此后，“讲文明树新风”活动按照“巩固、提高、延伸、辐射”的思路继续开展工作。“巩固”就是认真总结经验，保持已有成果，防止反复。“提高”就是提高水平，提高质量，坚持好的做法，加强薄弱环节，采取切实措施，使活动的成效再大一些。“延伸”就是使活动逐步向深度和广度发展，从大中城市向小城镇和农村延伸，从交通干道向背街小巷延伸，从文明示范小区向更多的小区延伸，从窗口行业向其他行业延伸，并注意抓好风景名胜区、旅游景点环境卫生和服务质量问题。“辐射”就是发挥中心城市的示范带动作用，特别是省会城市，沿海、沿交通干线城市等中心城市要率先开展活动，带动中小城市和农村。

“讲文明树新风”活动开展，在解决文明言行、环境卫生、服务质量、交通秩序存在的突出问题方面，在为国有企业下岗职工“送温暖献爱心”和“保护生态环境、倡导文明新风”等方面，在美化居住环境、维护治安秩序、丰富文体生活、普及科学知识、拓展社区服务、密切人际关系等方面，都取得了明显成效，产生了广泛的社会影响。

第五，不断完善文化经济政策，加大精神文明建设投入。1992 年，党中央印发了《中共中央关于加强和改进宣传思想工作，更好地为经济建设和改革开放服务的意见》，要求国务院财经部门要研究解决宣传文化单位税负过重、收费项目繁多的问题，财政、税收、物价部门应主动会同宣传文化部门研究完善文化经济政策。根据党中央要求，1994 年经国务院批准，财政部和国家税务总局颁发了《关于继续对宣传文化单位实行财税优惠政策的规定》。1996 年，《国务院关于进一步完善文化经济政策的若干规定》出台，决定进一步完善文化经济政策，在加大各级财政对文化事业投入力度的同时，拓宽文化事业资金投入渠道，逐步形成适应社会主义市场经济要求的筹资机制和多渠道投入体制。国家财政调节文化产业的经济政策主要包括：制定税收优惠政策，建立宣传文化发展专项资金；开征文化事业建设费；实行国家电影经济政策；鼓励对文化事业的捐赠。各项财政优惠政策为发展和壮大我国民族文化产业创造了良好的外部环境。在此带动下，全国文化产业发展健康有序，不仅丰富了广大群众的文化生活，而且在解决社会就业、增加国家税收等方面，作出了很大的贡献。

总之，以江泽民同志为核心的党中央坚持“两手抓”，带来了社会主义精神文明的新气象。在社会主义精神文明建设取得显著成效的基础上，1997 年 9 月召开的党的十五大，总结了我国社会主义精神文明建设的新经验，正式提出了有中国特色社会主义的文化建设的基本纲领，为党关于社会主义精神文明建设理论增添了新内容，作出了新贡献。

第一，明确提出了“有中国特色社会主义的文化”的概念。党的十五大报告指出：“有中国特色社会主义的文化，就其主要内容来说，同改革开放以来我们一贯倡导的社会主义精神文明是一致的。文化相对于经济、政治而言。精神文明相对于物质文明而言。只有经济、政治、文化协调发展，只有两个文明都搞好，才是有中国特色社会主义。”①

第二，科学概括了社会主义初级阶段建设有中国特色社会主义的文化纲领。党的十五大报告指出：“建设有中国特色社会主义的文化，就是以马克思主义为指导，以培育有理想、有道德、有文化、有纪律的公民为目标，发展面向现代化、面向世界、面向未来的，民族的科学的大众的社会主义文化。这就要坚持用邓小平理论武装全党，教育人民；努力提高全民族的思想道德素质和教育科学文化水平；坚持为人民服务、为社会主义服务的方向和百花齐放、百家争鸣的方针，重在建设，繁荣学术和文艺。建设立足中国现实、继承历史文化优秀传统、吸取外国文化有益成果的社会主义精神文明。”②

第三，深刻阐述了有中国特色社会主义的文化建设的重要性。党的十五大报告指出：“社会主义现代化应该有繁荣的经济，也应该有繁荣的文化。我国现代化建设的进程，在很大程度上取决于国民素质的提高和人才资源的开发。面对科学技术迅猛发展和综合国力剧烈竞争，面对世界范围各种思想文化相互激荡，面对小康社会人民群众日益增长的文化需求，全党必须从社会主义事业兴旺发达和民族振兴的高度，充分认识文化建设的

① 江泽民：《江泽民文选》第二卷，人民出版社 2006 年版，第 32—33 页。
② 江泽民：《江泽民文选》第二卷，人民出版社 2006 年版，第 17—18 页。

重要性和紧迫性。”①

第四，全面阐述了有中国特色社会主义的文化建设的任务和内容。党的十五大报告指出，有中国特色社会主义的文化，是凝聚和激励全国各族人民的重要力量，是综合国力的重要标志。我国文化建设长期而艰巨的任务是：“必须着力提高全民族的思想道德素质和科学文化素质，为经济发展和社会全面进步提供强大的精神动力和智力支持，培育适应社会主义现代化要求的一代又一代有理想、有道德、有文化、有纪律的公民。”②党的十五大报告还指出，在全社会形成共同理想和精神支柱，是有中国特色社会主义文化建设的根本；发展科学和教育，是文化建设的基础工程；发展文学艺术、新闻出版、广播影视等事业，是文化建设的重要内容；营造良好的文化环境，是提高社会文明程度、推进改革开放和现代化建设的重要条件。我国文化的发展，不能离开人类文明的共同成果。要坚持以我为主、为我所用的原则，开展对外文化交流。党的十五大报告还特别指出，知识分子是工人阶级的一部分，在现代化建设中起着重要作用。为此，要认真贯彻党的知识分子政策，充分发挥他们的积极性和创造性。

可以说，有中国特色社会主义的文化纲领的提出，确立了文化在现代化建设总体布局中的战略地位，科学规定了建设有中国特色社会主义文化的根本目标、发展方向、内容要求、方针原则和重要地位。

党的十五大以后，有中国特色社会主义的文化建设以实施“精品战略”为核心，通过加强管理和深化改革，出现了繁荣发展的新局面。国家陆续制定和完善出版、印刷、音像制品、营业性演出以及广播电视等方面的管理条例，为文化精品进入市场提供法律保障和政策扶持，使健康的文化产品占据文化市场的主导地位。到 2000 年底，全国广播、电视人口覆盖率分别达到 92.5% 和 93.7%，比 1995 年分别提高 13.7% 和 9.2%。反映时代精神、贴近人民生活的优秀作品不断涌现，群众文化生活日益丰富多彩，健康文

① 江泽民：《江泽民文选》第二卷，人民出版社 2006 年版，第 33 页。
② 江泽民：《江泽民文选》第二卷，人民出版社 2006 年版，第 33 页。

明的社会氛围逐渐形成，社会主义文化阵地更加巩固。对外文化交流不断扩大，我国文化的国际影响力显著增强。

按照党的十四届六中全会和十五大关于“深化文化体制改革”的要求，党和政府积极推动文化体制机制和传播手段的改革创新，在经营性文化事业单位转企改制、完善文化工作管理体系、建设现代文化市场体系和文化政策法规体系等方面也取得了显著进展。在深入调研的基础上，2000年文化部制定了《关于直属艺术表演团体深化改革的意见》和《关于直属事业单位深化改革的意见》，在艺术表演团体经营管理和艺术人才代理制方面进行了积极探索。截至2000年底，文化部门主管的文化娱乐业、音响业、演出业、艺术品经营等门类的产业单位有22.3万个，从业人员达91.9万人，创增加值118.9亿元。党和政府还把发展公益性文化事业作为保障人民群众基本文化权益的主要途径，不断加大财政投入力度，加强文化基础设施建设和重大文化项目建设。

第三节 牢牢把握先进文化的前进方向

进入21世纪后，面对新情况，党中央以“三个代表”重要思想为指引，牢牢把握先进文化的前进方向，推动精神文明建设和文化体制改革迈出新步伐。

一、以“三个代表”重要思想统领精神文明和文化建设

2000年2月，江泽民在广东视察工作时提出了“三个代表”重要思想，其中揭示了“党要始终代表中国先进文化的前进方向”的科学内涵。党要始终代表中国先进文化的前进方向，就是在大力发展社会生产力的同时，坚持以马克思主义为指导，努力继承和发扬中华民族的一切优秀文化传统，

努力学习和吸收国外的一切优秀文化成果，建设有中国特色社会主义的文化；既不断满足人民日益增长的精神文化生活需要，又为经济发展和社会全面进步提供强大的精神动力和智力支持。2001 年 7 月，江泽民在庆祝中国共产党成立 80 周年大会上的讲话和党的十六大报告中，把“三个代表”重要思想作为党必须长期坚持的指导思想作出了系统完整的论述，成为统领社会主义精神文明建设和文化建设的权威指引。

第一，把党的先进性和文化建设联系起来，揭示了“党要始终代表中国先进文化的前进方向”的科学内涵。江泽民指出：“我们党要始终代表中国先进文化的前进方向，就是党的理论、路线、纲领、方针、政策和各项工作，必须努力体现发展面向现代化、面向世界、面向未来的，民族的科学的大众的社会主义文化的要求，促进全民族思想道德素质和科学文化素质的不断提高，为我国经济发展和社会进步提供精神动力和智力支持。”①先进文化是人类文明积累和发展的结晶。坚持什么样的文化方向，推动建设什么样的文化，是一个政党在思想上精神上的一面旗帜。从成立伊始，中国共产党就高举中国先进文化的前进旗帜，努力建设和弘扬反映革命、建设和改革要求的新文化，荡涤旧社会遗留下来的和国外渗透进来的腐朽没落的旧文化，从思想上精神上极大地解放和激励了广大干部群众，在全党和全国人民中形成了凝聚人心、统一意志的正确的指导思想和共同理想。

第二，阐述了把握中国先进文化的发展趋势和要求。江泽民指出：“在当代中国，发展先进文化，就是发展有中国特色社会主义的文化，就是建设社会主义精神文明。”②牢牢把握中国先进文化的发展趋势和要求，就是“坚持以马克思列宁主义、毛泽东思想、邓小平理论为指导，立足于建设有中国特色社会主义的实践，着眼于世界科学文化发展的前沿，不断发展健康向上、丰富多彩的，具有中国风格、中国特色的社会主义文化，满足人民群众日益增长的精神文化需求，引导广大人民群众从思想上精神上正确

---

① 江泽民：《江泽民文选》第三卷，人民出版社 2006 年版，第 276 页。

② 江泽民：《江泽民文选》第三卷，人民出版社 2006 年版，第 276 页。

武装和不断提高起来。这也是我们党始终站在时代前列、保持先进性的根本体现和根本要求”[①]。2002年5月31日，江泽民在中央党校省部级干部进修班毕业典礼上的讲话中又一次指出，我们必须在发展社会主义经济、政治的同时，加强社会主义精神文明建设，大力发展面向现代化、面向世界、面向未来的，民族的科学的大众的社会主义文化，不断丰富人们的精神世界，不断增强人们的精神力量。2002年，在十六大报告第六部分“文化建设和文化体制改革”中，江泽民再次强调指出：“在当代中国，发展先进文化，就是发展面向现代化、面向世界、面向未来的，民族的科学的大众的社会主义文化，以不断丰富人们的精神世界，增强人们的精神力量。”[②]他指出：“必须坚持马克思列宁主义、毛泽东思想和邓小平理论在意识形态领域的指导地位，用‘三个代表’重要思想统领社会主义文化建设。坚持为人民服务、为社会主义服务的方向和百花齐放、百家争鸣的方针，弘扬主旋律，提倡多样化。坚持以科学的理论武装人，以正确的舆论引导人，以高尚的精神塑造人，以优秀的作品鼓舞人。大力发展先进文化，支持健康有益文化，努力改造落后文化，坚决抵制腐朽文化。文艺工作者要深入群众、深入生活，为人民奉献更多无愧于时代的作品。新闻出版和广播影视必须坚持正确导向，互联网站要成为传播先进文化的重要阵地。立足于改革开放和现代化建设的实践，着眼于世界文化发展的前沿，发扬民族文化的优秀传统，汲取世界各民族的长处，在内容和形式上积极创新，不断增强中国特色社会主义文化的吸引力和感召力。”[③]

第三，必须推动文化创新。江泽民指出：“发展社会主义文化，必须继承和发扬一切优秀的文化，必须充分体现时代精神和创造精神，必须具有世界眼光，增强感召力。中华民族的优秀文化传统，党和人民从五四运动以来形成的革命文化传统，人类社会创造的一切先进文明成果，我们都要积极继承和发扬。我国几千年历史留下了丰富的文化遗产，我们应该取

① 江泽民：《江泽民文选》第三卷，人民出版社2006年版，第276—277页。
② 江泽民：《江泽民文选》第三卷，人民出版社2006年版，第559页。
③ 江泽民：《江泽民文选》第三卷，人民出版社2006年版，第559页。

其精华、去其糟粕，结合时代精神加以继承和发展，做到古为今用。同时，必须结合新的实践和时代的要求，结合人民群众精神文化生活的需要，积极进行文化创新，努力繁荣先进文化，把亿万人民紧紧吸引在有中国特色社会主义文化的伟大旗帜下。”[①]2002年，江泽民在中央党校省部级干部进修班毕业典礼上的讲话和十六大报告中再次强调，要立足于改革开放和现代化建设实践，着眼于世界科学文化发展前沿，积极进行文化创新，不断增强中国特色社会主义文化的吸引力和感召力。要把培育和弘扬民族精神作为文化建设的一个极为重要的任务，使广大人民在建设中国特色社会主义的征途上，始终保持奋发有为、昂扬向上的精神状态。

二、把依法治国与以德治国紧密结合起来

“以德治国”，是以江泽民同志为核心的党中央借鉴中国历代的治国之道，吸取国外国家事务管理中的经验教训，在新的历史条件下，将邓小平理论与我国加快推进现代化建设的新的实践相结合，对如何管理国家事务，如何教育引导人民崇尚高尚的精神生活思考的结晶。

2000年6月，江泽民在中央思想政治工作会议上的讲话中明确使用了“德治”概念。他指出：“法律和道德作为上层建筑的组成部分，都是维护社会秩序、规范人们思想和行为的重要手段，它们互相联系、互相补充。法治以其权威性和强制手段规范社会成员的行为，德治以其说服力和劝导力提高社会成员的思想认识和道德觉悟。道德规范和法律规范应该相互结合，统一发挥作用。”[②]

随着我国社会主义现代化建设实践的不断发展，随着理论探索和思考的不断深入，以江泽民同志为核心的党中央明确提出了“以德治国”思想。

2001年1月，在全国宣传部长会议上，江泽民明确提出“把依法治国

① 江泽民：《江泽民文选》第三卷，人民出版社2006年版，第278—279页。
② 江泽民：《江泽民文选》第三卷，人民出版社2006年版，第91页。

与以德治国紧密结合起来”的治国方略。他指出：“我们在建设有中国特色社会主义、发展社会主义市场经济的过程中，要坚持不懈地加强社会主义法制建设，依法治国；同时也要坚持不懈地加强社会主义道德建设，以德治国。对一个国家的治理来说，法治和德治，从来都是相辅相成、相互促进的。二者缺一不可，也不可偏废。法治属于政治建设、属于政治文明，德治属于思想建设、属于精神文明。二者范畴不同，但其地位和功能都是非常重要的。我们要把法制建设与道德建设紧密结合起来，把依法治国与以德治国紧密结合起来。”①

2001 年 7 月，江泽民又从“三个代表”重要思想的高度，深刻阐述了加强道德建设的重要意义，明确指出，“加强社会主义思想道德建设，是发展先进文化的重要内容和中心环节”，“要把依法治国同以德治国结合起来，为社会保持良好的秩序和风尚营造高尚的思想道德基础”。2002 年党的十六大报告指出：“坚持物质文明和精神文明两手抓，实行依法治国和以德治国相结合。社会主义精神文明是中国特色社会主义的重要特征。必须立足中国现实，继承民族文化优秀传统，吸取外国文化有益成果，建设社会主义精神文明，不断提高全民族的思想道德素质和科学文化素质，为现代化建设提供强大的精神动力和智力支持。”②

为贯彻落实依法治国和以德治国相结合的重要思想，切实加强社会主义道德建设，更好发挥德治在提高公民道德素质方面的作用，在维护社会秩序、规范人们行为方面的作用，做到德法并举、标本兼治，保证党和国家的长治久安，2001 年 9 月，党中央印发《公民道德建设实施纲要》（以下简称《纲要》）。《纲要》以“三个代表”重要思想为指导，体现了依法治国和以德治国相结合，是加强公民道德建设的纲领性文件。特别是《纲要》提出的“爱国守法、明礼诚信、团结友善、勤俭自强、敬业奉献”20 字基本道德规范，既包含了中华民族传统美德的内容、党领导人民在长期革命

① 江泽民：《江泽民文选》第三卷，人民出版社 2006 年版，第 200 页。
② 江泽民：《江泽民文选》第三卷，人民出版社 2006 年版，第 534 页。

斗争和建设实践中形成的优良道德的内容，又弘扬了时代精神，体现了时代特色，简单明了，通俗易懂。

当然，加强公民道德建设是一项长期性基础性的工作。面对社会经济成分、组织形式、就业方式、利益关系和分配方式多样化的趋势，面对全面建设小康社会、人民群众的精神文化需求不断增长，面对世界范围各种思想文化的相互激荡，道德建设有许多新情况、新问题和新矛盾需要研究解决。必须适应形势发展的要求，抓住有利时机，巩固已有成果，加强薄弱环节，积极探索新形势下道德建设的特点和规律，在内容、形式、方法、手段、机制等方面努力改进和创新，把公民道德建设提高到一个新的水平。

三、把人的全面发展提到重要位置

2001 年 7 月，在庆祝中国共产党成立 80 周年大会上的讲话中，江泽民在阐述“三个代表”重要思想的同时，也系统阐述了人的全面发展的思想，这对社会主义精神文明建设和文化建设具有重要指导意义。

关于人的全面发展的思想，在马克思主义理论体系中占有重要位置。马克思主义经典作家把实现人的彻底解放和全面发展作为共产主义社会的重要特征和基本标志，作为无产阶级政党的奋斗目标。在马克思、恩格斯所生活的那个时代，在资本主义社会里，人的发展不是全面的，而是片面的。这种片面性表现为物对人的统治，物成为人的“主人”。所谓“商品拜物教”“货币拜物教”，反映的就是这种情况。马克思创立科学社会主义，就是想改变这种“让物做主”的状况，实现“让人做主”，让人成为自己的主人。实现人的全面发展，是马克思主义经典作家对理想社会的美好憧憬，对共产主义本质特征的重要概括。

江泽民首先坚持了马克思主义关于人的全面发展的思想。他指出：“共产主义社会，将是物质财富极大丰富，人民精神境界极大提高，每个人自由而全面发展的社会。”“我们坚信马克思主义关于人类社会必然走向共产主义这一基本原理。”与此同时，江泽民进一步丰富了马克思主义关于人的全面发展的思想。以往，我们的理论研究也讲人的发展，但常常是把人的发展包含于社会发展之中，以为社会发展了，每个人也就会自然而然地得到发展。因而在很多时候，自觉或不自觉地将发展简单地归结为社会的经济、文化的发展，或者物质文明和精神文明的协调发展。江泽民在讲话中反复强调：“推进人的全面发展，同推进经济、文化的发展和改善人民物质文化生活，是互为前提和基础的。人越全面发展，社会的物质文化财富就会创造得越多，人民的生活就越能得到改善，而物质文化条件越充分，又越能推进人的全面发展。社会生产力和经济文化的发展水平是逐步提高、永无止境的历史过程，人的全面发展程度也是逐步提高、永无止境的历史过程。这两个历史过程应相互结合、相互促进地向前发展。”[①]这是对人的全面发展和社会经济文化发展辩证关系的科学揭示和高度概括。它表明人的发展和社会发展之间不是简单的包含关系，而是“互为前提和基础”的关系。唯物主义历史观既要研究社会发展的规律，又要研究人的发展规律，更要研究社会发展和人的发展之间“相互结合、相互促进”的规律。这开拓了马克思主义唯物史观的新视野。

江泽民关于人的全面发展的论述，也反映了中国共产党对人类社会发展规律认识的进一步深化和发展。20世纪90年代后，在邓小平关于社会主义本质论的基础上，以江泽民同志为核心的党中央对社会主义建设和发展问题又提出了一系列新的论述，从关注物质文明和精神文明的协调发展，到提出社会的可持续发展，从强调经济和社会的协调发展，到提出社会的发展和人的全面发展相统一的问题，从提出依法治国方略，到提出“把依法治国与以德治国紧密结合起来”的治国方略，都反映了党在新形势下对社会主义建设规律的认识不断深化。江泽民在讲话中着眼于实现党的基本路线和历史任务，从坚持党的最低纲领与最高纲领统一的高度，提出了促进人的全面发展这个问题，说明以江泽民同志为核心的党的第三代中央领

① 江泽民：《江泽民文选》第三卷，人民出版社2006年版，第295页。

导集体在新的实践基础上，对邓小平关于社会主义本质问题、对社会主义建设规律的认识达到了一个新的高度。

江泽民强调："共产主义只有在社会主义社会充分发展和高度发达的基础上才能实现。"①"实现共产主义是一个非常漫长的历史过程。"②而人的全面发展既是共产主义的理想目标，也是"社会主义新社会的本质要求"。"我们建设有中国特色社会主义的各项事业，我们进行的一切工作，既要着眼于人民现实的物质文化生活需要，同时又要着眼于促进人民素质的提高，也就是要努力促进人的全面发展。"③他指出，人的全面发展是一个"逐步提高、永无止境的历史过程"。江泽民的这些论述，把人的全面发展从共产主义延伸到社会主义初级阶段。他从经济、政治、文化等方面阐述了怎样从社会主义初级阶段的实际出发，推进人的全面发展的问题。

人的全面发展是以社会生产力高度发展为前提的。江泽民指出，在经济上，"要尽快地使全国人民都过上殷实的小康生活，并不断向更高水平前进。坚持贯彻党的富民政策，在发展经济的基础上，努力增加城乡居民的收入，不断改善人们的吃、穿、住、行、用的条件，完善社会保障体系，改进医疗卫生条件，提高生活质量。通过一部分地区、一部分人先富起来，先富带动后富，逐步实现全体人民共同富裕"④。

人的全面发展是以民主法治为重要保证的。江泽民指出，在政治上，"要充分发挥人民群众的主观能动性和伟大创造精神，保证人民群众依法管理好自己的事情，实现自己的愿望和利益。继续推进政治体制改革，发展社会主义民主政治，健全社会主义法制，保证人民充分行使民主选举、民主决策、民主管理、民主监督的权利"⑤。

---

① 江泽民:《江泽民文选》第三卷，人民出版社 2006 年版，第 293 页。
② 江泽民:《江泽民文选》第三卷，人民出版社 2006 年版，第 293 页。
③ 江泽民:《江泽民文选》第三卷，人民出版社 2006 年版，第 294 页。
④ 江泽民:《江泽民文选》第三卷，人民出版社 2006 年版，第 294 页。
⑤ 江泽民:《江泽民文选》第三卷，人民出版社 2006 年版，第 294—295 页。

人的全面发展是以社会文化的发达进步为基本条件的。社会文化的进步包括道德水准的提高和科学教育的发展，这两方面都是人的全面发展不可缺少的条件。江泽民指出，在文化上，“要努力提高全民族的思想道德素质和科学文化素质，实现人们思想和精神生活的全面发展。加强有说服力的思想政治工作，发展教育科技事业，繁荣社会主义文化，使人人都有受教育的机会和享受文化成果的充分权利，使人们的精神世界更加充实、文化生活更加丰富多彩”①。

人的全面发展是在可持续发展中实现的。人的全面发展既要有良好的人文环境，又要有良好的自然环境，二者之间相互依存、相互影响。江泽民指出：“要促进人和自然的协调与和谐，使人们在优美的生态环境中工作和生活。坚持实施可持续发展战略，正确处理经济发展同人口、资源、环境的关系，改善生态环境和美化生活环境，改善公共设施和社会福利设施。努力开创生产发展、生活富裕和生态良好的文明发展道路。”②

四、文化体制改革全面展开

在文化领域，体制性障碍曾严重制约我国文化生产力的发展。因此，牢牢把握先进文化的前进方向，必须对严重制约文化生产力发展的体制性障碍进行改革。

党的十四大报告强调了文化建设的重要性，提出要“积极推进文化体制改革，完善文化事业的有关经济政策”。1996 年 10 月，党的十四届六中全会进一步提出了促进文化体制改革的一系列重要方针，指出：“改革文化体制是文化事业繁荣和发展的根本出路，改革的目的在于增强文化事业的活力，充分调动文化工作者的积极性，多出优秀作品，多出优秀人才。”改革要“遵循文化发展的内在规律，发挥市场机制的积极作用”，要“区别情

① 江泽民：《江泽民文选》第三卷，人民出版社 2006 年版，第 295 页。
② 江泽民：《江泽民文选》第三卷，人民出版社 2006 年版，第 295 页。

况、分类指导，理顺国家、单位、个人之间的关系，逐步形成国家保证重点、鼓励社会兴办文化事业的发展格局”。1997 年，党的十五大提出要“深化文化体制改革，落实和完善文化经济政策”，并对推动文化体制改革作出明确部署。

2000 年 10 月，党的十五届五中全会通过的《中共中央关于制定国民经济和社会发展第十个五年计划的建议》，第一次在中央正式文件里提出了“文化产业”这一概念，指出“完善文化产业政策，加强文化市场建设和管理，推动有关文化产业发展”。这表明随着文化体制改革的深入，党对于文化属性的认识有了实质性的变化，将文化的产业属性纳入文化建设的视野，为在进入 21 世纪的新形势下党正确区分社会主义文化的构成、形成文化事业与文化产业协调发展的路径奠定了理论基础，这也直接推动了文化体制改革的全面展开。2001 年 3 月，“发展文化产业”的思路正式被纳入国家“十五”计划纲要，“文化产业”成为我国国民经济和社会发展的重要产业门类。与此同时，2001 年印发的《中共中央办公厅、国务院办公厅关于转发〈中央宣传部、国家广电总局、新闻出版总署关于深化新闻出版广播影视业改革的若干意见〉的通知》中提出，文化体制改革要以发展为主题，以结构调整为主线，以集团化建设为重点和突破口，探索建立新形势下保证党委领导，调控适度、运行有序、促进发展的宏观管理体制；保证正确导向、富有经营活力的微观运行机制；体现宣传文化特点，适应法制建设总体要求的政策法律体系；传播健康精神文化产品，促进资源优化配置，形成竞争、有序的市场环境；吸收国外优秀文化和先进技术，抵御腐朽文化，用好两个市场、两种资源的开放格局，走出一条有中国特色的社会主义新闻出版广播影视业发展之路。

为推动文化体制改革健康顺利发展，全国人大、国务院适时修改或公布了多部法律法规、规章和政策性文件。比如：2001 年 7 月 26 日，国务院常务会议通过《中华人民共和国印刷业管理条例》；2001 年 10 月 27 日，第九届全国人民代表大会常务委员会第二十四次会议对 1990 年 9 月 7 日颁布的《中华人民共和国著作权法》进行修正；2001 年 12 月 25 日，国务院公布《出版管理条例》。在法律法规的保驾护航下，一批主业突出、品牌名优、综合能力强的大型文化集团纷纷成立，实行多媒体兼营、跨地区经营，以此为突破口，加大市场整合力度，调整产业结构，提高文化企事业的竞争力。到 2002 年初，共组建了包括中国广电集团和中国出版集团在内的文化集团 72 家，其中报业集团 38 家、出版集团 10 家、发行集团 5 家、广电集团 12 家、电影集团 5 家。到 2002 年 5 月底，在电影改革中还组建了电影院线 30 多条，分布于全国 23 个省市。①

2002 年，党的十六大报告确立了文化体制改革和文化建设的战略地位，在阐述“文化建设和文化体制改革”问题时深刻指出：“当今世界，文化与经济和政治相互交融，在综合国力竞争中的地位和作用越来越突出。文化的力量，深深熔铸在民族的生命力、创造力和凝聚力之中。全党同志要深刻认识文化建设的战略意义，推动社会主义文化的发展繁荣。”②十六大报告在以往文化体制改革实践的基础上，进一步明确了我国文化体制改革的基本思路，其标志是提出了文化事业和文化产业“两分法”的指导思想。报告明确指出：“国家支持和保障文化公益事业，并鼓励它们增强自身发展活力。”③并对支持文化公益事业发展的政策措施作了具体阐述，提出了“四个扶持”：“扶持党和国家重要的新闻媒体和社会科学研究机构，扶持体现民族特色和国家水准的重大文化项目和艺术院团，扶持对重要文化遗产和优秀民间艺术的保护工作，扶持老少边穷地区和中西部地区的文化发展。”④同时，强调“发展文化产业是市场经济条件下繁荣社会主义文化、满足人民群众精神文化需求的重要途径”⑤，提出要“完善文化产业政策，支持文化产业发展，增强我国文化产业的整体实力和竞争力”⑥；要“抓紧制定文化体制

① 胡惠林：《文化产业发展的中国道路》，上海人民出版社 2004 年版，第 25 页。
② 江泽民：《江泽民文选》第三卷，人民出版社 2006 年版，第 558—559 页。
③ 江泽民：《江泽民文选》第三卷，人民出版社 2006 年版，第 561 页。
④ 江泽民：《江泽民文选》第三卷，人民出版社 2006 年版，第 561 页。
⑤ 江泽民：《江泽民文选》第三卷，人民出版社 2006 年版，第 561 页。
⑥ 江泽民：《江泽民文选》第三卷，人民出版社 2006 年版，第 561 页。

改革的总体方案”[①]。根据“两分法”的构想，新的文化管理体制应从文化事业和文化产业两个方面去考虑，促进两个方面都健康、协调发展。

任何领域改革的第一目标，无一例外的是调动该领域从业人员的积极性和创造性，文化体制改革也是如此。文化体制改革必须以调动文化人的创新积极性为目标，推动文化产业的科技进步，造就大批有创造力的文化产业专门人才。有想象力、创造力和个性化的文化人力资本和高科技的制作传播手段，是文化产业快速发展的关键。要改进人才管理、使用制度，建立规范的人才有偿转让和自由流动机制。允许和鼓励具有自主知识产权的人才创办文化企业，或占有企业股份，参与利润分配，使其价值得到充分体现。有了优秀人才，才能创造名牌文化产品，才能发挥高新技术的先导作用，才能取得良好的经济效益和良好的社会效益。要加快改革落后的文化产业体制和运行机制，创造有利于人才辈出的体制和机制，创造有利于用高新技术和先进管理运营模式改造传统文化产业的政策环境和法律环境。江泽民在十六大报告中提出，总的要求是，通过“深化文化企事业单位内部改革，逐步建立有利于调动文化工作者积极性，推动文化创新，多出精品、多出人才的文化管理体制和运行机制”[②]。

党的十六大之后，在经济全球化和我国加入 WTO 的背景下，根据党中央的总体部署，我国文化体制改革的步伐明显加快，文化体制改革的目的、意义、主要任务和实施重点更加明确，各项试点工作在党中央直接领导下全面顺利推进，实现了一系列重大突破。

① 江泽民：《江泽民文选》第三卷，人民出版社 2006 年版，第 561 页。
② 江泽民：《江泽民文选》第三卷，人民出版社 2006 年版，第 562 页。

第十一章

积极推进中国特色军事变革、“一国两制”实践和祖国和平统一、外交工作

党的十三届四中全会以后，以江泽民同志为核心的党中央高度重视国防和军队建设。1991年初发生的海湾战争，使以江泽民同志为核心的党中央敏锐地意识到战争史上一个新时代的来临。江泽民指出，必须把未来军事斗争准备的基点放在打赢可能发生的现代技术特别是高技术条件下的局部战争上。中国特色军事变革由此发轫。中国特色军事变革，“政治合格、军事过硬、作风优良、纪律严明、保障有力”是关键，科技强军是根本，走有中国特色的精兵之路是方向。党中央坚定不移贯彻“一国两制”方针，随着香港、澳门顺利回归祖国怀抱，积极推动海峡两岸关系发展，遏制“台独”分裂图谋。在外交方面，党中央顺应时代潮流，逐步建立起全方位、多层次的对外关系新格局。

第一节　积极推进中国特色军事变革

1989年11月6日至9日，党的十三届五中全会召开。全会讨论并通过了《中国共产党十三届五中全会关于同意邓小平同志辞去中共中央军事委员会主席职务的决定》。全会认为，邓小平从党和国家的根本利益出发，在自己身体还健康的时候辞去现任职务，表现了一个无产阶级革命家的广阔胸怀。全会在充分酝酿的基础上，决定江泽民为中央军事委员会主席。11月9日，江泽民在讲话中高度肯定了邓小平的革命历史和卓著功勋。他指出，在邓小平同志领导下，我们军队的革命化、现代化、正规化建设已经奠定了良好基础。我们的军队是党领导的人民军队，是共和国的钢铁长城。党的建军原则和军队的光荣传统，要一代一代坚持和发扬下去。他强调，在党中央领导下，依靠军委的集体智慧，依靠全军同志的共同努力，依靠全党和全国人民的支持，一定能够把军队建设和军事工作不断推向前进。

在发展社会主义市场经济和对外开放的条件下，如何治军是江泽民一直关注的问题。他多次强调要坚持依法治军、从严治军，加强军队正规化建设。

一、江泽民提出“五句话”总要求

1989年11月12日，刚刚就任中央军委主席的江泽民在主持召开的第一次军委扩大会议上，就把从严治军的方针鲜明地提到全军面前。他说：“从严治军，这是毛主席、小平同志一贯强调的思想。我军一向以严密的组织、严明的纪律、严肃的作风著称，这是我军所以有强大战斗力的一个重要原因。”[①] 他指出：“长期的和平环境，加上部队成员不断变化，容易出现管理松懈、作风松散、纪律松弛的现象。这就要求我们必须始终坚持严格训练、严格管理。军事训练是部队平时培养作风、提高军事素质、增强战斗力的主要手段，要切实摆到战略位置，下功夫抓好，保证落实。我军一定要在全国人民面前保持遵纪守法、军容严整、作风过硬的良好形象，不仅要成为威武之师，而且要成为文明之师。”[②]

11 月 16 日，江泽民来到成都军区，实地了解基层部队建设的情况，并和驻川部队将领交谈军队建设的大政方略。翌年，江泽民先后视察了广州、南京、兰州、沈阳、北京等战区的部队，全面了解改革开放后部队建设中出现的新情况、新问题。

在充分调研的基础上，经过深思熟虑，1990 年 12 月 1 日，在全军军事工作会议上，江泽民强调指出，“抓部队建设，最根本的是要把思想政治工作做好”[③]，“军事工作要重点抓紧抓好部队的管理和训练。严格管理，严格训练，这是毛泽东同志、邓小平同志历来强调的一项重要建军原则”[④]，“军事训练是部队平时培养作风、提高军事素质、增强战斗力的一个主要手段。要把军事训练切实摆在战略位置”[⑤]。他总结指出：“多年的经验告诉我们，训练落实抓不好，部队的组织纪律必然松散，思想作风就涣散，消极因素就增多。部队要做到政治合格、军事过硬、作风优良、纪律严明、保障有力，都需要进行严格的军事训练。”[⑥]这样就从军事训练的角度，提出了军队建设的“五句话”总要求，即“政治合格、军事过硬、作风优良、纪律严明、保障有力”。

一个多月后，1991 年 1 月 25 日，在中央军委扩大会议上，江泽民从更

---

① 江泽民：《江泽民文选》第一卷，人民出版社 2006 年版，第 78 页。
② 江泽民：《江泽民文选》第一卷，人民出版社 2006 年版，第 78 页。
③ 江泽民：《江泽民文选》第一卷，人民出版社 2006 年版，第 139 页。
④ 江泽民：《江泽民文选》第一卷，人民出版社 2006 年版，第 139 页。
⑤ 江泽民：《江泽民文选》第一卷，人民出版社 2006 年版，第 140 页。
⑥ 江泽民：《江泽民文选》第一卷，人民出版社 2006 年版，第 140 页。

高的角度重申了“五句话”总要求。他指出：“历史和现实的经验说明，要保持军队的高度稳定和集中统一，必须坚持抓好这样几条：一是要把军队置于党的绝对领导之下，坚决贯彻执行党的路线方针政策，一切行动听从党的指挥，同党中央保持高度一致。二是要大力加强思想政治工作，深入进行四项基本原则教育，打牢部队的思想基础，保证在政治上永远合格。三是要严格组织纪律，按照条令条例管理和训练部队，真正做到令行禁止。四是要保持部队的高度纯洁，时刻警惕敌对势力的渗透和腐朽思想文化的侵蚀，特别是要把各级党组织建设好，使枪杆子真正掌握在政治上可靠的人手里。总之，我们一定要努力建设一支政治合格、军事过硬、作风优良、纪律严明、保障有力的战斗力很强的人民军队。这样，我们的军队就能经得起任何风浪的考验，无论在什么情况下都能完成党交给的任务，在保卫国家安全、维护社会稳定、推进社会主义现代化建设中发挥应有的作用。”①1992 年 10 月在党的十四大报告中，江泽民再次重申了这五句话。

政治合格居“五句话”之首。政治合格，是由人民军队的性质、宗旨和任务决定的，其本质就是毛泽东在古田会议确立的思想建党、政治建军原则，是邓小平所强调的“忠于党、忠于国家、忠于社会主义、忠于人民”，最核心、最要害的是要做到枪杆子永远听党指挥。这是我军建设的根本原则，是我军永远不变的军魂。这也是江泽民反复强调、高度重视的。

1990 年 7 月 31 日，在庆祝中国人民解放军建军 63 周年发表的电视讲话中，江泽民指出，加强军队建设，最根本的是要坚持党对军队的绝对领导，只有坚持党的领导，才能使我军始终保持无产阶级性质，坚持为人民服务的宗旨，在错综复杂的斗争中保持正确的政治方向。他说，在新的历史时期，必须更好地发扬人民军队忠于党的优良传统，使我军永远置于党的绝对领导之下。无论在任何情况下，对我军建设的这个根本原则，都不能动摇。1993 年 9 月 26 日，在接见广州军区机关师以上领导干部时，

① 中共中央文献研究室编《江泽民论有中国特色社会主义（专题摘编）》，中央文献出版社 2002 年版，第 466—467 页。

江泽民又一次指出，我们党历来强调，我们的人民军队是在党的绝对领导之下的。在这个问题上，我们要始终坚定不移。一个军队要有军魂。我看，我们军队的军魂就是党的绝对领导。坚持这个根本政治原则，加强军队中各级党组织的全面建设，任何时候都是至关重要的。1999 年 11 月，在中央军委“三讲”会上，江泽民再一次强调指出：“我军是执行革命政治任务的武装集团，党对军队的绝对领导是我军永远不变的军魂。”①

要做到政治合格，需要讲政治，抓紧政治学习，增强党性观念。

1994 年 12 月 18 日，在中央军委扩大会议上，江泽民指出：“在加强军队的思想政治建设中，在发扬党和军队的优良传统和优良作风中，最重要的是要引导和组织广大干部战士深入学习马列主义、毛泽东思想，中心是深入学习邓小平同志建设有中国特色社会主义理论，用以武装干部战士的头脑和指导各项工作。这是加强军队思想政治建设的根本。在此基础上，根据当前军队的实际情况，我觉得还要着重抓好爱国奉献教育、革命人生观教育、尊干爱兵教育、艰苦奋斗教育。而且要把加强这些教育，同加强部队的全面管理紧密结合起来，做到相互促进。我军过去是以严格教育、严格管理、严格纪律著称的，在新时期军队的革命化、现代化、正规化建设中，同样要以严格教育、严格管理、严格纪律著称。”②

结合爱国奉献教育、革命人生观教育、尊干爱兵教育、艰苦奋斗教育“四个教育”，全军普遍开展了学习英模活动，重新发表了雷锋和“好八连”的事迹，宣扬苏宁、徐洪刚、李国安、高建成、李向群等一批新的英雄模范典型事迹。全军还统一张贴张思德、董存瑞、黄继光、邱少云、雷锋、苏宁 6 位英模画像，引导官兵对照英模和先进典型的事迹，查找差距，以进一步明确在新的历史时期，如何当军人、如何做事、如何做官，激发官兵献身国防事业的革命精神。全军广大新闻、理论、文艺工作者，也遵照

① 江泽民:《江泽民文选》第二卷，人民出版社 2006 年版，第 453—454 页。

② 中共中央文献研究室编《十四大以来重要文选选编》(中)，中央文献出版社 2011 年版，第 154—155 页。

江泽民关于“以科学的理论武装人，以正确的舆论引导人，以高尚的精神塑造人，以优秀的作品鼓舞人”的指示，利用各种舆论阵地和工具弘扬正气，弘扬主旋律，教育和鼓舞广大官兵。

为加强和改进军队的思想政治工作，1991 年 10 月发布的《中国人民解放军政治工作条例》鲜明地提出了新时期军队政治工作“两个服务、四个保证”的基本任务。“两个服务”，即服务于国家的社会主义现代化建设，服务于军队的革命化、现代化、正规化建设。“四个保证”，即政治上、思想上、组织上保证党对军队的绝对领导和人民军队的性质；保证军队的社会主义精神文明建设；保证军队的内部团结和军政军民团结；保证军队战斗力的提高和各项任务的完成。在实践基础上，1995 年 5 月，党中央、中央军委批准颁布重新修订的《中国人民解放军政治工作条例》。这次修订最主要的是突出了邓小平建设有中国特色社会主义理论对政治工作的指导作用，反映了党中央、中央军委对新时期军队思想政治建设的重大决策，体现了我军政治工作的优良传统与新形势下国家和军队发生的新情况相结合而创造的新鲜经验。1999 年 8 月，党中央转发《关于改革开放和发展社会主义市场经济条件下军队思想政治建设若干问题的决定》，并发出通知指出，重视思想政治建设是我们党和军队的特有优势。党绝对领导下的人民军队，必须把思想政治建设摆在军队各项建设的首位，充分发挥政治工作生命线的作用。2000 年 10 月，中国人民解放军总政治部印发了《关于加强和改进新形势下军队思想政治教育的意见》。这一系列重要文件，集中体现了加强和改进军队思想政治建设的新鲜经验。江泽民提出“三个代表”重要思想后，全军上下迅速掀起了学习热潮。

新时期我军思想政治工作焕发出巨大活力，广大官兵也向党、向人民、向祖国交上了一份份“政治合格”的答卷：驻特区和城市的部队自觉支持改革开放，抵御“酒绿灯红”的消极影响；驻艰苦地区的部队以“亏了我一个、幸福十亿人”的无私奉献精神，保卫着祖国边疆的安宁，创造着边海防地区的美好未来；驻灾区的部队，在洪涝、风暴、地震等灾害来临之际，不怕困难，顽强拼搏，以大无畏的英雄气概，谱写了一曲曲惊天动地的壮丽凯歌。

军事过硬，是人民军队的根本职能决定的。人民解放军的神圣使命，就是巩固保卫政权，平时遏制战争爆发，战时打赢高技术局部战争。

军事过硬的标准是动态的，是随战争形态的演变和战争实践的发展而不断发展变化的。综观江泽民的有关重要论述，军事过硬包括：要牢固树立战斗队思想，培养强烈的职能意识，随时准备打仗，随时准备执行紧急任务，时刻准备为国家和人民的利益献出生命；要落实战备工作，完善各项计划、方案、制度和措施，随时都能保证开得动、联得上、合得成、打得赢；要练就精湛的军事技术，要学习现代战争知识，懂得现代军事科技，熟练掌握手中武器和技术装备，确保现有武器装备效能的充分发挥；要加强战法训法研究，不断提高部队的技战术水平，加强诸军兵种的协同，充分发挥部队的整体作战能力；要严明组织，纪律保持高度集中统一，服从命令，一切行动听指挥；要始终如一地坚持战斗力标准，切实按照条令条例训练和管理部队，正确处理军事训练与其他各项工作的关系，确保军事训练的中心位置，紧紧围绕战斗力的生存展开部队各项工作；要确立科技强军思想，加强国防科研工作，改善和发展武器装备，不断提高武器装备的现代化水平，力争培养出大批懂军事、精技术的高素质人才，尽快实现人和武器的最佳结合；要加强党支部对军事工作的政治领导、思想领导和组织领导，确保党支部在军事训练中的核心领导地位。

实现军事过硬的基本途径，是要从实战需要出发，从难从严训练部队，使部队真正掌握高科技。1991 年 7 月，江泽民明确指出："武器是战争的重要的因素，但不是决定的因素。决定的因素是人，是具有高度政治觉悟、高昂士气和掌握现代军事技术的人。"①以"军事过硬"为目标的全军训练改革由此全面展开：三军协作区训练，整师、整团现代夜战训练，模拟"蓝

① 江泽民：《江泽民文选》第一卷，人民出版社 2006 年版，第 164 页。

军”司令部的首长相关对抗训练，多舰种海上混合编队训练，多机种跨区远程机动训练，二炮导弹旅机动发射训练，新老兵混编分训，诸军兵种协同实兵实弹演练，陆海空联合作战演习等。1995 年 12 月，《中国人民解放军军事训练大纲》（以下简称《大纲》）颁发施行，《大纲》以新时期军事战略方针为依据，其内容覆盖了全军各军兵种、各专业训练领域，并突出加大了高技术知识和技能训练含量，更加贴近实战，是适应打赢高技术条件下局部战争的基本训练依据。这标志着全军军事训练上升到了一个新起点。1996 年 3 月 8 日至 25 日，南京军区在台湾海峡举行海陆空三军渡海登岛和岛上山地进攻作战联合演习。演习中，陆海空三军和第二炮兵部队以及民兵、预备役部队密切协同，从争夺制海权、制空权到快速装载航渡，从装甲集群抢滩登陆到空、机降部队垂直登陆，从多层次火力突击到多路强击突破，从立体穿插分割到纵深越点攻击，摸索出协同作战的经验，有力震慑了“台独”分裂势力。

在探索的基础上，1999 年 1 月，中央军委颁布了《中国人民解放军联合战役纲要》，陆军、海军、空军、第二炮兵战役纲要和后勤保障纲要，以及合同战斗条令等 13 部战斗条令。

1999 年 4 月 20 日，在听取成都军区党委常委汇报时，江泽民又指出，我们讲人的因素，就是说官兵要有良好的智能、技能、体能和牺牲精神，能够适应未来战争的严酷环境。这样的军人，只有通过严格训练才能造就。全军正在深入开展的群众性科技大练兵活动，是和平时期提高战斗力的基本途径，要扎扎实实地引向深入。战争是要流血的。平时训练，必须坚持战训一致的原则，不搞形式主义和花架子，做到仗怎么打，兵就怎么练，练一招是一招。通过群众性的科技大练兵，建立起符合新时期军事斗争要求、具有战区特色的训练内容和训法战法体系。

1999 年 9 月，南京、广州军区陆海空三军、第二炮兵和民兵预备役部队，再次在浙东、粤南沿海举行大规模多军兵种联合渡海登陆实战演习，显示出我军“军事过硬”的能力不断提高。

作风优良，是我军的光荣传统和鲜明特色，也是我军特有的政治优势。

作风建设，是我党我军一直重视的永恒课题。从红军时期起，毛泽东就大力倡导、培育我军的优良作风；全民族抗战时期，毛泽东亲自为抗大制定了著名的“三句话”的教育方针（坚定正确的政治方向、艰苦奋斗的工作作风、机动灵活的战略战术）和“八个字”的抗大校风（团结、紧张、严肃、活泼）；解放战争时期，毛泽东又强调人民军队应具有一往无前的精神和不怕牺牲、连续作战的作风。改革开放新时期，邓小平也一再强调，要“恢复我们军队的传统作风”，把毛泽东树立的优良作风发扬起来，倡导“五种革命精神”：发扬革命拼命精神，严守纪律和自我牺牲精神，大公无私和先人后己精神，压倒一切敌人、压倒一切困难的精神，坚持革命乐观主义、排除万难去争取胜利的精神。结合新的历史条件，以江泽民同志为核心的党中央明确提出，要带头发扬艰苦创业精神和密切联系群众的作风，发扬老红军的光荣传统，发扬邓小平倡导的“五种革命精神”。

战争年代，作风靠战争来锻炼；和平岁月，作风则靠日常养成。优良的作风，要从一日生活制度开始，事事留意去抓，用条令条例和军队的各项规章制度规范官兵的行动，滴水穿石，久久为功。要重视领导干部的带头表率作用，言传身教，代代相传。

中央军委“三总部”机关首先开展了以克服官僚主义为主要内容的思想作风整顿，牢固树立为部队、为基层服务的思想，并制定下发了机关抓基层的“十条规定”，对如何服务、着重解决哪些问题均作了规定。针对全军会议多、试点多、工作组多、现场会多等现象，中央军委于 1994 年底作出硬性规定，正常性工作一律不搞试点、师以下部队不开学术研讨会、军以下部队不办刊物等，并提出减少全军性会议，以电话会议形式代之。

人民军队的作风优良，也在 1998 年的抗洪抢险斗争中充分展现出来。受“厄尔尼诺”现象影响，从这年的 4 月份开始，中国南方罕见的多雨，在长江流域洪水泛滥的时候，东北地区也出现了罕见的洪涝灾害。6 月 27 日，嫩江发生第一次洪峰。在抗洪抢险过程中，人民军队发挥了无可替代、极其重要的作用。8 月 27 日，全军部队和武警投入抗洪的兵力达到日最高峰，共 27.85 万人，其中长江中下游各省 17.8 万人，嫩江、松花江地区 10.05 万人。这是自渡江战役之后在长江集结兵力最多的一次。在抗洪抢险过程中，涌现出了像高建成、李向群、吴良珠、胡继成、王占成、李长志等英雄人物。1998 年 9 月 28 日，江泽民发表重要讲话，宣布抗洪抢险斗争取得全面胜利。他指出，坚决战胜这场洪水，是保护人民生命财产安全、保卫改革开放和现代化建设成果的一场重大斗争，也是对中国人民与天奋斗的勇气、信心和力量的一场严峻考验。江泽民强调指出，在同洪水的搏斗中，我们的民族和人民展现出了一种十分崇高的精神。这就是万众一心、众志成城，不怕困难、顽强拼搏，坚韧不拔、敢于胜利的伟大抗洪精神。抗洪精神，是爱国主义、集体主义和社会主义精神的大发扬，是社会主义精神文明的大发扬，是我们党和军队的光荣传统和优良作风的大发扬，是中华民族的民族精神在当代中国的集中体现和新的发展。

纪律严明，就是要做到一切行动听指挥，坚决执行命令，做到令行禁止，保持军队高度的集中统一。没有严明的纪律，就没有军队，就没有任何军事斗争的胜利。

早在我军创建之初，毛泽东就制定了“三大纪律、八项注意”等全军统一的纪律。此后又进一步强调“加强纪律性、革命无不胜”，从而逐步建立和完善了全军统一的政治纪律、组织纪律、军事纪律。在新的历史时期，邓小平对纪律严明的重要性作过如下论断：“我们这个军队，历来强调一切行动听指挥，强调自觉遵守革命纪律。不这样，我们能够战胜比我们强大得多的敌人吗？能够保证党对军队的绝对领导、贯彻执行党的路线和政策吗？能够加速我军革命化现代化建设吗？”

江泽民对加强军队的纪律高度重视。1996 年 12 月 14 日，在中央军委扩大会议上，江泽民在讲话中指出：“纪律是军队的命脉，纪律不严，军队就会成为一盘散沙。要把加强纪律建设摆在部队管理工作的重要位置，切实纠正纪律方面存在的突出问题。全军要进一步强化纪律观念，养成严守纪律、令行禁止的好作风，保证政令、军令的畅通。必须指出，严明纪律不能只盯着基层，应该既盯着下面的基层官兵，又盯着上面的领导干部、领导机关，而且要首先从领导干部、领导机关严起。”

江泽民一再强调要提高管理水平，坚持从严治军。他指出，要坚持从严治军，强化官兵的纪律观念，坚决做到令行禁止，一切行动听指挥。要把条令条例落实到部队各项工作中去，建立正规的战备、训练、工作、生活秩序，不断提高正规化管理水平。

1994 年 10 月，全军召开管理工作会议并在随后颁发了《中央军委关于加强军队管理教育工作的决定》，其核心就是要坚持从严治军，强化纪律观念，确保政令、军令畅通，做到令行禁止，一切行动听指挥。1997 年 10 月 7 日，江泽民签署命令，颁布施行重新修订的《中国人民解放军内务条令》、《中国人民解放军纪律条令》、《中国人民解放军队列条令》（统称“共同条令”）和《中国人民解放军警备条令》。这是中央军委根据新的历史时期形势发展的需要和部队建设的实际，所采取的又一重要治军举措。

为保障纪律严明，中央军委果断停止军队生产经营活动。1998 年 7 月 21 日，在中央军委常务会议上，江泽民指出：“为了从根本上防止消极腐败现象，进一步推进全军的党风廉政建设，中央已下定决心作出一个重大决策，这就是军队、武警部队必须‘吃皇粮’，必须彻底停止一切经商活动。我到中央工作以后一直是这个主张。”①

这是一次令行禁止的典范。从 1999 年起，军队和武警部队实现了全部“吃皇粮”，将 2900 多家经营性企业全部交给了国家和地方政府，其履行职能的所需经费由国家财政保证。

保障有力，是江泽民依据后勤在军队建设和现代化战争中的重要地位

① 江泽民：《江泽民文选》第二卷，人民出版社 2006 年版，第 181 页。

和作用提出来的。保障能力的大小，往往直接制约着军队建设的进程和战争的结局。

1991 年 12 月，全军后勤工作会议召开，提出今后一个时期全军后勤工作的指导思想是：注重质量建设，坚持勤俭建军，搞好调整改革，强化后勤管理，提高军事经济效益，提高综合保障能力。1995 年 7 月，江泽民签署命令，颁布《中国人民解放军后勤条例》(以下简称《条例》)，这是我军第一部综合性后勤基本法规。《条例》认真总结我军后勤工作的历史经验，明确提出和规范后勤工作的指导思想、基本任务、基本原则，以及各级后勤的职责，同时，对部队在改革后勤保障体制、运行机制、物资筹措、供应方式等方面的成功做法，也以法规的形式予以确认。随后，《中国人民解放军军需条例》《中国人民解放军卫生条例》《中国人民解放军物资条例》《中国人民解放军油料条例》《中国人民解放军军事交通运输条例》等一系列条例相继颁布实施，使后勤管理又向正规化迈出了坚定的一步，极大地提高了军队后勤保障能力。1998 年 4 月 3 日，中央军委决定，组建中国人民解放军总装备部，实现了我军武器装备建设的集中统一领导。在 1998 年的抗洪抢险斗争中，全军各级装备部门以“快捷高效、及时到位”的行动准备，为抗洪抢险提供了强有力的装备保障。

经过不断探索，中国人民解放军后勤改革取得了重大突破。1999 年 10 月 8 日，《中国人民解放军联勤条例》颁布实施，延续了半个世纪的三军分供、自我保障体制被崭新的联勤体制代替，建立起以军区为基础的联勤体制，告别了重复分散、舍近求远、低效高耗的历史，保障效能发生了质的飞跃。2002 年初，经江泽民批准，军队采购制度又实施重大改革，形成了与国家政府采购制度相适应、具有我军特色的采购制度框架。

总之，“五句话”言简意赅，涵盖了军队建设的基本内容，概括了战斗力的基本要素，成为新形势下实现军队建设总目标所遵循的行动准绳和纲领。

与“五句话”紧密相连的是“打得赢”“不变质”的两个历史性课题。

1997年12月7日，在中央军委扩大会议上，江泽民指出：“对于新时期的军队建设，有两个最重要的问题是我始终关注的：一个是在复杂的国际环境中，我军能不能跟上世界军事发展的趋势，打赢未来可能发生的高技术战争；一个是在对外开放和发展社会主义市场经济的条件下，我军能不能保持人民军队的性质、本色、作风，始终成为党绝对领导下的革命军队。”[①]根据党的十五大制定的中国社会主义现代化建设的长远发展战略，会议制定了国防和军队现代化建设“三步走”的发展战略。第一步，到2010年，努力实现新时期军事战略方针提出的各项要求，为国防和军队现代化打下坚实基础。第二步，21世纪的第二个十年，加快军队质量建设的步伐，适当加大发展高技术武器装备的力度，完善武器装备体系，全面提高部队素质，进一步优化体制编制，使国防和军队现代化建设有一个较大的发展。第三步，到21世纪中叶，实现国防和军队现代化。

按照政治合格、军事过硬、作风优良、纪律严明、保障有力“五句话”全面建设部队，为新形势下人民军队履行打得赢、不变质的两个历史性课题提供了基本保证。

二、迎接世界军事变革挑战，实施科技强军战略

实施科技强军，着眼于打赢未来可能发生的现代技术特别是高技术条件下的局部战争，是以江泽民同志为核心的党中央和中央军委，在总结我军长期建设的历史经验，正确把握世界军事发展客观规律的基础上作出的重要战略决策。

1989年11月12日，在中央军委扩大会议上，江泽民就有针对性地指出：“我们国防科技高技术的发展决不能放松，同时要注意缩短常规武器装

① 江泽民：《江泽民文选》第二卷，人民出版社2006年版，第90页。

备同世界先进水平的差距。我们一定要集中力量，突出重点，抓出成效。这关系到国际战略形势的发展和世界和平。”

海湾战争是第二次世界大战结束后现代化程度最高的战争，广泛使用了20世纪80年代末90年代初最先进的高技术武器装备。战争节奏快、烈度高、立体性强。

为真正认清这场战争的特点，江泽民委托军事科学院举办关于海湾战争研究讨论会。1991年6月，在关于海湾战争的三次座谈会上，江泽民发表重要讲话。他指出：“这次海湾战争，有很多值得我们深思的东西。实际上，从战争一开始，美国就已经把伊拉克的电磁频谱侦察清楚了。频谱弄清楚了，就可以进行干扰。美国还通过火力侦察，证实是这个频谱，然后进行‘软杀伤’，一下子搅得伊拉克通信紊乱，指挥失灵。伊拉克为什么垮得那么快？我看，一个重要原因就是伊拉克的通信系统被打瘫痪了，各种指挥失灵了，飞机也飞不起来了，特别是伊拉克部队的战斗意志垮了。研究海湾战争给我们的启示，既要分析它的电子技术，也要分析其他战略武器，包括空军、海军等各个方面的，同时还要看到战争的性质和战略决策、战略指导对于战争结局的影响。”① 江泽民指出：“我们在武器装备上确实落后了一大截，有些原来就存在的差距进一步拉大了。”② 为进一步赶上去，他指出：一要结合国情，有所赶有所不赶；二要高度重视体制问题；三要妥善处理国防经费问题；四要坚持自力更生的方针；五要重视技术的可靠性和先进性。

1993年1月13日，在中央军委扩大会议上，江泽民再次指出：“海湾战争的事实说明，随着高技术在军事领域的运用，武器的打击精确度、作战强度空前提高，突然性、立体性、机动性、快速性和纵深打击的特点十分突出，拥有高技术优势的一方明显地掌握着更多的战场主动权。在当今世界上，一个国家如果不随着经济社会发展努力增强国防实力，提高军队

---

① 江泽民：《江泽民文选》第一卷，人民出版社2006年版，第143—144页。
② 江泽民：《江泽民文选》第一卷，人民出版社2006年版，第145页。

的素质和武器装备水平，在现代技术尤其是高技术条件下的作战能力不强，一旦战争发生，往往陷于被动挨打的地位，国家利益、民族尊严和国际威望就要受到极大损害。正因为如此，现在世界上许多国家都在调整军事战略。”[①]他深刻地预见到，未来我们将面临的是一场“现代技术特别是高技术条件下的局部战争”[②]，“从现在起，为了适应现代技术特别是高技术条件下的作战需要，我们要积极创造条件，努力改善军队的武器装备”[③]。在此基础上，江泽民提出了新时期军事战略方针：第一，必须坚持以毛泽东军事思想、邓小平新时期军队建设思想为根本指导；第二，必须服从和服务于国家的发展战略；第三，必须把未来军事斗争准备的基点放在打赢可能发生的现代技术特别是高技术条件下的局部战争上；第四，必须实施灵活正确的战略指导。

“把未来军事斗争准备的基点放在打赢可能发生的现代技术特别是高技术条件下的局部战争上”，这一战略方针的提出，使科技强军成为时代的选择。

在提出实施科教兴国战略之际，1995 年 12 月，中央军委明确提出实施科技强军战略，强调人民解放军要依靠科技进步提高战斗力，实现由数量规模型向质量效能型转变、由人力密集型向科技密集型转变。

要做到“两个转变”，需要认清世界军队建设的走向，认清质量建设与实施科技强军的关系。1996 年 12 月，在中央军委扩大会议上，江泽民再次对高新技术广泛应用于军事领域而引发的重大变革进行了详尽地分析，并预测：“到 2010 年左右，世界一些主要国家和地区的军队建设质量可能会出现新的飞跃。”[④]他指出：“迎接世界军事发展的挑战，要千方百计把我军的武器装备搞上去。”[⑤]江泽民强调：“我要郑重地向同志们提出，全军各项建设和一切工作，包括军事训练、政治工作、后勤保障、国防科研等，都要

① 江泽民：《江泽民文选》第一卷，人民出版社 2006 年版，第 285 页。
② 江泽民：《江泽民文选》第一卷，人民出版社 2006 年版，第 285 页。
③ 江泽民：《江泽民文选》第一卷，人民出版社 2006 年版，第 290 页。
④ 江泽民：《江泽民文选》第一卷，人民出版社 2006 年版，第 607 页。
⑤ 江泽民：《江泽民文选》第一卷，人民出版社 2006 年版，第 609 页。

在新时期军事战略方针指导和统揽下，立足于打赢未来现代技术特别是高技术条件下的局部战争，周密规划，全面部署，深入展开。也就是说，全军各项建设和一切工作，都要服从和服务于这一战略方针的需要，都要为确保这一战略方针的胜利实施做好各方面的充分准备。全军各个部队、各级领导机关和广大指战员，必须迅速掀起并形成一个广泛、深入、持久地学习现代科技特别是高技术知识的热潮。”①

此后，贯彻科技强军战略，推进军队质量建设成为军队建设的一条主线。全军掀起了科技大练兵的热潮。1998 年 9 月举办了全军运用高科技知识、普及深化训练改革成果的集训活动，把增强官兵综合素质和部队整体作战能力作为根本目的，把群众性的学习运用高科技知识贯穿训练的全过程，使科学技术真正成为推动训练发展和提高打赢能力的主导力量。

1999 年 1 月，在省部级主要领导干部金融研讨班上，江泽民提醒大家：“科技领域的革命性变革，不仅通过推动生产力发展有力地作用于人们的生产生活方式，而且必将深刻地影响下个世纪的世界政治、经济、文化、军事格局。对此，我们要有足够的估计。”②1999 年 8 月，在全国技术创新大会上的讲话中，他又尖锐地指出，一些西方国家所以能够有恃无恐地推行霸权主义、强权政治，所以能够聚敛世界上的大多数财富，所以能够维持对广大第三世界国家不公正、不合理的国际政治经济秩序，所以能够动辄对一些弱小国家进行武力威胁和发动侵略战争，很重要的一个方面，就是因为它们在科技上从而在经济上、军事上掌握了很大的优势。他明确提出：“要高度重视加强国防高技术的创新，注重发展军民两用技术，尽快掌握维护国家主权和安全所需要的新的‘杀手锏’。”③9月，江泽民又指出，实践证明，自力更生、自主创新，是我们真正在世界高科技领域占有一席之地的重要基石。唯有自己掌握核心技术，拥有自主知识产权，才能将祖国的发

---

① 江泽民：《江泽民文选》第一卷，人民出版社 2006 年版，第 607—608 页。
② 江泽民：《江泽民文选》第二卷，人民出版社 2006 年版，第 298 页。
③ 江泽民：《论科学技术》，中央文献出版社 2001 年版，第 149 页。

展与安全的命运牢牢掌握在我们手中。1999 年 11 月，在回顾十年来中央军委的工作时，江泽民要求，全军装备战线要继续实施科技强军的战略思想，努力站在世界科技发展前沿，加速我军武器装备现代化的步伐。

科技强军的核心，是依靠科技创新加快新型武器装备研制步伐，推动武器装备发展，使军队武器装备由半机械化、机械化向自动化、信息化迈进。由于我国还是发展中国家，能用于发展武器装备的经费还很少。因此，科技强军必须坚持有所为有所不为、有所赶有所不赶的方针，力争尽快在关键领域实现突破。

江泽民曾担任电子工业部部长，这种背景使他对军队的信息化有着深入的了解并力促改革。2000 年 3 月，他就信息网络化问题指出，信息网络化直接导致了军事领域的革命性变革，空前地提高着军队的信息战、网络战能力，数字化部队建设已开始成为发达国家军队建设的重点。2000 年 7 月，他强调指出，有了强大的国防力量和先进的军事科学技术，我们才能顺利实施新时期的军事战略方针。在一些战略性、基础性的重大科技项目上，我们“必须拥有自主创新的能力和自主知识产权”，要“努力在国防科技建设上实现技术发展的跨越”。2000 年 8 月，江泽民在北戴河会见杨振宁等科学家时，当谈到科技伦理问题及缩小世界科技差距问题时重申：“有的国家利用高技术成果提高自己的军事实力，在世界或地区范围内谋取霸权，干涉他国内政。”① “当今世界，人类面临着两大课题，一是和平问题，一是发展问题。这两大课题的解决，都与科学技术发展有密切关系。随着经济全球化趋势的发展和科学技术的突飞猛进，各国都面临着新的机遇，也面临着新的挑战。发展中国家特别是贫困国家面临的挑战更加严峻。”② 他指出：“对中国来说，大力推进科技创新、实现技术发展的跨越极为重要。我们必须紧跟世界潮流，抓住那些对我国经济、科技、国防、社会发展具有

---

① 江泽民：《江泽民文选》第三卷，人民出版社 2006 年版，第 104 页。
② 江泽民：《江泽民文选》第三卷，人民出版社 2006 年版，第 105 页。

战略性、基础性、关键性作用的重大科技课题，抓紧攻关，自主创新。”①

在科技进步的带动下，在短短几年时间里，陆军及通用武器装备已基本实现制式化、系列化，火力压制、地面突击、战场机动、战场情报侦察、作战指挥和防护能力有了较大提高，满足了多兵种联合作战的要求。海军在导弹化、立体化、信息化建设方面取得了很大进步，已具备了近海防御作战能力。空军具备了相当水平的全天候、全天时、全空域作战能力，一批高技术武器装备陆续装备部队。1998 年底，国防高新技术研究取得重大进展，有些项目已进入世界先进行列。航天技术已从试验阶段全面进入应用阶段，卫星及运载火箭研制、生产、发射、测控形成体系，返回式卫星技术及发射测控水平居于世界前列。核技术和导弹技术取得重要突破，巩固了中国的国际地位。电子信息装备向数字化、综合化、一体化方向发展，保密和抗干扰能力有了进一步提高。具有人民解放军特色的作战指挥控制系统初具规模，军事通信装备系统建设发展迅速。

科技强军成果需要科技练兵才能得以检验。2000 年金秋，江泽民来到京郊某训练场，检阅和观看陆海空三军、第二炮兵部队在多维空间展示的科技练兵丰硕成果，并进一步强调指出，科技练兵是提高我军打赢未来高技术战争能力的根本途径，在军队现代化建设的全局中具有举足轻重的地位，全军部队特别是各级领导和机关，要进一步认清科技练兵的重大意义，正确把握科技练兵的方向和规律，不断把科技练兵引向深入。

2002 年 11 月，在党的十六大报告中，江泽民明确提出，我们的国防和军队建设要“适应世界军事变革的趋势”②。12月，在中央军委扩大会议上，江泽民指出：“信息化是新军事变革的核心。人类社会的战争形态正由机械化战争转变为信息化战争。整个工业时代军队的武器装备、组织体制、军事理论、军事训练以及后勤保障方式等，都将按照信息化的要求进行彻底

① 江泽民：《江泽民文选》第三卷，人民出版社 2006 年版，第 103 页。
② 江泽民：《江泽民文选》第三卷，人民出版社 2006 年版，第 563 页。

改造。”[①]

2003年10月20日，在浙江考察工作的江泽民接见了已跨入机械化行列的“硬骨头六连”官兵，语重心长地嘱托他们，你们从过去的骡马化发展到摩托化，现在又实现了机械化。在推进中国特色军事变革，实现我军机械化、信息化双重历史任务和加强军事斗争准备的进程中，坚持弘扬“硬骨头精神”具有十分重要的意义。

“硬骨头六连”是我军从传统步兵向机械化、信息化转变的一个代表。这个普通连队的转变表明：加速推进中国特色军事变革，缩短我军与发达国家军队的“时代差”，科技强军是根本。

国家要强大，科技是关键；科技要发展，人才是关键。实施科技强军，关键在于培养大批既精通军事又掌握现代高技术的复合型人才。

早在世界新军事变革兴起之初，江泽民就指出，迎接世界新军事变革的挑战关键在人才。人才是兴军之本，必须把培养和造就大批高素质人才作为军队现代化建设的根本大计来抓。1996年12月14日，在中央军委扩大会议上的讲话中，江泽民指出：“没有一大批高素质的人才，就无法掌握新的武器装备，无法创造和运用新的战法，也就不可能赢得未来战争的胜利”；“高新技术装备一下子搞不上去，但人才培养要先行。宁肯让人才等装备，也不能让装备等人才。”[②]在1997年12月的中央军委扩大会议上，他又强调指出：“人才是兴军之本，必须把培养造就大批高素质人才作为军队现代化建设的根本大计。我们历来强调，决定战争胜负的是人而不是武器，无论武器装备发展到什么程度，人在战争中的作用始终是第一位的，任何时候都不能见物不见人。如果我们有了高素质人才，又有了先进武器装备，就如虎添翼。”[③]2002年3月12日，在九届全国人大五次会议解放军代表团讨论会上，江泽民再次强调：“迎接世界军事变革的挑战，提高高技术条件

---

① 江泽民：《江泽民文选》第三卷，人民出版社2006年版，第578页。
② 江泽民：《论科学技术》，中央文献出版社2001年版，第89页。
③ 江泽民：《江泽民文选》第二卷，人民出版社2006年版，第88页。

下的防卫作战能力，关键是要培养和造就一大批高素质的新型军事人才。我们必须把人才培养作为军队现代化建设的根本大计，尽快抓出成效。这既是当务之急，又是长治之策，必须抓得紧而又紧。要采取超常措施，大力选拔培养优秀年轻干部，努力造就一大批高素质的复合型指挥人才、智囊型参谋人才和专家型科技人才，为军队现代化建设和军事斗争准备提供可靠的人才保证。”[①]他提出，要抓好人才战略工程，建设包括指挥军官、参谋、科学家、技术专家和士官在内的“五支队伍”，为军队现代化建设和军事斗争准备提供强大的人才和智力支持。

江泽民要求，要按照建设信息化军队、打赢信息化战争的要求确定人才培养的目标，建立和完善具有中国军队特色的新型院校体系。他先后10余次来到中国人民解放军国防大学，考察指导我国最高军事学府的发展与建设。在以江泽民同志为核心的党中央关怀下，1999年6月，中央军委决定在原国防科技大学的基础上，长沙地区4所军队院校合并，组建为新的国防科技大学，由中央军委直接领导。这是中央军委为实施科技强军战略，加速高素质人才培养，推进我军质量建设而采取的一项重大举措，也是创办我军具有世界先进水平的一流综合性大学的一个尝试。

与此同时，全军研究生培养单位重点建设了一批院校、学科和实验室（简称“三重”建设），构建起了“我军高层次人才培养的航空母舰”和“科技强军的高科技平台”的整体框架。进入21世纪后，按照中央军委的部署，我军在“三重”建设的基础上，实施“2110工程”，即在21世纪的头十年重点建设一批学科专业和院校。

总的来看，20世纪90年代，我国充分利用世界军事变革的形势和冷战结束后相对和平的环境，加快推进了具有中国特色的军事变革，及时调整了军事战略方针，提高了武器装备的信息化水平，培养出大批高素质人才，科技强军取得了巨大成就，也为21世纪军事变革的继续深入奠定了坚实的基础。

---

① 中共中央文献研究室编《江泽民论有中国特色社会主义（专题摘编）》，中央文献出版社2002年版，第466页。

三、走有中国特色的精兵之路

20 世纪 90 年代初，随着东欧剧变和苏联解体，冷战结束，国际战略格局开始向"一超多强"的多极化方向发展。同时，科学技术的迅猛发展，高技术兵器在军事领域的广泛应用，使现代战争形态发生了根本性变化，对军队现代化的质量要求大大提高。世界主要军事大国都在不断压缩军队规模，注重提高军队建设的质量。经过 20 世纪 80 年代的裁军整编，我军规模虽然大幅度精简，但由于历史的原因，规模大、人数多的问题仍然比较突出，制约着军队现代化建设的发展。

以江泽民同志为核心的党中央洞察世界主要国家军队体制编制的发展趋势，得出一个结论：兵贵精不贵多，必须继续调整体制编制，进一步压缩规模，坚定不移地走中国特色的精兵之路。江泽民指出："走有中国特色的精兵之路，核心是一个'精'字。精，既是对'量'的要求，更是对'质'的要求。减少数量并不等于质量会自然而然地提高。要真正达到精兵的要求，实现我军由数量规模型向质量效能型、由人力密集型向科技密集型转变，还有大量工作要做。"①

1992 年 4 月，中央军委作出"八五"期间军队体制编制调整改革的决定，通过继续压缩军队规模，精简机构，为 20 世纪 80 年代邓小平开启的百万大裁军画上了一个圆满的句号。

1995 年 12 月，中央军委提出实现我军由数量规模型向质量效能型、由人力密集型向科技密集型的转变。按照科技强军的战略，我军出台了一系列依靠科技进步提高军队建设质量的重大举措。同时，按照"精兵、合成、高效"的原则，实行军队体制编制调整改革。

1997 年 7 月 31 日，在庆祝中国人民解放军建军 70 周年大会上的讲话中，江泽民指出："加强质量建设，走有中国特色的精兵之路，是实现我军现代

① 江泽民：《论科学技术》，中央文献出版社 2001 年版，第 127 页。

化的正确选择。随着高新技术广泛运用于军事领域，争取质量优势已成为世界上许多国家军队建设的一个共同趋势。减少数量，提高质量，是我军现代化建设的一条基本方针。在这个问题上，认识要更加明确，行动要更加坚决。必须把加强质量建设全面具体地贯彻到部队各项工作中去。”

经过几年努力，走有中国特色的精兵之路取得显著成就：（一）干部队伍建设成绩斐然。一批德才兼备的优秀年轻干部走上领导岗位，干部队伍的革命化、年轻化、知识化、专业化水平明显提高。与1992年相比，各大军区领导班子平均年龄下降2岁，拥有大专以上学历的比例则上升了17.8%。全军干部大专以上文化程度的比例达到56.5%，博士生、硕士生达2万多人。经过本级培训的比例上升到63.7%。专业技术干部占全军干部近半数，涌现出一批以两院院士为代表的高层次人才和大量年轻有为的专家。（二）院校教育在改革中前进。形成了指挥军官初、中、高三级培训体制和专业技术军官中专、大专、本科、硕士、博士五个层次的专业教育体系。此外，各院校还调整学科专业结构，新设了一批适应高技术发展、与未来军事斗争关系密切的专业，使教学更加贴近现代战争和部队建设的实际。（三）部队训练手段日趋先进。全军部队、院校和科研单位广泛运用计算机仿真等高新技术，研制、生产了500余项、3.6万多套（件）训练模拟器材，初步形成了从专业技术到专业战术模拟训练，从单一兵种到多军（兵）种模拟训练的完整体系，创造了明显的军事效益和经济效益。（四）武器装备不断改善。一批新型武器陆续装备陆军、海军、空军和第二炮兵部队，使陆军武器整体结构、作战能力和配套保障显著改善；海军海上机动编队的防空、反潜、反舰作战和电子对抗能力有所增强；空军防空作战、空中进攻作战和空降作战的手段得到充实；第二炮兵的威慑打击能力得到提高。电子信息装备的数字化、综合化、一体化和抗干扰能力也有所增强。（五）军事法制建设成果丰硕。根据1992年和1996年分别编制下发的中央军委“八五”“九五”期间立法规划，全军先后出台了一批军事法律、法规和规章，形成了以条令条例为主体的基本完善的军事法规体系。与此同时，军事执法、军事司法、法律监督和法制宣传教育等方面也取得了前所未有的成绩，有力地推动了依法治军方针的贯彻落实。（六）后勤保障能力明显提高。为适应高技术条件下应急机动作战的需要，军委、总部大力加强应急机动作战部队后勤建设，认真组织战役应急支援保障力量的试验，积极探索联合作战背景下的战略支援保障问题，初步形成了战略、战役、战术后勤相互衔接，供、救、运、修诸要素综合配套的后勤保障力量体系，我军后勤的应急机动保障和全方位支援保障能力得到明显提高。①

在此基础上，1997 年 9 月，江泽民在党的第十五次全国代表大会上庄严宣布：在 20 世纪 80 年代裁减军队员额 100 万的基础上，今后三年将再裁减军队员额 50 万。

顺利实现党中央的这一重大战略决策，一个关键性的问题是，能否妥善安置 20 余万军队转业干部。把裁减军队员额期间的转业干部安置好，使他们在社会主义现代化建设中发挥生力军作用，对促进广大现役干部安心部队建功立业具有重要的激励和导向作用。这一时期，党政机构的改革正自上而下全面展开，企事业单位人事制度改革、劳动用工制度改革也在大力推进，人员分流和安置任务十分繁重，下岗职工的再就业成为党和政府着力解决的一个重大现实问题。这一状况，使军转安置工作面临前所未有的压力和困难。

江泽民对军转安置工作十分重视和关心，作出一系列重要指示。1998 年 4 月，在北京京西宾馆有两个会议同时进行。一边正在召开中央军委扩大会议，研究裁减军队员额 50 万的实施方案；一边正在召开全国军转安置工作会议，部署如何安置这次军队裁减员额中退出现役的转业干部。这两个以“进”和“出”为不同议题的会议，紧密地连在了一起。4 月 22 日，在全国军转安置工作会议结束的当天下午，刚刚从外地考察工作回京的江泽民接见了与会代表。他指出，裁减军队员额 50 万不仅直接关系军队的改革和建设，也关系国家的跨世纪发展。妥善安置退出现役的干部，是实

① 《走有中国特色的精兵之路——党的十四大以来人民解放军建设成就评述》，《人民日报》1997 年 8 月 31 日。

现党中央这一决策的关键。他特别强调，由于军队裁减员额同政府机构改革中精简人员及企业减员增效同时进行，军转安置工作的任务会更加艰巨。各级党委、政府一定要从大局出发，通盘考虑，优先安排好军队转业干部。4 月 24 日，在中央军委扩大会议上，江泽民又特别强调了做好军转安置工作的重要意义。各地对安置军转干部坚持特事特办，态度坚决，措施有力，行动迅速。1999 年底，人民解放军按照“精兵、合成、高效”的原则完成了我军历史上第九次大裁军。通过整编，精干了机关，优化了部队的编成结构，进一步理顺了关系，军兵种比例、战斗部队与保障部队比例等进一步趋向合理，陆军精简 18.6%，海军精简 11.4%，空军精简 12.6%，第二炮兵精简 2.9%，全军总编制人数保持在 250 万以内。

1998 年 4 月，中央军委制定了“九五”期间军队体制编制调整改革方案，决定对我军领导指挥体制、保障体制、部队编成、院校体制进行重大调整改革。

历史经验表明，强大的军队绝不是靠人头数量堆出来的。适度裁减军队员额，不仅不会降低战斗力，而且能够进一步优化结构，有效利用资源，提升作战效率。精兵就是缩减数量，提高质量，而质量很大程度上来自科技强军。

1998 年 12 月 25 日，在中央军委扩大会议上，江泽民专门就加强军队的质量建设与实施科技强军战略的关系作了系统的阐述。他指出：“随着世界科学技术日新月异的进步，以及由此带来的世界军事变革的加速和武器系统效能的空前提高，加强我军的质量建设显得愈来愈重要，愈来愈紧迫。军队质量在现代战争中具有决定性的意义。我们必须把加强质量建设作为实现我军现代化的基本指导方针，摆在更加突出的位置。加强质量建设的关键，是实施科技强军的战略，提高军队现代化建设的各个方面的科学技术含量，增强现代技术特别是高技术条件下的防卫作战能力。”①

---

① 中共中央文献研究室编《十五大以来重要文献选编》（上），中央文献出版社 2011 年版，第 619 页。

1999 年 3 月 12 日，在九届全国人大二次会议解放军代表团全体会议上讲话时，江泽民对大力加强质量建设，坚定不移地走有中国特色的精兵之路，再次进行了阐述。他指出，高新技术的发展，世界军事的变革，尤其是我军现代化建设的任务，都要求我们必须把加强质量建设作为实现我军现代化的基本指导方针，全面贯彻，长期坚持。他指出，我们现在面临的一项重要任务，就是要努力提高部队的质量和效能。在军费尚不充足的条件下，我们要走出一条投入较少、效益较高的现代化建设路子，必须切实解决好结构调整问题。如何在现有总员额内进一步优化结构，提高效能，需要很好地研究。关键是要把全军各级的注意力、把各方面的力量真正统一和集中到军队现代化建设上来。江泽民强调指出，推进军队质量建设，必须依靠科技进步。贯彻科技强军战略，不仅要大力发展先进武器装备、利用高技术改进现有武器装备，而且在教育训练、作战指挥和后勤保障等各个方面，都要努力利用科技进步的最新成果，增大高科技含量。高技术战争中的决定性因素仍然是人。要进一步抓好军队院校建设，发挥院校人才培养的“基地”作用。全军各级都要把现代科技特别是高科技知识的学习教育，作为科学文化教育的重点突出出来，纳入教育训练轨道，纳入干部在职培训计划，纳入院校教学体系。这项工作要做到经常化、制度化、规范化，务求取得扎实的成效。团以上领导干部和机关干部，要学得更多更好一些，以身作则地带动和促进部队的学习。①

精兵、高效、合成，人才、体制、装备，在走中国特色的精兵之路上，我军质量建设稳步推进。

——裁减军队员额，改革兵役制度，加速推进“两个转变”。

——组建总装备部，加快高新技术的开发应用，加速武器装备现代化步伐。

---

① 王文杰、罗玉文：《江泽民在解放军代表团全体会议上发表重要讲话，要求全军站在党和国家工作大局和现代化建设全局高度努力推进人民军队跨世纪发展》，《人民日报》1999 年 3 月 13 日。

——优化后勤资源，实行三军联勤体制，打破了长期以来三军后勤保障自成体系的格局。1999 年 10 月 8 日，中央军委颁布《中国人民解放军联勤条例》。2000 年 1 月 1 日，全军按区域保障与建制保障相结合、通用保障与专用保障相结合，以军区为基础的联勤新体制正式启动。

——改革和完善军队院校培训体制，组建陆军航空兵学院、信息工程大学、理工大学等院校，加速新型人才培养，进一步完善干部培训体制，不断改革组训方式，逐步形成面向 21 世纪的学科专业体系。

——与多所名牌大学签订协议，建立依托国民教育培养高素质军事人才机制……

以质量建设为目标的多次体制编制调整改革，使我军不断朝着规模适度、结构合理、机构精干、指挥灵便、战斗力强的方向迈进，为加速我军现代化建设创造了条件。

1999 年 10 月 1 日天安门广场上的国庆 50 周年盛大阅兵，集中展示了我国军队注重质量建设的精兵风采。此次阅兵，来自陆军、海军、空军、武装警察部队、民兵预备役的 1 万多名官兵和 400 多台战车、火炮、各种导弹等，分别组成 16 个徒步方队和 25 个车辆方队，浩浩荡荡通过天安门广场。坚定有力的步伐、勇往直前的英姿、钢车铁马的轰鸣，受阅部队以空前的阵容和一流的训练水平，展示了我军革命化、现代化、正规化建设的巨大成就，展示了我军威武之师、文明之师、胜利之师的风貌。

此次阅兵，国防科技含量增大，高科技武器装备开始成为主战武器。而这些武器装备绝大部分为中国自己制造。此次阅兵也创造了新中国成立以来历次国庆阅兵的诸多之最：兵种最多——改革开放新时期诞生的陆军航空兵、海军陆战队、武警特警、预备役等部队第一次出现在受阅部队中；最大的装甲阵容——装甲阵容由坦克方队、步战车方队、装甲车方队共 100 多辆战车组成；第二炮兵导弹亮相最多——战略导弹部队的常规地地导弹、中程地地核导弹、远程地地核导弹等组成 4 个导弹方队；方队数量和车辆数量最多——25个车辆方队由陆军、海军、空军、第二炮兵四大军种的400多台车辆组成。

进入21世纪后，人民军队走精兵之路的步伐更加坚定、稳健。

2002年12月，在中央军委扩大会议上，江泽民指出："要继续坚定不移地走中国特色的精兵之路。减少数量、提高质量，建设精干高效的常备军，是世界主要国家军队适应新军事变革的共同选择。"[①] 他强调指出："现在，我军总员额二百五十万人，仍然是世界上规模最大的军队。美国军队在全球部署，只有一百三十八万人。俄罗斯国土面积比我国大将近一倍，军队只有一百一十万人。美俄两家都计划进一步精简军队员额。我军员额要不要再减？能不能再减？依我看来，规模还有些偏大，还可进一步压缩。主要应该压缩机关和非作战单位、非作战人员，这方面缩减的余地还很大。要下决心再减一部分人，把节省下来的钱用在军队现代化建设上。"[②]

2003年9月1日，在出席国防科学技术大学50周年庆典活动时，江泽民郑重宣告：党中央、中央军委决定，将在"九五"期间裁减军队员额50万的基础上，2005年前我军再裁减员额20万。江泽民指出，坚定不移地走中国特色的精兵之路，是我军建设的既定方针。压缩军队员额，是不断适应世界新军事变革发展趋势，服从服务于国家经济建设大局的需要。当前，随着现代科技特别是信息技术的发展，国际军事领域的竞争更加激烈。战争形态正在由机械化战争向信息化战争转变，军队的信息化作战能力越来越具有决定性作用。我们进一步压缩军队规模，有利于集中有限的战略资源，加快我军信息化建设步伐。

这次裁军，裁减人数最为集中的是军事院校，很多军事院校被整体移交给地方。比如：军需大学移交教育部管理，与吉林大学实行联合办学；第一军医大学移交广东省管理，更名为南方医科大学；第三军医大学成都

---

① 江泽民：《江泽民文选》第三卷，人民出版社2006年版，第589页。

② 江泽民：《江泽民文选》第三卷，人民出版社2006年版，第589页。

军医学院移交四川省管理，更名为成都医学院；第四军医大学吉林军医学院移交吉林省管理，更名为吉林医药学院。

风劲帆满海天阔，俯指波涛更从容。

有中国特色的精兵之路，对推进中国特色军事变革，加速我军现代化建设，促进国家经济和社会发展，促进人类和平与发展的崇高事业，具有十分重要的意义。

第二节　香港、澳门回归和推进祖国和平统一

一、香港回归祖国

在“一国两制”伟大构想的指引下，1990 年 4 月，七届全国人大三次会议通过并颁布了《中华人民共和国香港特别行政区基本法》，以国家基本法律的形式，确保了在香港实施“一国两制”、“港人治港”、高度自治的方针。针对英国政府单方面制造的混乱，中国政府决定“以我为主”“另起炉灶”，以确保香港平稳过渡，顺利交接，因而先后聘请了港事顾问，成立了香港特别行政区预委会、香港特别行政区筹委会、香港特别行政区推委会，组成了香港特别行政区政府，董建华成为中华人民共和国香港特别行政区第一任行政长官。

进入 20 世纪 90 年代，国人都热切地盼望香港早日回归，流行歌曲反映出当时人们的这种心态，一首叫《我的 1997》的歌这样唱：

1997 快些到吧　八百伴究竟是什么样
1997 快些到吧　我就可以去 Hong Kong
1997 快些到吧　让我站在红磡体育馆

1997 快些到吧　和他去看午夜场
……

在翘首企盼中，历史性的时刻终于到来。

1997 年 6 月 30 日午夜至 7 月 1 日凌晨，香港会议展览中心灯火辉煌，举世瞩目的中英两国政府香港政权交接仪式在这里的五楼大会堂隆重举行。

6 月 30 日 23 时 5 分，江泽民主席会见了英国王储查尔斯王子。这是香港政权交接前，中英双方最后一次重要会见。

6 月 30 日 23 时 42 分，交接仪式正式开始。

在中英仪仗队入场后，双方礼号手吹响礼号。23 时 46 分，中国国家主席江泽民、国务院总理李鹏、国务院副总理兼外交部部长钱其琛、中央军委副主席张万年和香港特别行政区首任行政长官董建华步入会场登上主席台主礼台。英国方面同时入场并登上主席台主礼台的有查尔斯王子、首相布莱尔、外交大臣库克、国防参谋长查尔斯·格思里、末代港督彭定康。

在仪仗队行举枪礼之后，查尔斯王子讲话。他说，这一重要而特殊的仪式标志着香港在 150 多年英国统治之后，交还给中华人民共和国。他向那些把“一国两制”构想变为《中英联合声明》的人致敬，并对那些为谈判《中英联合声明》的实施细节而辛勤工作的人们表示敬意。

23时56分，中英双方护旗手入场，象征两国政府香港政权交接的降旗、升旗仪式开始。出席仪式的中外来宾全体起立，全场的目光都集中到竖立在主席台主礼台前东西两侧的旗杆上。

23 时 59 分，英国国旗和香港旗在英国国歌乐曲声中缓缓降落。随着“米字旗”的降下，英国在香港一个半世纪的殖民统治宣告结束。

这时，距零点只差几秒，全场一片肃静。

7 月 1 日 0 时整，激动人心的神圣时刻到来了：中国人民解放军军乐队奏起雄壮的中华人民共和国国歌，中华人民共和国国旗和香港特区区旗一起徐徐升起。

0时4分，中华人民共和国主席江泽民庄严宣告：“根据中英关于香港问题的联合声明，两国政府如期举行了香港交接仪式，宣告中国对香港恢复行使主权。中华人民共和国香港特别行政区正式成立。这是中华民族的盛事，也是世界和平与正义事业的胜利。”① 江泽民指出：“经历了百年沧桑的香港回归祖国，标志着香港同胞从此成为祖国这块土地上的真正主人，香港的发展从此进入一个崭新的时代。”②

这一庄严宣告，在大会堂4000多位中外嘉宾中响起经久不息的掌声。这一宣告通过电波传向祖国的大江南北，传向世界的四面八方。

0时12分，香港政权交接仪式结束。

7月1日1时35分，全部由港人组成的香港特别行政区政府开始宣誓就职。面对中华人民共和国国旗和香港特别行政区区旗，董建华庄严宣誓：本人就任中华人民共和国香港特别行政区行政长官，定当拥护《中华人民共和国香港特别行政区基本法》，效忠中华人民共和国香港特别行政区，尽忠职守，遵守法律，廉洁奉公，为香港特别行政区服务，对中华人民共和国中央人民政府和香港特别行政区负责。

之后，香港特别行政区第一届政府23名主要官员走上主席台宣誓就职。香港特区第一届行政会议14名成员，香港特区临时立法会59名议员，香港特区终审法院常设法官、高等法院法官36人，分批走上主席台宣誓就职。

宣誓完毕后，国务院总理李鹏发表讲话。他代表中央人民政府对香港特别行政区政府的成立表示祝贺。他说，香港回归祖国，香港特别行政区政府成立，标志着邓小平先生“一国两制”伟大构想在解决香港问题上获

---

① 江泽民：《江泽民文选》第一卷，人民出版社2006年版，第651页。
② 江泽民：《江泽民文选》第一卷，人民出版社2006年版，第651页。

得了成功，标志着中国人民为实现祖国完全统一而进行的努力取得重大的成果，也是对世界和平与进步事业的重要贡献。香港历史从此进入了一个新纪元。香港的未来一定会更加美好。

接着，香港特别行政区行政长官董建华也发表了讲话。他说，中国对香港恢复行使主权，实行“一个国家、两种制度”，是超凡政治智慧的创举。我们深信不疑，一定能够克服历史新事业带来的一切挑战，香港的将来会更加美好。他表示，我将以忠诚的心志，坚决执行法律赋予香港高度自治的神圣责任，带领650万富于创业精神的香港市民，坚定地按照“一个国家、两种制度”的路向前进。他最后指出，我坚信，香港回归祖国，实行“一国两制”，前途必定更加辉煌。

与此同时，各式各样的欢庆活动在香港和中国其他地方广泛展开，尤其是当晚在香港维多利亚海港举行的烟花汇演，吸引了数以万计的市民观赏。当晚，中国人民解放军沿海、陆、空三路正式进驻香港。

在香港特别行政区成立庆典上，当董建华庄重地介绍来宾，说出已故国家领导人邓小平的遗孀卓琳的名字时，全场响起经久不息的热烈掌声。这一刻，寄托了港人对邓小平的无限敬意及追思，也聊慰了邓小平的未竟心愿。

香港回归后，马照跑，舞照跳，成功地化解了亚洲金融风暴造成的影响，呈现出无限的生机与活力。

二、澳门回归祖国

香港回归祖国后，澳门回归的步伐也加快了。

一首由著名爱国诗人闻一多先生组诗《七子之歌》首节谱成的歌曲也流行起来：

你可知“Macau”不是我真姓？
我离开你太久了，母亲！
但是他们掳去的是我的肉体，
你依然保管我内心的灵魂。
这三百年来梦寐不忘的生母啊！
请叫儿的乳名，叫我一声“澳门”！
母亲！我要回来，母亲！

1993 年 3 月，八届全国人大一次会议审议通过了《中华人民共和国澳门特别行政区基本法》，对“一国两制”在澳门的实施作了细致、严谨的规定，为澳门的平稳过渡和长期繁荣提供了法律保障。

1998 年 5 月 5 日，全国人民代表大会澳门特别行政区筹备委员会在北京成立，澳门回归进程进入关键阶段。

1999 年 12 月 19 日午夜至 20 日凌晨，举世瞩目的中葡两国政府澳门政权交接仪式在澳门文化中心花园馆隆重举行。

12 月 19 日 23 时 42 分，澳门政权交接仪式开始。在礼号手的号乐声中，中华人民共和国主席江泽民、国务院总理朱镕基、国务院副总理钱其琛、外交部部长唐家璇、澳门特别行政区首任行政长官何厚铧步入会场，登上主席台主礼台。葡萄牙总统桑帕约、总理古特雷斯、国务部长兼外交部长伽马、共和国议会副议长科伊索罗、末代澳门总督韦奇立同时登上主席台主礼台。随后，中葡双方仪仗队举行敬礼仪式，双方乐队奏致敬曲。接着，桑帕约总统发表讲话。23 时 55 分，降旗、升旗仪式开始，中葡双方护旗手入场。23 时 58 分，在葡萄牙国歌声中，葡萄牙国旗和澳门市政厅旗开始缓缓降下。12 月 20 日 0 时整，中国人民解放军军乐团奏响雄壮激昂的中华人民共和国国歌，中华人民共和国国旗和中华人民共和国澳门特别行政区区旗冉冉升起。46 秒后，两面旗帜同时升到旗杆顶端，猎猎飘扬。

12 月 20 日 0 时 4 分，江泽民主席发表讲话。他代表中央政府和全国各族人民向回到祖国怀抱的澳门同胞表示亲切的问候和良好的祝愿，向所有为解决澳门问题作出贡献的人士，向世界上一切关心和支持澳门回归的人们，表示衷心的感谢。江泽民说："中国政府按照邓小平提出的'一国两制'伟大构想，成功地解决了香港、澳门问题，这是中国人民在完成祖国统一的大业中取得的重大进展。'一国两制'在香港、澳门的实践，已经并将继续为我们最终解决台湾问题发挥重要的示范作用。中国政府和人民有信心有能力早日解决台湾问题，实现中国的完全统一。"①江泽民说："澳门回归后，中国政府将坚定不移地贯彻执行'一国两制'、'澳人治澳'、高度自治的方针……将依法保护所有国家和地区在澳门的经济利益。"②他表示："可以坚信，在中央政府和全国各族人民的支持下，澳门特别行政区政府和澳门同胞一定能够把澳门管理好、建设好、发展好。"③最后，江泽民主席以坚定的语气说："回到祖国怀抱的澳门，必将迎来更加美好的未来！"④

0 时 10 分，澳门政权交接仪式结束。

澳门回归，标志着在中国国土上彻底结束了外国列强的占领。这是旧中国的政府不能也不敢解决的问题，是中国共产党对于中华民族的历史性贡献。

12 月 20 日上午 10 时，中华人民共和国澳门特别行政区举行成立庆祝大会。在欢快的迎宾曲声中，江泽民主席在何厚铧的陪同下步入会场，全场响起热烈的掌声。江泽民主席发表讲话指出："中葡两国政府通过谈判解决澳门问题，这一政治决断是符合时代要求的明智之举。……澳门问题的成功解决，为中葡两国人民的友谊在二十一世纪的发展提供了新的历史起

---

① 江泽民：《江泽民文选》第二卷，人民出版社 2006 年版，第 484—485 页。
② 江泽民：《江泽民文选》第二卷，人民出版社 2006 年版，第 485 页。
③ 江泽民：《江泽民文选》第二卷，人民出版社 2006 年版，第 485 页。
④ 江泽民：《江泽民文选》第二卷，人民出版社 2006 年版，第 485 页。

点。”[①]江泽民说，伟大的祖国永远是澳门的坚强后盾。中央政府将坚决支持特别行政区政府为保持澳门社会稳定而采取的一切必要措施。他表示，相信有中央政府和祖国12亿人民的支持，在澳门特别行政区政府领导下，澳门人民一定会更加奋发开拓，自强不息，创造澳门美好的未来。澳门特别行政区行政长官何厚铧说，澳门特别行政区的成立，标志着进入澳门人当家作主的新纪元，我们为此感到万分激动和光荣，同时也焕发起崇高的使命感和神圣的责任感。何厚铧表示，他作为首任行政长官，决心并务必努力不懈，在任期内建立起一套高效率、廉洁、问责的公共行政系统，真正体现出“澳人治澳”、高度自治的精神。他说，在实践“澳人治澳”、高度自治的过程中，我们有责任将国家的利益与澳门的利益相互结合起来。我们追求的目标，是利国利澳，国家和澳门共同繁荣发展。

澳门回归后，经济社会发展成就斐然。2000年12月，在澳门回归1周年之际，国务院总理朱镕基在接受记者采访时，大赞澳门行政长官何厚铧在澳门回归一年来的工作表现，并对澳门治安“非常满意”，称赞澳门经济表现“了不起”。

三、推进祖国和平统一

在香港、澳门回归过程中，中国共产党领导人不断通过各种渠道，呼吁台湾当局尽早结束与大陆的分隔状态，实现祖国的完全统一。同时还多次表明：决不允许有“两个中国”或“一中一台”，坚决反对“台湾独立”；用什么方式解决台湾问题，完全是中国的内政，决不允许任何外国干涉。

在“一国两制”原则的感召下，20世纪80年代至90年代初海峡两岸关系明显趋于缓和。

---

① 江泽民：《江泽民文选》第二卷，人民出版社2006年版，第487页。

1987 年，蒋经国宣布解除台湾地区持续近四十年的戒严令，随后又开放台湾同胞到祖国大陆探亲。

1989 年 7 月 7 日，江泽民在会见参加七届全国人大常委会第八次会议和政协第七届常委会第七次会议的港澳人士时重申，中国按照“一国两制”的原则制定的对香港、澳门和台湾的方针政策不会改变。四天之后，他对香港知名人士安子介等说，在处理港澳和台湾的问题上，我们采取“一国两制”的方针，我搞我的社会主义，你搞你的资本主义。

1989 年 9 月 26 日，新一届中央政治局常委与中外记者见面。江泽民在回答台湾《中国时报》记者提问时说：“大陆和台湾省[①]应该更快地和平统一，可以‘一国两制’。我们的方针是和平统一，但是在这里我们不能承诺不使用武力，不承诺（不使用武力），这更加有利于和平统一。”国务院总理李鹏也重申：“关于统一祖国的方针，我们没有改变。”

1990 年 6 月，在全国统战工作会议上，江泽民就解决台湾问题讲话指出：“我们主张由中国共产党和中国国民党两党对等商谈。同时，我们也一贯重视两岸其他党派、团体和各界人士在实现祖国统一大业中的作用。在两党商谈之前，同各个党派、团体切磋议案，共商国是；在商谈之中，及时通报情况，交换意见；甚至在参加会谈的代表中，也可以吸收其他党派、团体有代表性的人士。”他指出，“在正式谈判前，应尽快实现两岸‘三通’，扩大双向交流。有关两岸交流中的一些具体问题，可分别通过适当途径协商解决”。

在打破僵局的情况下，1990 年 11 月，台湾方面成立了海峡交流基金会（简称“海基会”）。1991 年 6 月，中共中央台办负责人授权发表谈话，提出建议：“中国共产党和中国国民党派出代表进行接触，以便创造条件，就正式结束两岸敌对状态、逐步实现和平统一进行谈判。还可以在坚持一个

---

① 因时代背景、政治立场不同而形成的称谓，如：在宣传报道中尽量避免用“大陆”，酌情使用“祖国大陆”；台湾是中国的一个省，但考虑到台湾同胞的心理感受，现在多用“台湾地区”。为保持史料原貌，以上均不做处理。

中国原则的前提下，讨论台湾当局关心的其他问题。在商谈中，可以邀请两岸其他政党、团体有代表性的人士参加。”为便于与海基会接触、商谈，1991 年 12 月，大陆方面也成立了海峡两岸关系协会，并经授权以坚持一个中国原则作为两会交往和事务性商谈的基础。

1992 年 10 月，江泽民在党的十四大报告中进一步阐述了国共两党“就正式结束两岸敌对状态、逐步实现和平统一”进行谈判的主张，并特别强调指出：“在一个中国的前提下，什么问题都可以谈，包括就两岸正式谈判的方式问题同台湾方面进行讨论，找到双方都认为合适的办法。”[①]之后，两个协会达成著名的“九二共识”，就是各自以口头方式表述“海峡两岸均坚持一个中国原则”的共识，其核心要义是“海峡两岸同属一个中国，共同努力谋求国家统一”。

在这一共识下，1993 年 4 月底，海峡两岸关系协会会长汪道涵与海峡交流基金会董事长辜振甫在新加坡举行“汪辜会谈”，会谈对进一步推动两岸各个领域的交流、交往产生了广泛而重要的影响，标志着两岸关系发展迈出了历史性的一步。

1995 年 1 月 30 日，在中国传统的新年佳节到来前夕，江泽民发表了《为促进祖国统一大业的完成而继续奋斗》的重要讲话，提出了进一步发展两岸关系，推进祖国和平统一进程的八项主张。这八项主张是：（一）坚持一个中国的原则，是实现和平统一的基础和前提。坚决反对一切“台独”和分裂的言行。（二）对于台湾同外国发展民间性经济文化关系，我们不持异议。但是，我们反对台湾以搞“两个中国”“一中一台”为目的的所谓“扩大国际生存空间”的活动。（三）再次建议双方就“正式结束两岸敌对状态、逐步实现和平统一”进行谈判，并提议：“作为第一步，双方可先就‘在一个中国的原则下，正式结束两岸敌对状态’进行谈判，并达成协议。在此基础上，共同承担义务，维护中国的主权和领土完整，并对今后两岸

① 江泽民：《江泽民文选》第一卷，人民出版社 2006 年版，第 252 页。

关系的发展进行规划。”（四）努力实现和平统一，中国人不打中国人。我们不承诺放弃使用武力，决不是针对台湾同胞，而是针对外国势力干涉中国统一和搞“台湾独立”的图谋的。（五）大力发展两岸经济交流与合作。主张不以政治分歧去影响、干扰两岸经济合作。不论在什么情况下，我们都将切实维护台商的一切正当权益。应当采取实际步骤，加速实现直接“三通”。（六）中华各族儿女共同创造的五千年灿烂文化，始终是维系全体中国人的精神纽带，也是实现和平统一的一个重要基础。两岸同胞要共同继承和发扬中华文化的优秀传统。（七）要充分尊重台湾同胞的生活方式和当家作主的愿望，保护台湾同胞的一切正当权益。我们欢迎台湾各党派、各界人士，同我们交换有关两岸关系与和平统一的意见，也欢迎他们前来参观、访问。（八）欢迎台湾当局的领导人以适当身份前来访问；我们也愿意接受台湾方面的邀请，前往台湾。中国人的事我们自己办，不需要借助任何国际场合。

正当两岸关系进展令人鼓舞、充满希望之际，岛内外不利于和平统一的因素也有增长。

随着东欧剧变、苏联解体，冷战逐渐结束，以美国为首的西方国家为了配合加紧对中国的西化、分化，明显地加大了利用台湾牵制、遏制中国发展的力度。1992 年 9 月，美国政府公然违背《八一七公报》中所作的承诺，宣布向台湾当局出售 150 架 F-16 战斗机；1994 年，克林顿政府调整对台政策，大幅提升美台实质关系。台湾当局认为这是一个千载难逢的大好机会，加紧与西方反华势力勾结。一方面大肆在国际上推行“务实外交”，努力增加所谓“邦交国”的数量，提升与“无邦交国”的实质关系，并从 1993 年 9 月开始鼓噪加入联合国；另一方面则在两岸关系上推行“两个政治实体”的政策，挑战一个中国原则，阻挠两岸“三通”，限制台商到大陆投资，继续拖延两岸政治谈判的进程，并在岛内打着“民主化”的旗号，纵容“台独”势力的发展，企图以“台湾生命共同体”淡化台湾同胞的中华民族意识。1995 年，台湾地区领导人李登辉突然访美，公然挑战一个中国原则。岛内“台独”和分裂势力的活动日益猖獗。1999 年 7 月，李登辉又抛出所谓的“两国论”，将两岸关系定位在“国家与国家，至少是特殊的国与国的关系”。李登辉的倒行逆施，使两岸关系变得紧张。

在 2000 年台湾地区领导人选举中，民进党领导人、台北市前任市长陈水扁胜出，国民党沦为在野党。陈水扁上台后，背离一个中国原则，先是推行“渐进式台独”，后又谋求“法理台独”，在分裂的道路上越走越远。

台湾分裂势力的干扰和破坏，丝毫不能动摇中央政府改善两岸关系的决心。

2000 年 2 月，国务院台湾事务办公室、国务院新闻办公室发表《一个中国的原则与台湾问题》白皮书，首次以政府文告的方式，详细、系统、全面地向国际社会阐述了中国政府有关一个中国原则的基本立场和政策，和对在两岸关系、国际社会中坚持一个中国原则若干问题的态度主张。2000 年 8 月，钱其琛副总理代表中国政府明确表述了一个中国原则的新内涵：世界上只有一个中国，大陆和台湾同属于一个中国，中国的主权和领土完整不容分割。这一被海内外媒体称为一个中国原则的“新三句”，被郑重载入 2002 年 11 月中国共产党十六大报告中。在党的十六大报告中，中国共产党将“完成祖国统一”确定为 21 世纪的三大历史任务之一，并强调指出：“对任何旨在制造‘台湾独立’、‘两个中国’、‘一中一台’的言行，我们都坚决反对。台湾前途系于祖国统一。开展对话，进行和平统一谈判，是我们的一贯主张。我们再次呼吁，在一个中国原则的基础上，暂时搁置某些政治争议，尽早恢复两岸对话和谈判。在一个中国的前提下，什么问题都可以谈，可以谈正式结束两岸敌对状态问题，可以谈台湾地区在国际上与其身份相适应的经济文化社会活动空间问题，也可以谈台湾当局的政治地位等问题。我们愿与台湾各党派和各界人士就发展两岸关系、推进和平统一交换意见。”①

---

① 江泽民：《江泽民文选》第三卷，人民出版社 2006 年版，第 564 页。

第三节　推动构建全方位多层次对外关系新格局

20世纪80年代末，针对以美国为首的西方国家实施全面制裁中国的政策，中国政府从容应对。1990年7月11日，邓小平在会见加拿大前总理特鲁多时指出："中国有抵抗制裁的能力。……中国的特点是建国四十多年来大部分时间是在国际制裁之下发展起来的。……尽管东欧、苏联出了问题，尽管西方七国制裁我们，我们坚持一个方针：同苏联继续打交道，搞好关系；同美国继续打交道，搞好关系；同日本、欧洲国家也继续打交道，搞好关系。"12月24日，邓小平在同中央几位负责人谈话时指出："现在国际形势不可测的因素多得很，矛盾越来越突出。过去两霸争夺世界，现在比那个时候要复杂得多，乱得多。怎样收拾，谁也没有个好主张。第三世界有一些国家希望中国当头。但是我们千万不要当头，这是一个根本国策。这个头我们当不起，自己力量也不够。当了绝无好处，许多主动都失掉了。中国永远站在第三世界一边，中国永远不称霸，中国也永远不当头。但在国际问题上无所作为不可能，还是要有所作为。作什么？我看要积极推动建立国际政治经济新秩序。我们谁也不怕，但谁也不得罪，按和平共处五项原则办事，在原则立场上把握住。"①据此，党中央正确分析和把握世界多极化、经济全球化趋势，积极应对国际关系新变化及科技迅猛发展的影响和挑战，坚持反对霸权主义和强权政治，维护世界和平与发展，推动建立公正合理的国际政治经济新秩序，并逐渐打破西方国家的制裁。世纪之交，中国逐步建立起全方位、多层次的对外关系新格局。这一时期，我国提出要积极致力于发展以不结盟、不对抗、不针对第三方为主要特征的新型大国关系。根据这一原则，我国分别同俄罗斯、美国、法国、英国、日本及欧盟等建立了发展面向21世纪双边关系的基本框架。

俄罗斯是中国最大的邻国。1991年底苏联解体后，中俄随即建交，实现了从中苏关系到中俄关系的平稳过渡。1992年12月，俄罗斯总统叶利钦

---

① 邓小平：《邓小平文选》第三卷，人民出版社1993年版，第363页。

访华，两国宣布互为友好国家。1994 年 9 月，国家主席江泽民访俄，提出建立中俄新型关系的六点原则主张，明确这种关系是不结盟的、非意识形态化的、完全平等的睦邻友好关系，不针对任何第三国。1996 年 4 月，叶利钦总统对中国进行国事访问，中俄宣布“发展平等信任的、面向二十一世纪的战略协作伙伴关系”。为深化中俄战略协作伙伴关系，一年后的 1997 年 4 月，国家主席江泽民回访莫斯科。在俄期间，江泽民主席与叶利钦总统共同签署了《中华人民共和国和俄罗斯联邦关于世界多极化和建立国际新秩序的联合声明》(简称《联合声明》)。《联合声明》阐述了中俄两国对冷战结束后世界格局发展变化、世界多极化和国际新秩序的看法和主张，指出世界多极化趋势加快发展；各国有权根据本国国情独立自主地选择发展道路；任何国家不应谋求霸权；应摒弃“冷战思维”，确立新的安全观，以对话促互信，以合作求安全，和平解决国家间分歧和争端；在和平共处五项原则及其他公认的国际法准则基础上，建立和平稳定、公正合理的国际政治经济新秩序；联合国应在这方面发挥重要作用；等等。进入 21 世纪后，中俄战略协作伙伴关系顺利发展。2001 年 7 月，国家主席江泽民对俄罗斯进行国事访问，与俄罗斯总统普京签署《中俄睦邻友好合作条约》，将两国和两国人民永远做好邻居、好伙伴、好朋友的坚定意愿和决心用法律形式固定下来，在不结盟、不对抗、不针对第三国的基础上，实现两国、两国人民“世代友好、永不为敌”。中俄两国认真总结历史经验，认为社会制度和意识形态的差异不应妨碍双边关系的发展，双方都应尊重对方选择的发展道路。中俄关系稳步发展，促进了两国间遗留问题的解决。经过谈判，双方继 1991 年签署中苏国界东段协定之后，又于 1994 年签署中俄国界西段协定，解决了两国间绝大部分地段的边界问题。双方在经济、科技、文化、军事等领域的交流与合作也不断加强。

打破西方国家的制裁，关键在于改变美国的对华态度。中美关系虽然处于低谷并经历几次波折，但两国高层却一直保持着接触。1992 年 1 月，国务院总理李鹏在出席联合国安理会首脑会议期间与美国总统布什会晤。1992 年 9 月，布什宣布美国政府将向台湾当局出售 150 架战斗机。美方的行为严重违反了中美《八一七公报》，两国关系再度恶化。1993 年 7 月，美国无端指控中国“银河号”货轮向伊朗运输制造化学武器的原料，一手制造了“银河号”事件，当没有发现美方所谓的化学品后，美国却拒绝道歉。美国的无理压制，最终转化为中国不断发展壮大自己的动力。1993 年 4 月，美国总统克林顿给江泽民主席写信称，美国政府认识到中国在世界上的重要作用，希望两国关系得到改善。江泽民主席给克林顿回了口信，提出处理中美关系的 16 字方针：“增加信任，减少麻烦，发展合作，不搞对抗。”经过双方努力，1993 年 11 月，中美两国领导人在亚太经合组织领导人非正式会议期间举行正式会晤。这次会晤，打破了中美关系的僵局。1994 年 11 月，在印度尼西亚雅加达举行的亚太经济合作组织第二次领导人非正式会议期间，江泽民主席同克林顿会晤。但中美关系从来都不是一帆风顺的。1995 年 5 月，克林顿决定允许台湾当局领导人李登辉于 6 月的第一周到美国进行所谓“非官方的、私人的访问”，参加康奈尔大学的毕业典礼并发表鼓吹“台独”的演说。中国政府对此提出强烈抗议，并断然召回驻美大使，这在中美关系上还是第一次。中方的强烈反应引起美国震动。8 月初，克林顿致信江泽民主席称，美国对华政策没有变化，表示期待与江泽民主席再次会面。1995 年 10 月 24 日，江泽民主席在纽约出席联合国成立 50 周年特别庆典期间，同克林顿会晤。1996 年 11 月，出席亚太经合组织第四次领导人非正式会议的中国国家主席江泽民和美国总统克林顿进行了 1993 年以来的第四次握手。双方商定，中美两国元首在 1997 年和 1998 年相互进行国事访问。1997 年 10 月 26 日至 11 月 3 日，江泽民主席对美国进行国事访问，双方发表《中美联合声明》，为面向 21 世纪的中美关系确定了框架和发展方向，宣布将共同致力于建立建设性战略伙伴关系。这次访问达到了增进了解、扩大共识、发展合作、共创未来的目的，推动了中美关系的改善和发展。1998 年 6 月 25 日至 7 月 3 日，克林顿访华，并在上海公开阐述了美国对台政策的“三不”主张（即美国不支持台湾独立，不支持“一中一台”“两个中国”，不支持台湾加入任何必须由主权国家才能参加的国际组织）。然而没多久，中美两国关系再起波澜。1999 年 5 月 8 日，以美国为首的北约轰炸我国驻南斯拉夫联盟共和国大使馆。2001 年 4 月 1 日，美国战机在中国南海空域挑衅，发生了撞机事件。面对美国侵犯中国主权的野蛮暴行和在双边关系中挑起的种种事端，中国进行了针锋相对的斗争，维护了国家主权和民族尊严，维护了两国关系稳定发展的大局。

1990 年 10 月，欧洲共同体十二国外长政治合作会议作出决定，立即取消共同体对中国采取的限制措施，恢复同中国在政治、经济和文化领域的正常关系。1991 年，中国同西欧的关系恢复正常。1994 年 9 月，国家主席江泽民访问法国，提出中国发展与西欧关系的四项原则（分别是面向 21 世纪，努力发展长期稳定的友好合作关系；相互尊重，求同存异；互补互利，促进共同发展；加强在国际事务中的磋商与合作）。1997 年 5 月，法国总统希拉克访华，双方发表《中法联合声明》，宣布“中法两国应承前启后建立长期的全面伙伴关系”。1998 年，中英两国宣布发展全面的伙伴关系。同年，中国同欧盟领导人在伦敦举行首次会晤并发表联合声明，强调建立面向 21 世纪的长期稳定的建设性伙伴关系。随后，欧盟决定把对华关系提升到与美、日、俄同等重要的水平，加强中欧政治对话和经贸等领域的合作与交流。在双方共同努力下，中国同欧洲国家在各个领域的合作均显示出良好的前景。

中日两国保持高层接触，双边关系继续发展。1991 年 8 月，日本首相海部俊树访华。1992 年 4 月，国家主席江泽民访问日本，并邀请日本明仁天皇和皇后访华。同年 10 月，明仁天皇和皇后访华，这也是历史上日本天皇首次访华。1995 年 5 月，日本首相村山富市访华，承认日本对中国的侵略，表示愿意深刻反省历史。10 月，江泽民主席参加联合国成立 50 周年特别纪念会议时对村山富市说，期望日本走和平发展的道路。此后一段时间内，尽管日本在对待其侵略历史等问题上仍时有反复，但两国在经贸、文化等领域的关系保持继续发展。1998 年 11 月，江泽民主席对日本进行国事访问，这是中国国家元首第一次访问日本。中日双方就发展 21 世纪两国关系达成共识，并发表《中日联合宣言》，确认正确认识和对待历史是发展中日关系的重要基础，宣布建立“致力于和平与发展的友好合作伙伴关系”。

与此同时，中国同其他地区的发达国家加拿大、澳大利亚、新西兰等国的关系也取得新发展。

积极发展同周边国家的睦邻友好关系，维护和平与稳定，促进共同发展，是中国外交的重要目标之一。中国与东盟自1991年开启对话进程。1996年，中国成为东盟“全面对话伙伴国”。1997年12月，双方发表《中华人民共和国与东盟国家首脑会晤联合声明》，确立了建立面向21世纪睦邻互信伙伴关系的方向和指导原则。1997年亚洲金融危机爆发后，中国坚持履行人民币不贬值的承诺，并通过双边和多边渠道向有关国家提供援助，受到国际社会的广泛赞誉。此后，中国与东盟对话机制运行良好，双方在各领域的互利合作不断扩大。2001年，为促进同东盟国家的经济交流与发展，中国首倡并大力推动建立“中国—东盟自由贸易区”（英文缩写CAFTA），得到东盟国家的积极响应。2002年11月，双方签署《中国与东盟全面经济合作框架协议》，启动了“中国—东盟自由贸易区”谈判进程。2010年1月，中国—东盟自贸区全面建成。中国同越南、老挝、柬埔寨等国家的双边关系也得到很大发展。

巩固和发展与南亚各国的友好合作关系是中国稳定周边的重要组成部分。1996年11月26日至12月5日，国家主席江泽民访问印度、巴基斯坦和尼泊尔等南亚国家。访印期间，中印决定在和平共处五项原则基础上建立面向21世纪的建设性合作伙伴关系。访巴期间，中巴宣布共同构筑面向21世纪的全面合作伙伴关系。在巴期间，江泽民主席还提出中国与南亚国家共同构筑面向21世纪的、长期稳定的睦邻友好关系的原则主张。2001年是中巴建交50周年，两国举行了一系列丰富多彩的庆祝活动。2002年3月，吴邦国副总理率中国政府代表团访巴，并出席中巴合作建设的瓜达尔港口项目开工仪式。

1992年初，中国同苏联解体后新成立的中亚五国（乌兹别克斯坦、哈萨克斯坦、塔吉克斯坦、吉尔吉斯斯坦、土库曼斯坦）建交。1996 年 4 月，中国、俄罗斯、哈萨克斯坦、吉尔吉斯斯坦、塔吉克斯坦五国首脑在上海举行会晤，签署《关于在边境地区加强军事领域信任的协定》，“上海五国机制”正式形成。它首倡以相互信任、裁军和合作安全为内涵的新型安全观，提供以大小国家共同倡导、安全先行、互利协作为特征的新型区域合作模式。1997 年 4 月，中、俄、哈、吉、塔五国元首在莫斯科签署《关于在边境地区相互裁减军事力量的协定》，进一步巩固了“上海五国机制”。2001 年 6 月，中、俄、哈、吉、塔和乌兹别克斯坦六国签署《上海合作组织成立宣言》，就合作打击恐怖主义、分裂主义、极端主义“三股势力”达成广泛共识。上海合作组织是第一个由中国参与推动建立并以中国城市命名的地区性合作组织，秉持“互信、互利、平等、协商、尊重多样文明、谋求共同发展”的上海精神，是当代国际关系中一次重要的外交实践，这一远见卓识为国际形势的新发展所证明。

中国关注并致力于维护和发展与朝鲜的传统友谊。1989 年 11 月，在党的十三届五中全会召开的前一天，朝鲜劳动党总书记金日成对中国进行访问。邓小平向金日成介绍江泽民时说：“今后，你就和江泽民同志打交道了。”金日成离开北京时，邀请江泽民访问朝鲜。四个月后的 1990 年 3 月 14 日，江泽民抵达朝鲜首都平壤，开始他担任中共中央总书记之后的首次出访。在维护、巩固和发展同朝鲜关系的同时，1992 年 8 月 24 日，中韩两国正式建交。1998 年韩国总统金大中访华期间，双方宣布建立面向 21 世纪的中韩合作伙伴关系。中国始终关注朝鲜半岛的和平与稳定，一贯主张北南双方通过对话改善关系，积极倡导和参与有关朝鲜半岛安全机制的磋商和对话，为维护朝鲜半岛及东北亚地区和平与稳定作出了积极贡献。2001 年 1 月，朝鲜劳动党总书记金正日访华；9 月，中共中央总书记、国家主席江泽民访朝。两国领导人一致同意本着“继承传统，面向未来，睦邻友好，加强合作”的精神，共同努力，把两党、两国和两国人民之间的传统友好合作关系推向更高的发展水平。2001 年 5 月，李鹏委员长访问韩国；6 月，韩国总理李汉东访华。双方一致同意继续将中韩合作伙伴关系推向全面合作的新阶段。

在实施稳定周边战略的同时，中国加强了与其他地区发展中国家的友好合作关系。中国同非洲国家的关系稳定发展，高层往来频繁，合作不断加强。在国际舞台上，中国与非洲国家相互支持，保持了传统友谊。1996年5月，国家主席江泽民访问肯尼亚、埃及、埃塞俄比亚、马里、纳米比亚、津巴布韦。在访问埃塞俄比亚期间，江泽民主席在非洲统一组织总部发表演讲，提出巩固和发展面向21世纪的长期稳定、全面合作的中非关系的五点建议，即“真诚友好、平等相待、团结合作、共同发展、面向未来”。进入21世纪，提升中非合作成为双方共识。2000年10月，“中非合作论坛——北京2000年部长级会议”在北京举行，会议通过了《中非合作论坛北京宣言》和《中非经济和社会发展合作纲领》。中非建立了长期稳定、平等互利的新型伙伴关系。中国同拉美和加勒比地区关系也在快速深入发展，南美地区除巴拉圭外所有国家均同中国建交。2001年4月，江泽民主席访问智利、阿根廷、乌拉圭、古巴、委内瑞拉和巴西六国取得重大成果，为中拉友好合作关系写下新篇章；11月，李鹏委员长访问古巴、阿根廷和乌拉圭；唐家璇外长出席了在智利举行的“首届东亚—拉美合作论坛外长会议”，并与里约集团成员国外长在联合国大会举行了第十一次对话；随后，委内瑞拉、墨西哥和智利总统，哥伦比亚副总统及古巴外长相继访华。中国与拉美国家高层互访的增强，有力地增进了中国与拉美国家的相互了解与合作。在中东和平进程等地区热点问题上，中国一贯采取公正、均衡的政策，得到了国际社会的普遍赞赏。

20世纪90年代，中国在多边外交领域日趋活跃，取得了令人瞩目的成就。根据反对霸权主义和强权政治、维护广大发展中国家的权益的原则，中国继续以联合国为中心参与多边外交各个领域的活动，推动建立国际政治经济新秩序。2000年9月7日，在中国的倡议下，出席联合国千年首脑会议的中、美、俄、英、法五个安理会常任理事国首脑举行联合国历史上的首次会晤。江泽民主席在会晤时讲话指出，这是历史上第一次5个常任理事国首脑会晤，意义重大。加强联合国作用，维护安理会权威，既是联合国广大会员国的共同愿望，也符合5个常任理事国的根本利益。他说，当前的国际形势仍充满变数，错综复杂的矛盾和问题层出不穷。《联合国宪章》的宗旨还未实现，国际社会对安理会的期望与日俱增。历史和现实证明，要使联合国和安理会在重大国际问题上发挥积极作用，5个常任理事国对联合国给予支持是必不可少的。他提议，5个常任理事国应该遵循相互尊重、平等相待，扩大共识、求同存异，加强沟通、密切协调，顾全大局、促进合作的原则，尊重联合国所有成员的意愿和期待，保持和世界各国的联系。只有这样，才能在国际事务中发挥应有的作用，并得到联合国广大会员国的尊重。会议还围绕联合国维护和平与安全的能力、维和行动、解决冲突、提高联合国效率、预防外交和预防冲突等问题展开讨论，并通过了由中方提供基础文本的联合国安理会5个常任理事国首脑声明，承诺加强联合国作用、维护安理会权威、捍卫《联合国宪章》的宗旨和原则，把一个和平、稳定、繁荣的世界推向21世纪。

这一时期中国多边外交的一个突出特点，就是以更加开放的姿态积极参加一系列地区性多边组织，坚定支持在平等参与、协商一致、求同存异、循序渐进原则下开展多形式、多层次、多渠道的区域性对话与合作，为推动中国全方位对外开放创造了良好的外部环境。2001年10月，亚太经合组织第九次领导人非正式会议在上海成功举办，与会各经济体领导人围绕“新世纪、新挑战：参与、合作，促进共同繁荣”的主题深入交换意见，达成广泛共识。这对中国外交打开新局面、促进亚太地区经济恢复和发展，产生了积极影响。

第十二章

治国必先治党，扎实推进党的建设新的伟大工程

以江泽民同志为核心的党中央科学分析党的自身建设面临的新形势新任务，积极探索在发展社会主义市场经济条件下加强党的建设的目标、任务和途径，采取一系列重大措施加强和改进党的建设，在推进中国特色社会主义进程中成功把党的建设新的伟大工程推向21世纪。江泽民指出，中国的事情办得怎么样，关键取决于我们党，取决于党的思想、作风、纪律、组织状况和战斗能力、领导水平。所以从党的性质、党在国家和社会生活中所处的地位、党肩负的历史使命看，“治国必先治党，治党务必从严”，“治党始终坚强有力，治国必会正确有效”。

第一节　党的十四届四中全会和推进党的建设新的伟大工程

20世纪80年代末90年代初，国际上发生了一系列政权更迭、政党衰亡的重大事件。一些长期执政的大党、老党纷纷丧失政权，有的政党甚至一夜之间土崩瓦解。观诸事件，原因是复杂多样的。但关键的一条没有变，即外因是变化的条件，内因是变化的根据，外因通过内因而起作用。马克思主义政党要经得起长期执政的考验，必须不断加强自身建设。

1992年初，邓小平视察武昌、深圳、珠海、上海等地，并发表重要讲话。一方面，他强调要在改革开放中坚持社会主义；另一方面，他强调了执政党建设问题的极端重要性，指出“中国要出问题，还是出在共产党内部”[①]。为此，邓小平提出了加强党的建设的几个重要观点：一是必须长期坚持党的基本路线不动摇。二是中国要警惕右，但主要是防止“左”。三是选拔接班人是真正关系大局的事。要注意培养接班人，选拔德才兼备的人进班子。要选人民公认是坚持改革开放路线并有政绩的人，大胆地放进领导机构里。四是在整个改革开放过程中，都要反对腐败。廉政建设要作为大事来抓。还是要靠法制，搞法制靠得住些。

在邓小平南方谈话的基础上，党的十四大提出了用邓小平建设有中国特色社会主义理论武装全党的战略任务，论述了加强党的建设和改善党的领导的重大问题，指出：“在新的历史时期，党所处的环境和肩负的任务有了很大变化，党的思想、政治、组织、作风建设都面临许多新情况和新问题。我们一定要结合新的实际，遵循党的基本路线，坚持党要管党和从严治党，加强和改进党的建设，努力提高党的执政水平和领导水平，使我们

---

① 邓小平：《邓小平文选》第三卷，人民出版社1993年版，第380页。

这个久经考验的马克思主义的党，在建设有中国特色社会主义的伟大事业中更好地发挥领导核心作用。”[①]

以邓小平南方谈话和党的十四大召开为标志，党的建设进入一个新阶段——在社会主义市场经济条件下探索党的建设的新路子。

一、统一全党认识，作出党的建设工作新部署

1992 年 9 月 3 日，中央政治局会议通过《中共中央关于加强和改进宣传思想工作，更好地为经济建设和改革开放服务的意见》和《中共中央关于加强党的建设，提高党在改革和建设中的战斗力的意见》。这是党中央为贯彻落实邓小平重要讲话精神而制定的两个专门文件。前一个文件提出，当前宣传思想战线面临的主要任务就是要认真学习、深入贯彻邓小平重要谈话和中央政治局全体会议精神，解放思想，统一认识，振奋精神，全面宣传“一个中心、两个基本点”的基本路线，更好地为经济建设和改革开放服务。后一个文件指出，党建工作要认真贯彻邓小平重要谈话和中央政治局全体会议精神，毫不动摇地坚持党的基本路线，牢固树立以经济建设为中心的思想，从严治党，搞好党的自身建设，密切党同人民群众的联系，使党的各级组织和广大共产党员始终站在改革和建设的前列，充分发挥党在建设有中国特色社会主义伟大事业中的领导核心作用。主要内容有：（一）用建设有中国特色社会主义的理论武装全党，提高执行党的基本路线的自觉性和坚定性。（二）加强领导班子建设，大胆选拔优秀年轻干部。（三）适应经济建设和改革开放的要求，进一步搞好各级地方党委的建设。（四）发扬党内民主，坚持和健全民主集中制。（五）强化干部培训，全面提高干部素质。（六）结合经济体制和政治体制改革，加快干部人事制度改革的步伐。（七）加强基层党组织建设，充分发挥党组织的战斗堡垒作用和共产党员的先锋模范作用。（八）认真发扬党的优良传统，切实改进领导作风。

① 江泽民：《江泽民文选》第一卷，人民出版社 2006 年版，第 245 页。

在党的十四大报告中，专门对加强党的建设提出了新要求。报告指出，党的基本路线要毫不动摇地长期坚持下去，社会主义的改革开放和现代化建设要搞得更好更快，国家要长治久安和繁荣富强，关键在于中国共产党。因此，要加强党的建设和改善党的领导，坚持用邓小平建设有中国特色社会主义的理论来武装全党。报告要求：第一，认真学习建设有中国特色社会主义的理论，增强贯彻执行党的基本路线的自觉性和坚定性；第二，加强领导班子建设，培养社会主义事业接班人；第三，密切党同群众的联系，坚决克服消极腐败现象；第四，加强基层党组织建设，充分发挥党员的先锋模范作用；第五，坚持和健全民主集中制，维护党的团结和统一。党的十四大审议通过了《中国共产党章程（修正案）》，把建设有中国特色社会主义的理论和党的基本路线等写入党章，这对于统一全党思想、坚持走有中国特色社会主义道路具有重大意义。

党的十四大之后，建立社会主义市场经济体制成为经济体制改革的重要目标。在市场经济环境中，党的领导水平和执政水平、党员干部的素质和能力、党风廉政建设都遇到了新的考验。

为应对新考验，1994 年 9 月 25 日至 28 日，党的十四届四中全会专门研究了新形势下党的建设问题，通过了《中共中央关于加强党的建设几个重大问题的决定》（以下简称《决定》）。《决定》概述了邓小平党的建设理论的要点：关于坚持和改善党的领导，使党成为领导社会主义现代化建设的坚强核心；关于解放思想，实事求是，坚持正确的思想路线；关于纠正长期“左”的错误，反对资产阶级自由化，要警惕右，但主要是防止“左”，提高坚持党的基本路线的坚定性；关于进行党的领导制度改革，完善党规党法，实现党内生活民主化制度化；关于坚持和健全民主集中制，增强党的团结统一；关于实行干部队伍“四化”方针，造就朝气蓬勃的领导干部队伍；关于从严治党，反对腐败，加强党的纪律性；等等。《决定》明确指出：“在当代世界风云变幻的条件下，在当代中国改革开放和现代化建设的伟大变革中，把党建设成为用建设有中国特色社会主义理论武装起来、全心全意为人民服务、思想上政治上组织上完全巩固、能够经受住各种风险、始终走在时代前列的马克思主义政党，这是以邓小平同志为核心的第二代中央领导集体开创的、以江泽民同志为核心的第三代中央领导集体正在领导全党继续进行的新的伟大的工程。”①

《决定》指出，党的思想建设、组织建设和作风建设是相辅相成的整体。当前，在全面贯彻落实中央关于思想建设和作风建设的部署的同时，加强党的组织建设已经成为突出环节。为此，特别要提出和解决组织建设方面的三个问题：必须进一步坚持和健全民主集中制，特别要注重制度建设，以完备的制度保障党内民主，维护中央权威，保证全党在重大问题上的统一行动；必须进一步巩固和加强数以百万计的党的基层组织，使之成为能够团结和带领群众进行改革开放和现代化建设的战斗堡垒；必须进一步培养和锻炼数以万计的党的中高级领导干部，特别是培养和选拔大批德才兼备的年轻干部，形成坚定地走建设有中国特色社会主义道路、善于研究新情况、解决新问题、干练而充满活力的领导层。《决定》从无产阶级政治家的高度对党的高级干部提出了五条严格要求：应该具有坚定的政治信念，始终保持清醒的头脑，自觉坚持党的基本理论和基本路线，经得起各种风浪的考验；应该具有开阔的眼界，熟悉国情，了解世界，解放思想，实事求是，务实创新，开拓前进；应该具有宽阔的胸怀，讲党性，顾大局，模范执行民主集中制，公道正派，任人唯贤，善于团结同志一道工作；应该具有较强的领导能力，讲究领导艺术，审时度势，驾驭全局，善于协调各方面的力量；应该具有优良的作风，廉洁勤政，艰苦奋斗，深入实际，调查研究，谦虚谨慎，联系群众，真心诚意为人民谋利益。注重制度建设，是《决定》的一个重要特色。

按照党的十四大，特别是十四届四中全会提出的加强党的建设“新的伟大工程”的精神和要求，全党采取了一系列重要举措。

---

① 中共中央文献研究室编《十四大以来重要文献选编》（中），中央文献出版社 2011 年版，第 4 页。

二、进一步推进党的建设“新的伟大工程”的若干重大举措

第一，用邓小平建设有中国特色社会主义理论武装全党。

党中央决定编辑出版《邓小平文选》第三卷，并发布《学习〈邓小平文选〉第三卷的决定》，随后又修订出版《邓小平文选》第一卷、第二卷。中共中央连续举办4期省部级领导干部学习《邓小平文选》第三卷理论研讨班。1996年5月，党中央印发《1996年—2000年全国干部教育培训规划》，首次提出“建立有中国特色的干部教育体系”，并明确了这一体系的基本框架。其中明确指出，干部教育培训的基本任务是:（1）坚持不懈地组织广大干部学习马列主义、毛泽东思想，中心内容是学习邓小平建设有中国特色社会主义理论。要围绕“什么是社会主义、怎样建设社会主义”这个基本问题，联系实际把握理论的科学体系，深入理解精神实质，坚持党的基本路线不动摇。高级干部特别是省部以上党政主要领导干部，不仅要努力成为有知识、懂业务、胜任本职工作的内行，而且首先要努力成为忠诚于马克思主义、坚持走有中国特色社会主义道路、会治党治国的政治家。各级领导干部都要讲学习、讲政治、讲正气，具有坚定正确的政治方向、政治立场、政治观点，自觉遵守政治纪律，提高政治鉴别力和政治敏锐性。党员干部还要学好党章和党的建设理论，加强党性锻炼。要组织领导干部学习哲学，掌握正确的思想方法。要组织广大干部学习世界历史、中国历史特别是近现代史和中共党史，加强爱国主义、集体主义、社会主义教育。坚持进行党的群众观点、群众路线和廉洁奉公、艰苦奋斗等优良传统的教育。（2）加强对干部专业理论知识与技能的培训，使各级各类干部精通本行业务，有效履行岗位职责。组织干部密切结合工作实际，学习中央的各项方针政策，学习发展社会主义市场经济的相关知识，加大法律知识培训的力度，积极开展现代管理、现代科技、财政金融、外经外贸、外语等方面的培训。县处级以上领导干部还应学习文学知识、学习领导科学知识。（3）继续抓好干部文化水平的提高，改善干部队伍的文化知识结构。到2000年，45岁以下的干部要达到高中、中专以上文化水平。地市级以上党

政机关干部中，具有大专以上学历的干部占干部总数的比例不低于80%。有条件的地区和部门，应注意培养适应长远发展需要的研究生等文化层次较高的人才。

与此同时，根据党中央精神，中央组织部、中央宣传部联合下发了《关于在党员中开展建设有中国特色社会主义理论和党章学习活动的意见》，并编写了《建设有中国特色社会主义理论和党章学习读本》，中央宣传部组织编写了《邓小平同志建设有中国特色社会主义理论学习纲要》，推动全党理论学习走向深入。据不完全统计，从1993年至1996年底，全国参加各种形式脱产学习的干部约2100万人次，其中县处级以上干部约39万人次，省部级干部约1200人次。[①] 各级领导干部通读了《邓小平文选》第三卷，选读了第一卷、第二卷的重点章节，取得了比较明显的成效。在“什么是社会主义、怎样建设社会主义”这个基本问题上，加深了理解，统一了认识，增强了全面贯彻党的基本路线的自觉性、坚定性，正确地把握改革发展稳定的大局，保证了十四大之后党中央一系列重大决策的落实。广大党员、干部把学理论、学党章与开展建功立业活动结合起来，增强了党性观念，提高了思想觉悟，促进了各项实际工作。

第二，加强领导班子建设和干部队伍建设，推动大批优秀青年干部走上领导岗位。

1994年11月，党中央召开全国组织工作会议，着重研究和部署培养选拔德才兼备的领导干部，加强各级领导班子建设工作。各级党委按照中央的要求，全面贯彻干部队伍建设的“四化”方针和德才兼备的原则，以思想政治建设为重点，从培养、选拔、管理、监督等方面，着力提高领导班子和干部队伍的素质。根据党中央要求，各地各部门采取措施，加大改革力度，加快党政领导干部选拔任用等重要制度改革，在扩大民主、完善考核、推行交流、加强监督等方面，迈出坚实步伐，取得突破性进展。

---

① 《完成伟大使命的根本保证——党的十四大以来党的建设工作成就回顾》，《人民日报》1997年9月1日。

——党政领导干部选拔任用工作进一步规范化、制度化。1995年2月，党中央制定并印发《党政领导干部选拔任用工作暂行条例》（以下简称《条例》）。《条例》规定，选拔任用党政领导干部，必须坚持以下原则：（一）党管干部的原则；（二）德才兼备、任人唯贤的原则；（三）群众公认、注重实绩的原则；（四）公开、平等、竞争、择优的原则；（五）民主集中制的原则；（六）依法办事的原则。各级党委及组织人事部门认真抓好《条例》的贯彻实施，一些地方和部门还根据《条例》精神，从实际出发，制定了相应的细则及配套措施，改变过去在选拔任用党政领导干部工作中制度不健全、在某些方面无章可循的状况。

——干部工作中的民主程度和公开程度进一步提高。各地在干部工作中走群众路线、扩大民主、提高群众参与程度方面积极探索，创造出许多好的方法。选拔任用干部时，在坚持党管干部原则的前提下，普遍采用民主推荐、民意测验或民主评议的方式。党的十四届四中全会通过的《中共中央关于加强党的建设几个重大问题的决定》指出，对公开选拔领导干部，要认真研究和总结，使其不断完善。1996年1月，中央组织部转发了《吉林省公开推荐与考试考核相结合选拔领导干部的暂行办法》，推进了公开选拔领导干部工作在全国进一步开展。1993年至1996年，全国先后共有27个省区市选拔厅局级干部352人，县处级干部4372人。① 如北京市在1995年公开选拔5名副局级领导干部的基础上，1997年又公开选拔副局级领导干部56名，1998年公开选拔企业高级管理人才和高级专业技术人才172名。1998年12月，中央领导同志在全国省区市党委组织部长会议上提出，要逐步扩大公开选拔的范围，增加群众参与程度。1999年3月，中央组织部下发了《关于进一步做好公开选拔领导干部工作的通知》，要求进一步加大公开选拔工作的力度，逐步规范公开选拔的工作程序，着力提高考试的科学化水平，切实提高公开选拔领导干部的工作成效。在2000年召开的全国组织部长会议上，中央及中央组织部领导同志强调，要大力推进公开选拔领

① 《我国干部制度改革不断深入》，《人民日报》1997年9月4日。

导干部工作，要在总结经验的基础上，进一步明确公开选拔的职位和要求，逐步提高公开选拔领导干部的人数占新提拔的同级领导干部总数的比例。要逐步规范和完善公开选拔领导干部的程序和方法，加强考试组织、题库建设等工作。据不完全统计，1995 年至 2000 年，全国 31 个省（区、市）都开展了公开选拔领导干部工作，选拔地厅级领导干部 700 多人，县处级领导干部 7000 多人，科级干部数万人。①

——党政领导干部考核工作进一步完善。在党中央的指导下，由中央组织部具体组织，从 1995 年 4 月到 1996 年 10 月，首次对全国 107 个省部级领导班子进行了届中考察，共考核了 987 名省部级领导干部。不少地方和部门对地厅和县处级领导干部也采取届中考察的方法进行了考核。届中考察工作的开展，加强了对领导班子和领导干部的日常管理和监督，改变了以往存在的不调整领导班子不考察考核的状况。

——干部交流工作逐渐规范，规模逐步扩大。党的十四大之后，各级党委及组织人事部门按照《中共中央关于实行党和国家机关领导干部交流制度的决定》的要求，一是努力推进县以上党政领导干部易地交流工作，特别是党政“一把手”的易地交流。很多地方还对组织、纪检、监察、公检法等重点关键部门的领导干部进行了易地交流。二是不断从中央、国家机关选派干部到地方，从地方选派干部到中央、国家机关任职或挂职，从地方选派干部跨省区市交流，以增长干部的实践经验。三是将干部交流与扶贫、支边、支教等工作结合起来。仅 1996 年，全国就交流地厅级干部 2200 余人，县处级干部 3.2 万余人。

——干部监督力度不断加大，制度逐步健全。各级党委切实加强对选拔任用领导干部工作的监督检查。《党政领导干部选拔任用工作暂行条例》颁布后，全国绝大多数省区市和中央国家机关，普遍对 1993 年后选拔任用干部工作的情况进行了自查和抽查，并进一步健全了相关措施和办法。同

① 张严：《全国公开选拔领导干部工作步入正轨》，《人民日报》2000 年 7 月 10 日。

时，按照江泽民提出的“严格要求、严格管理、严格监督”的要求，各级党委及干部主管部门加强了对党政领导干部日常的管理和监督工作，许多地方和部门建立健全了领导干部的谈话制度、诫勉制度、离任审计制度、廉政鉴定制度、对群众反映领导干部有关问题的回复制度等。

——推行公务员制度和参照管理工作逐步展开，新制度的框架初步形成。1993 年 8 月，国务院颁布《国家公务员暂行条例》，国家行政机关开始推行公务员制度。同年 9 月，党中央转发了中央组织部《关于中国共产党机关参照试行〈国家公务员暂行条例〉的实施意见》，随后，党的机关和人大、政协、民主党派、社会团体机关参照公务员制度管理工作同步展开。截至 1997 年上半年，中央和省地党政机关的职位分类和人员过渡工作基本结束，县乡机关也全面铺开。同时，公务员管理和参照管理的各单项制度，如考试录用、考核、轮岗、辞职辞退、奖惩等，也陆续有计划、有步骤地出台实施。中央、国家机关和多数省、区、市实施了考试录用制度，仅各级党群机关就录用工作人员 8000 多人。通过实施辞职辞退制度，干部能进不能出的现象开始改变。据不完全统计，从实施公务员制度到 1996 年底，全国各级党政机关共辞退工作人员 3600 多人。①

第三，在党风廉政建设和反腐败斗争方面提出明确要求，作出系统部署。

在发展社会主义市场经济过程中，党中央加大了党风廉政建设和反腐败斗争的力度。党的十四届四中、五中、六中全会的决议，都对此提出了明确的工作要求和部署。

1993 年 8 月，在中央纪律检查委员会第二次全体会议上，江泽民发表了《加强反腐败斗争，推进党风建设和廉政建设》的讲话。他指出，要实事求是地估计反腐败斗争的现状。他说：“在这个问题上，要讲两句话。一句是，我们党的路线是正确的，党的主流是好的，大多数党员和干部是廉洁奉公的。……另一句是，在党内、在国家机关中确实存在着腐败现象，

① 张严：《全国公开选拔领导干部工作步入正轨》，《人民日报》2000 年 7 月 10 日。

有些方面还在滋长和蔓延，广大党员、干部和群众深感忧虑，迫切希望采取坚决措施加以解决。”[①]他指出，反腐败是贯彻执行党的基本路线的必然要求，是集中力量把经济建设搞上去的重要保证。惩治腐败，要作为一个系统工程来抓，标本兼治，综合治理，持之以恒。最基本的，要靠教育靠法制。

1994 年 9 月，在党的十四届四中全会上的讲话中，江泽民强调指出了反腐败斗争需要明确的七个基本问题：一是必须围绕经济建设这个中心，坚持两手抓，把反腐败与深化改革、扩大开放、促进发展、保持稳定结合起来。二是既要树立持久作战的思想，又要打好阶段性战役，一步一步把斗争引向深入。三是重点抓党政领导机关、行政执法机关、司法机关和经济管理部门，抓县处级以上领导干部。四是相信和依靠群众，把群众举报和专门机关依法查处结合起来。对群众举报的重大问题要一查到底，直到水落石出。对大案要案要集中力量查办，查清的要依法惩处。对袒护罪犯、阻挠办案的，对打击报复举报人的，要严肃处理，绳之以党纪国法。五是认真纠正行业不正之风，凡是群众反映强烈的问题，一定要下大气力认真去解决。六是坚持标本兼治，综合治理。要根据揭露出来的问题，查找原因，总结教训，堵塞漏洞，健全制度，加强管理。七是领导干部要严于律己，在勤政廉政上作出表率，中央向领导干部提出的各项自律要求，必须不折不扣地做到。这是最基本的。

为加强党风廉政建设和反腐败斗争，党中央先后制定出台了一系列法规和制度。其中主要有：《中国共产党纪律检查机关案件检查工作条例》《中国共产党党员领导干部廉洁从政若干准则（试行）》《中国共产党纪律处分条例（试行）》《关于领导干部报告个人重大事项的规定》《关于实行党风廉政建设责任制的规定》，以及党政机关县（处）级以上领导干部收入申报制度等。

1996 年 1 月，在中央纪律检查委员会第六次全体会议上，江泽民着重

① 江泽民：《江泽民文选》第一卷，人民出版社 2006 年版，第 319 页。

强调了加强和健全党内监督问题。他指出：第一，要重点抓好对领导干部的监督，强化领导集体内部的监督作用。第二，要把党组织的严格监督与党员干部的认真自律结合起来。第三，把注重制度建设同加强思想政治工作紧密结合起来。第四，拓宽监督渠道，充分发挥人民群众监督的作用。1997 年 1 月，在中央纪律检查委员会第八次全体会议上，江泽民发表了《大力发扬艰苦奋斗精神》的讲话。他指出，反腐败斗争和党风廉政建设要贯穿于改革开放和现代化建设的全过程，是一项长期而艰巨的任务。他说，反腐败斗争要坚持标本兼治。既要坚决同已经出现的消极腐败现象和腐败分子作斗争，又要努力做好消除产生消极腐败现象根源的工作，把查处案件、纠正不正之风同加强思想政治教育结合起来，同加强制度防范和管理监督结合起来，使反腐倡廉工作不断取得新的更大的成效。

有了党中央的高度重视，加上可靠的规章制度作保证，反腐败斗争取得阶段性成果。从 1993 年到 1997 年 6 月，全国各级纪检监察机关共立案 73.1 万多件，结案 67.01 万多件，给予党纪政纪处分的有 12.15 万多名，被开除党籍又受到刑事处分的有 37492 名。在受处分的干部中，县（处）级干部 20295 名，厅（局）级干部 1673 名，省（部）级干部 78 名。中央政治局原委员、北京市委原书记陈希同，北京市原副市长王宝森，北京市人大常委会原副主任铁英等，因违法违纪，被依法惩处，清除出党。

第四，在基层组织建设方面下气力抓紧抓好。

党的基层组织建设，是党的建设这个“伟大工程”中的“基础工程”，必须下决心、下气力抓紧抓好。江泽民在党的十四大报告中指出：“党的基层组织是党的全部工作和战斗力的基础。各级党委要采取得力措施，努力把基层党组织建设成为团结和带领群众进行改革和建设的战斗堡垒。”①

党的十四届四中全会后，党中央召开全国农村基层组织建设工作会议，就加强农村基层组织建设作了全面部署，并要求用 3 年时间将后进村党组织

---

① 江泽民：《江泽民文选》第一卷，人民出版社 2006 年版，第 249 页。

普遍整顿一遍。各级党委认真贯彻落实中央精神和部署，紧紧围绕奔小康和建设社会主义新农村这个根本任务，突出重点，分类指导，许多地方形成了党委结合中心任务坚持抓、党委书记带头抓、党委分工负责抓、有关部门一起抓的工作格局。全国县以上领导干部联系的村达 10.4 万个，并下派 9.9 万名机关干部到村任职，增强了党支部的战斗力，加快了改变后进村面貌的进程。党的十四大之后的几年中，全国共整顿了 15.2 万个后进村和经济发展缓慢的村党支部，约占农村党支部总数的 21.3%。经过整顿，80% 以上的后进村有了变化和进步，有些还跨入了先进行列。

国有企业是国民经济的支柱，国有企业的党建工作一直得到党中央高度重视。党的十四大通过的党章明确规定，全民所有制企业党组织要发挥政治核心作用。党的十四届三中、四中全会决定重申要“充分发挥企业党组织的政治核心作用，坚持和完善厂长（经理）负责制，全心全意依靠工人阶级”。1995 年、1996 年，江泽民分别在长春、上海等地两次就国有企业改革和党建工作问题发表重要讲话。他在一份调查报告上批示：党对企业在政治上的领导权决不能丧失。1997 年 1 月，《中共中央关于进一步加强和改进国有企业党的建设工作的通知》（以下简称《通知》）发布。为了贯彻落实《通知》精神，党中央和国务院有关部门成立了国有企业领导班子建设协调小组及办公室，加强对国有企业领导班子考核和建设的具体指导。与此同时，为进一步加大国有企业领导班子建设的力度，1995 年，中央组织部、国家经贸委、人事部联合下发《关于加强国有企业领导班子建设的意见》，各地进行了认真的贯彻，做了许多工作，也取得了一定成效。1996 年底，党中央、国务院明确提出，要下大决心、用大力气，对国有企业领导班子进行一次普遍的认真的考核，对不适应改革和发展形势要求的领导班子要调整充实，真正实行优胜劣汰。1997 年 3 月，中央组织部等四部门发出《关于做好国有企业领导班子考核建设工作的通知》，对考核、建设工作的指导思想，重点和目标，对象、内容和方法等提出了明确的要求。

1996 年 3 月，《中国共产党普通高等学校基层组织工作条例》颁布实施。

这对于确立党委领导下的校长负责制的领导体制，加强高等院校领导班子和党的基层组织建设，促进国家高等教育改革和发展，产生了积极作用。

第五，在党员队伍建设方面，数量均衡增长，素质不断提高。

党的十四大之后，各级党委及其组织部门认真贯彻落实党的十四大精神，坚持新时期发展党员工作的指导思想和方针，按照党章和《中国共产党发展党员工作细则（试行）》的要求，加强在生产、工作第一线发展党员的工作，重视培养、吸收青年和妇女中的优秀分子入党，使中共党员的数量均衡增长，结构、分布得到明显改善，素质不断提高。五年间，全国共发展党员 992.5 万名。1997 年全国党员共 5800 多万名，党员在人口中的比重约为 4.9%。全国党员队伍中具有高中以上文化程度的党员达 2551.4 万名，占 43.4%。据统计，党的十四大之后入党的新党员中，在企业、农村和一线工作的约占发展党员总数的一半；具有高中以上文化程度的有 698.2 万名，占 70.3%。发展妇女党员 199.8 万名，占 20.1%。全国党员队伍中的妇女党员比重稳步增长，由 1991 年的 14.7% 提高到 1996 年底的 15.9%。发展少数民族党员 72.4 万名，占五年发展党员总数的 7.3%。一些党的力量薄弱的地区、行业和部门岗位，党员数量有所增长，党组织的吸引力、凝聚力、战斗力加强。五年间，各级党委及其组织部门加大了在青年中培养和发展党员工作的力度。中央组织部下发了《中共中央组织部关于进一步加强在青年中发展党员工作的意见》，各级党组织采取得力措施，积极开展工作，取得明显成效。从 1995 年起，全国和农村青年党员绝对数量及其所占比重，开始出现稳中有升的局面。到 1996 年底，全国 35 岁以下的党员达 1315.1 万名，比上年增加了 79 万名，占党员总数的 22.4%，所占比重比上年增长了 0.7 个百分点。其中，25 岁以下的 266.1 万名，增加了 17.9 万名，占党员总数的 4.5%，所占比重比上年增长了 0.2 个百分点。①

第六，在党的制度建设方面，党内生活制度化、规范化得到进一步加强。

---

① 《中共党员队伍不断发展壮大》，《人民日报》1997 年 7 月 8 日。

党的十四大以后，党的一项重大任务是领导建设社会主义市场经济。市场经济作为一种法制经济，要求党的决策要按法制规范运作；市场经济又是一种竞争经济，要求决策者最大限度地发挥群众的智慧和力量。这都需要党的制度建设与时俱进。一是在党的根本法规——《中国共产党章程》中，根据市场经济的新特点，增加了从严治党等新要求。二是进一步完善民主集中制。1993 年 12 月，经中央政治局常委会批准、1994 年 1 月中共中央印发的《中国共产党地方组织选举工作条例》，分别对代表的产生，委员会委员的产生，常务委员会委员和书记、副书记的产生程序，以及呈报审批、选举的实施、监督和处分等中国共产党地方组织选举工作的相关事项作了具体的规定。1995 年 1 月，中共中央印发了《中国共产党党员权利保障条例（试行）》，这是党的历史上第一个保护党员民主权利的专门党内法规，全面系统地规范了党组织和党员在保障党员权利方面的工作和活动。1996 年 4 月，中共中央印发了《中国共产党地方委员会工作条例（试行）》，就地方委员会的职责、组织原则、议事和决策，包括议事原则、决策事项、决断方式、会议制度等方面作出明确规定，这就使民主集中制有了更加具体的制度保障。各级党委结合本地本部门实际，相应地制定了一些制度、规定。通过这些制度的贯彻落实，严肃了党的政治纪律，增强了领导干部的团结，提高了决策科学化、民主化的程度。在实践的基础上，1997 年党的十五大提出，要逐步形成“深入了解民情、充分反映民意、广泛集中民智的决策机制，推进决策科学化、民主化，提高决策水平和工作效率”。三是进一步完善党的监督制度，实行政务公开制度。

第二节　开展“三讲”教育

在加强党的建设过程中，江泽民非常重视对领导干部进行党性党风教育。1995 年 9 月，在党的十四届五中全会召集人会议上，江泽民指出，领导干部一定要讲政治。这里所说的政治，包括政治方向、政治立场、政治观点、政治纪律、政治鉴别力、政治敏锐性。11 月，他在北京考察工作时又强调，在对干部进行教育当中，要强调讲学习、讲政治、讲正气。

加强党的建设的命题和着力点在探索中不断得到明确。1997 年，党的十五大在阐述“面向新世纪的中国共产党”这一具有鲜明时代特征的党建命题时，第一次提出了在改革开放和现代化建设的条件下，“建设一个什么样的党、怎么建设党”的问题，号召“全党要按照新的伟大工程的总目标，从思想上、组织上、作风上全面加强党的建设，不断提高领导水平和执政水平，不断增强拒腐防变的能力，以新的面貌和更强大的战斗力，带领人民完成新的历史任务”①。

根据党的十五大部署，按照几年来江泽民关于讲学习、讲政治、讲正气的总体要求，1998 年 11 月 21 日，党中央发出《关于在县级以上党政领导班子、领导干部中深入开展以“讲学习、讲政治、讲正气”为主要内容的党性党风教育的意见》，决定在全党开展“三讲”教育。12 月 5 日，中央召开全国电视电话会议，中央政治局常委胡锦涛在会上发表开展“三讲”教育的动员讲话。从当月起，山东、广西、内蒙古和国土资源部、教育部、国家广播电影电视总局、共青团中央等 7 个地区和单位的“三讲”教育试点工作正式推开。

党中央以严肃和慎重态度深入推进“三讲”教育活动。1999 年 4 月 16 日，胡锦涛在中央、国家机关领导干部大会上作关于“三讲”教育的报告。他指出，“三讲”教育是我们党为迎接新世纪、完成新的历史任务所做的重要思想准备和组织准备；是从实际出发加强领导班子建设、提高领导干部队伍思想素质的重要任务；是推动全党兴起学习邓小平理论新高潮，从根本上加强全党的思想政治教育的重要举措；是对在改革开放和发展社会主义市场经济条件下，如何有效地解决党内尤其是领导干部中党性党风方面存在问题的一次创造性探索。他要求严格按照党中央规定，以整风的精神

① 江泽民：《江泽民文选》第二卷，人民出版社 2006 年版，第 43 页。

开展“三讲”教育。

6月28日，江泽民就“三讲”教育发表重要讲话。他指出，“三讲”教育是为加强党的建设而进行的一个新的创造性探索，是当前党的建设的重中之重。江泽民指出，讲学习、讲政治、讲正气三者是紧密相连和相互统一的，核心是讲政治，讲建设有中国特色社会主义的政治，讲实现、维护和发展人民群众利益的政治。具体地说，就是要坚定正确的理想和信念，要善于从政治上正确认识形势，要在路线方针政策上始终保持政治上的清醒和坚定，要自觉坚持党的民主集中制原则，要全心全意为人民谋利益。讲政治必须讲学习。只有讲学习，才能更好地讲政治。学习，首先是学习理论，同时还要广泛学习政治、经济、法律、科技、历史、文化等方面的知识，学习国际政治和国际经济方面的知识。只有领导干部的马克思主义理论基础扎实了，各方面知识丰富了，才能全面地认识和把握各种复杂的矛盾和问题，敏锐地识别各种错误的观念和思潮，科学地制定各项政治措施，也才能在各种复杂的局势中坚持正确的政治方向。讲政治必然要体现在讲正气上。讲正气，就是要坚持和发扬共产党人的政治本色和革命气节，做到对党和人民的事业忠诚；敢于坚持真理，旗帜鲜明地同各种错误思想、不良倾向作斗争；坚持廉洁奉公，艰苦奋斗，一尘不染，正气凛然，真正具有共产党人的高风亮节。江泽民强调：“我们一定要通过这次‘三讲’教育，进一步提高全党的理论水平和政治水平，提高领导干部正确把握形势，驾驭复杂局面的能力，进一步增强党的凝聚力和战斗力，更好地带领全国各族人民把建设有中国特色社会主义事业全面推向前进。”①

这一讲话，有力地推动了“三讲”教育的深入开展。全党共有70万县（处）级以上党政领导干部参加了教育活动，其中省部级领导班子成员2100多人。中央政治局常委也进行了“三讲”。党内外干部和群众对“三讲”教育十分关注，表现出很高的参与热情，仅直接听动员报告、参加民主测评和帮助整改的就有500万人以上。

---

① 江泽民：《江泽民文选》第二卷，人民出版社2006年版，第369页。

2000年，党建工作的重点是搞好县（市）级领导干部的“三讲”教育活动。对此，中央政治局高度重视。中央政治局常委会决定，每位常委同志都要到一个县（市）直接对县处级党政干部作一次讲话，以指导和推动“三讲”教育深入扎实地开展。根据党中央的统一部署，2000年春节后不久，江泽民来到广东省高州市参加当地领导干部的“三讲”教育活动，并就县（市）“三讲”教育作动员讲话。与此同时，李鹏到江苏张家港，朱镕基到河北丰南，李瑞环到浙江余杭，胡锦涛到四川什邡，尉健行到辽宁北宁，李岚清到陕西泾阳，开展调查研究，发表动员讲话，对“三讲”教育进行具体指导。

在指导“三讲”教育活动过程中，江泽民对如何加强新形势下党的建设问题进行了深刻思考。他指出：“在对外开放和发展社会主义市场经济的条件下，我们党如何始终保持工人阶级先锋队性质，更好地代表最广大人民的利益；在社会经济成分、组织形式、就业方式、利益关系和分配方式多样化的趋势进一步发展的条件下，如何始终保证全党同志按照党的奋斗目标、按照国家和人民的最高利益来行动，维护和加强党的坚强团结和高度统一，这是我们在新的历史条件下加强党的建设的重大理论问题，也是重大现实问题。只有正确回答了这些问题，党的建设才能更好地向前推进。”①正是在高州的这次讲话中，江泽民提出了“三个代表”重要思想。此后至2000年底，是“三个代表”重要思想不断完善与“三讲”教育活动并行的时期。

2000年9月，全国县级以上党政领导班子、领导干部的“三讲”教育基本告一段落。从10月开始，“三讲”教育进入总结提高、深入整改阶段。

2000年12月16日至17日，党中央在北京召开全国“三讲”教育工作总结会议。会议以“三个代表”重要思想为指导，对两年来“三讲”教育作总结，并研究了如何巩固和扩大“三讲”教育成果，运用成功经验推

① 江泽民：《江泽民文选》第三卷，人民出版社2006年版，第1—2页。

进21世纪党的建设，努力开创党建工作新局面的问题。江泽民指出，这次“三讲”教育，在总结和继承以往成功经验的基础上，在探索一条不搞政治运动、妥善解决党内问题、提高干部素质的新路子上，迈出了新的重要步伐，创造和积累了一些和平时期加强党的建设特别是领导干部思想政治建设的重要经验。这些经验主要是：（1）科学认识党所面临的新形势新任务和党的现状，从实际出发，采取正确的方针、原则和政策，是解决党内存在的突出问题的重要前提和保证。（2）推动领导干部用科学理论武装头脑，必须大力弘扬理论联系实际的马克思主义学风，在改造客观世界的同时改造主观世界。（3）加强对领导干部的思想教育，必须着眼于启发自觉性，并把内因与外因有机结合起来，坚定地相信和依靠群众。（4）促进领导干部党性党风方面存在问题的解决，必须坚决克服党内政治生活中的庸俗习气，开展积极健康的思想斗争。（5）搞好领导干部队伍思想政治建设，必须紧紧围绕贯彻党的基本路线和全党全国工作大局来进行，用思想教育推动各项工作不断发展。（6）认真贯彻党要管党的原则和从严治党的方针，必须实行严格的领导责任制，逐级建立运转有效的工作机制。

全国“三讲”教育工作总结会议的召开，标志着历时两年的县（处）级以上领导班子和领导干部的“三讲”教育活动基本结束。通过“三讲”教育，广大干部普遍受到一次深刻的马克思主义教育，经受了一次党内政治生活的锻炼，贯彻党的基本路线和民主集中制原则的自觉性得到提高。“三讲”教育是新形势下加强党的建设的一次创造性探索和成功实践，为确保党把建设有中国特色社会主义事业全面推向21世纪提供了根本保证。

第三节　加强党风廉政建设和反腐败斗争

以江泽民同志为核心的党中央高度重视党风廉政建设和反腐败斗争。2000年1月，在中央纪律检查委员会第四次全体会议上，江泽民总结指出："我到中央工作已经十一年多了，对反腐倡廉工作，中央始终是高度重视的。1989 年 6 月，邓小平同志当面对我们讲，在抓改革开放的同时，要首先抓反腐败的问题。根据邓小平同志的指示，我们坚持以党的基本路线为指导，加大了党风廉政建设和反腐败斗争的力度。这些年来，每年我都要在中央纪委全体会议上讲话。1993 年，在学习邓小平同志有关党风廉政建设和反腐败工作论述的基础上，对反腐败的几项突出工作进行了部署。1994 年，提出反腐败不可能毕其功于一役，要树立持久作战的思想，提出深入开展反腐败斗争的九点意见。1995 年，强调为了防止腐败，必须加强思想政治建设，提高党员、干部队伍素质。1996 年，着重研究新时期纪检监察机关的责任、反腐败工作格局、党内监督和加强党委对反腐败工作的领导等问题。1997 年，重申要大力发扬艰苦奋斗精神，坚决反对奢侈浪费。1998 年，强调各级领导干部必须拒腐防变，在反腐倡廉中起表率作用。1999 年，提出全党必须维护和加强党的政治纪律、组织纪律、经济工作纪律和群众工作纪律。今年年初，强调全党要进一步贯彻落实从严治党的方针。这些，都是我们对反腐倡廉工作提出的重要思想和作出的重大部署，说明我们的认识在不断深化，措施在不断加强，斗争在不断深入。"①

在回顾历史的基础上，江泽民鲜明地指出："中国共产党是领导建设有中国特色社会主义伟大事业的核心力量。工农兵学商，党是领导一切的。当今中国的事情办得怎么样，关键取决于我们党，取决于党的思想、作风、纪律、组织状况和战斗能力、领导水平。党的性质、党在国家和社会生活中所处的地位、党肩负的历史使命，要求我们治国必先治党，治党务必从严。治党始终坚强有力，治国必会正确有效。"②

2000 年 12 月，中央纪律检查委员会召开第五次全体会议，江泽民在会上总结了反腐倡廉工作的经验。第一，党风廉政建设与反腐败斗争关系党和国家的生死存亡。第二，反腐倡廉工作具有长期性、艰巨性和复杂性。

---

① 江泽民：《论党的建设》，中央文献出版社 2001 年版，第 459—460 页。
② 江泽民：《江泽民文选》第二卷，人民出版社 2006 年版，第 496 页。

必须坚持不懈地与腐败现象进行斗争，努力把它减少到最小程度。既要有持久作战的思想，又要有紧迫感，抓紧工作，坚决斗争。第三，反腐倡廉工作要贯穿改革开放的全过程。越是改革开放，越要加强反腐倡廉工作。第四，反腐倡廉是全党全社会的大事。要坚持党委统一领导、党政齐抓共管、纪委组织协调、部门各司其责、依靠群众支持和参与的反腐败领导体制和工作机制，坚持领导干部廉洁自律、查处大案要案、纠正部门和行业不正之风为主要内容的反腐败三项工作一起抓的工作格局，从群众反映最强烈的问题抓起，不断取得反腐败斗争的阶段性成果。第五，实行标本兼治、综合治理。江泽民重申党的十五大提出的反腐败基本思路，强调坚持教育、法制、监督相结合，坚持预防与惩治相结合。第六，始终坚持党要管党、从严治党。强调从严治党必须贯穿党的思想、政治、组织、作风、纪律和制度建设，建立一套比较完善的便利、管用、有约束力的机制，以保证党的各级组织能够对党员、干部真正实行有效的教育、管理和监督。

这些经验，反映出党对反腐败工作规律的认识不断深化、不断发展。

2001 年，在庆祝中国共产党成立 80 周年大会上的讲话中，江泽民明确指出："要勇于正视党员、干部队伍中存在的问题，并依靠全体党员和人民群众不断加以解决。这是保持党的生机和活力的根本所在。我们必须继续围绕在新的历史条件下建设一个什么样的党和怎样建设党这个基本问题，进一步解决提高党的执政能力和领导水平、提高拒腐防变和抵御风险能力这两大历史性课题，全面推进党的建设新的伟大工程。"① 他强调指出："各级党组织和领导干部都要旗帜鲜明地反对腐败。对任何腐败行为和腐败分子，都必须一查到底，决不姑息，决不手软。党内不允许有腐败分子的藏身之地。我们一定要以党风廉政建设的实际成果取信于人民。"②

"两大历史性课题"的提出，是中国共产党根据时代发展需要和党的自身状况及所担负的历史使命而提出的新的党建任务，为在新的历史条件下

① 江泽民：《江泽民文选》第三卷，人民出版社 2006 年版，第 271—272 页。
② 江泽民：《江泽民文选》第三卷，人民出版社 2006 年版，第 292 页。

全面加强自身建设明确了基本目标和努力方向。2001年9月，党的十五届六中全会审议通过的《中共中央关于加强和改进党的作风建设的决定》（以下简称《决定》），把党风问题作为解决“两大历史性课题”的切入点。《决定》指出，党的作风建设的主要任务是：坚持解放思想、实事求是，反对因循守旧、不思进取；坚持理论联系实际，反对照抄照搬、本本主义；坚持密切联系群众，反对形式主义、官僚主义；坚持民主集中制原则，反对独断专行、软弱涣散；坚持党的纪律，反对自由主义；坚持清正廉洁，反对以权谋私；坚持艰苦奋斗，反对享乐主义；坚持任人唯贤，反对用人上的不正之风。“八个坚持、八个反对”的提出及贯彻，旨在久久为功，对于推动党的优良作风的弘扬对于解决好两大历史性课题，发挥了良好的导向作用。

总之，党中央坚持改革开放后形成的党风廉政建设和反腐败斗争的指导思想、基本原则，既树立持久作战思想，又一个一个打好阶段性战役，在推动领导干部廉洁自律、查处大案要案、纠正部门和行业不正之风等方面取得了显著成效。

在廉洁自律方面，1997年3月中央制定了《中国共产党党员领导干部廉洁自律从政若干准则（试行）》，随后又陆续颁布了相关文件、条例。与此相适应，党的各级领导班子开好民主生活会，提高民主生活会的质量。在县（处）级以上党政领导班子中开展的“三讲”教育，进一步推动了领导干部的廉洁自律。党中央高度重视创造廉洁自律的环境，针对群众反映强烈的如领导干部配备通信工具、到风景名胜区开会、超标准住房等问题进行清理。这些措施对于调节党群关系起了一定作用。

在查处大案要案方面，党中央施以重拳。1997年10月至2002年9月，全国纪检监察机关共立案861917件，给予党纪政纪处分846150人。在受处分的党员干部中，县（处）级干部28996人，厅（局）级干部2422人，省（部）级干部98人。严肃查处了一批大案要案。2000年3月，江西省原副省长胡长清在南昌伏法，成为中华人民共和国成立后第一个因受贿犯罪被处以死刑的省部级干部。2000 年 9 月，全国人大常委会原副委员长成克杰因经济犯罪被处以死刑，成为中华人民共和国成立后第一位因经济犯罪被判处死刑的国家领导人。2001 年 10 月，沈阳市原市长慕绥新、原常务副市长马向东一审被判处死缓和死刑。群众关注的湛江、厦门特大走私案等一批重大经济案件，以及一批违反政治纪律的案件、破坏社会主义市场经济秩序的案件、严重失职渎职案件、司法和干部人事工作中的违纪违法案件等相继受到查处，充分体现了党中央查处腐败分子的信心和决心，极大地振奋了党心民心，维护了广大人民群众的根本利益。

在纠正部门和行业不正之风方面，根据群众反映的突出问题，有重点地开展工作。例如：减轻农民和企业负担，解决国道、省道乱设卡、乱收费、乱罚款问题；对行政事业性收费和罚没收入实行“收支两条线”管理；规范建筑市场，实行建筑工程项目公开招标；在各地实行不同形式的会计委派；党政机关与所办公司脱钩；等等。通过多年努力，行业风气有了明显好转。

与此同时，中央审时度势，逐步加大治本力度，作出了军队、武警部队和政法机关不再从事经商活动的重大决策；推行领导干部任期经济责任审计等，取得良好效果。同时，重点抓了行政审批制度、财政制度和干部人事制度“三项改革”。行政审批制度改革，旨在解决行政审批项目过多过滥、程序不清、多头审批，以及由此引发的以权谋私等腐败问题，纪检监察机关会同有关部门，认真细致地开展对行政审批项目的清理工作，要求该取消的项目都要取消，能用市场机制替代的通过市场机制处理，确需保留的要加强监督制约。财政制度改革，旨在断绝产生腐败的财源。为彻底革除多头开户、公款私存、私设“小金库”，截留、挤占、挪用财政资金等弊端，纪检监察机关会同有关部门，推进财政制度改革，加大资金监管力度。干部人事制度改革，旨在防止和纠正用人上的不正之风。各地各部门在坚持党管干部的基础上，认真贯彻公开、平等、竞争、择优的原则，加快干部人事制度改革的步伐。2001 年，全国通过竞争上岗方式走上领导岗位的干部19万多名，相当于前五年竞争上岗人数的68%。干部人事工作中群众参与、民主讨论、公平竞争的程度明显提高。

另外，党中央坚持教育与法制、监督并举，运用灵活多样的宣传教育形式，引导党员干部从思想上筑起抵御腐蚀的堤坝。各级纪检监察机关加大宣传教育力度，组织党员干部认真学习邓小平理论和“三个代表”重要思想，提高了政治思想素质。在示范教育方面，树立汪洋湖、姜云胜、郭秀明等一批勤廉兼优的先进典型，增强了党员干部的公仆意识；在警示教育方面，通过剖析胡长清、成克杰等典型案件，领导干部从中吸取深刻教训，增强了廉洁从政意识；在条规教育方面，通过知识竞赛、影视、展览等多种形式，普遍开展党内法规和国家法律法规的宣传教育，党员干部明白什么可为，什么不可为，从而增强了遵纪守法的自觉性；在形势教育方面，充分利用电台、电视台、报刊、互联网等舆论阵地，通过开辟专栏、制作专题节目、开展理论研讨等形式，大力宣传党风廉政建设和反腐败斗争取得的明显成效，增强了广大干部群众的信心和斗志。

经过“标本兼治，综合治理”，党风廉政建设和反腐败斗争取得了阶段性成果。当然也要看到，党风廉政建设和反腐败斗争既是攻坚战，也是持久战。党内存在的一些消极腐败现象依然屡禁不止，有的情况甚至还日趋严重。一个重要原因，就是一些党组织不同程度地存在软弱涣散、治党不严的问题，对党员干部特别是领导干部疏于教育、管理、监督，在纪律和制度贯彻执行上失之于宽、失之于软。反腐倡廉必须常抓不懈，拒腐防变必须警钟长鸣。

第十三章

与时俱进，形成“三个代表”重要思想

党的十三届四中全会后，以江泽民同志为主要代表的中国共产党人，高举邓小平理论伟大旗帜，准确把握时代特征，科学分析国内外形势和党所处的历史方位，深入思考面临的新情况新问题，在推进中国特色社会主义伟大事业和党的建设新的伟大工程进程中，加深了对“什么是社会主义、怎样建设社会主义”和“建设什么样的党、怎样建设党”的认识，积累了治党治国新的宝贵经验，形成了“三个代表”重要思想。“三个代表”重要思想是对马克思列宁主义、毛泽东思想、邓小平理论的继承和发展，反映了当代世界和中国的发展变化对党和国家工作的新要求，是加强和改进党的建设、推进我国社会主义自我完善和发展的强大理论武器，是中国共产党集体智慧的结晶，是党必须长期坚持的指导思想。始终做到“三个代表”，是我们党的立党之本、执政之基、力量之源。

第一节 “三个代表”重要思想的酝酿

“三个代表”重要思想是一个完整的思想体系，经历了一个从酝酿、形成到逐步深化的过程。

1989年6月，在党的十三届四中全会召开以前，在酝酿组成新的中央领导班子的过程中，也就是在新老领导集体实行交接的关键时刻，邓小平在会见中央几位主要负责同志时说：“常委会的同志要聚精会神地抓党的建设，这个党该抓了，不抓不行了。”①

在党的十三届四中全会上被推选为中共中央总书记之后，江泽民明确表示：“这次中央领导机构作了一些人事调整，但是，党的十一届三中全会以来的路线和基本政策没有变，必须继续贯彻执行。”②他提出，“要结合建设、改革的实际和当代世界发展的状况，在全党进行马克思列宁主义、毛泽东思想基本理论的教育，进行社会主义、共产主义思想的教育，进行党纲党章和党的路线方针政策的教育……使党风有根本好转，恢复和加强党同群众的密切联系”③。

以江泽民同志为核心的党中央没有辜负邓小平等老一辈革命家的嘱托，聚精会神抓党的建设，着力解决党的建设中面临的迫切问题。

第一，进行组织调整。

1989年8月28日，《中共中央关于加强党的建设的通知》（以下简称《通

---

① 邓小平：《邓小平文选》第三卷，人民出版社1993年版，第314页。
② 江泽民：《江泽民文选》第一卷，人民出版社2006年版，第57页。
③ 江泽民：《江泽民文选》第一卷，人民出版社2006年版，第62—63页。

知》）发布。《通知》进一步提出要从八个方面加强党的建设：（一）认真做好清查和清理工作，纯洁党的组织。清查、清理工作基本结束后，要按照从严治党的方针，认真进行做合格党员的教育，在部分单位进行一次党员重新登记。（二）认真考察领导干部，加强领导班子建设。（三）切实搞好思想整顿，加强党的思想教育。要突出进行坚持四项基本原则、反对资产阶级自由化的教育；还要深入进行爱国主义、集体主义、独立自主、自力更生、艰苦奋斗、勤俭建国的教育，以及遵守党的纪律、维护党的团结的教育，要把这些教育同社会主义、共产主义思想教育结合起来。（四）发扬党的优良作风，克服消极、腐败现象。（五）切实加强党的基层组织建设。进一步明确企业党组织的地位、任务和作用：党在企业的基层组织处于政治核心的地位；高等院校实行党委领导下的校长负责制；农村乡镇党委和村党支部要充分发挥核心领导作用。（六）继续做好民主评议党员的工作。表彰优秀党员，妥善处置不合格党员。（七）严格党员标准，确保发展党员的质量。发展党员，要认真贯彻“坚持标准、保证质量、改善结构、慎重发展”的方针。（八）加强党建理论的学习、宣传和研究。《通知》指出，各级党委必须按照党的基本路线的要求，聚精会神地抓党的建设，下决心解决好当前党的建设中的迫切问题。《通知》要求各级党委把党的建设工作列入重要日程，党委书记要把抓党的建设作为自己的首要职责，切实把我们党建设成为领导改革开放和社会主义现代化建设的坚强核心。

为了加强干部队伍建设和基层党组织建设，党中央和中央有关部门先后召开了全国组织部长会议、高等院校党的建设工作会议、农村村级组织建设工作座谈会，并发出《中共中央关于建立健全省部级在职领导干部学习制度的通知》《中共中央关于加强高等学校党的建设的通知》，发布《中共中央关于实行党和国家机关领导干部交流制度的决定》《中共中央关于抓紧培养教育青年干部的决定》，颁布《关于县以上党和国家机关党员领导干部民主生活会的若干规定》，转批《全国农村村级组织建设工作座谈会纪要》和《关于目前农村社会主义思想教育开展情况的报告》。

这些会议和文件，对于党员干部队伍建设、基层组织建设起到了很好的指导作用。在党中央统一部署下，有关部门对全国 90 多万名县处级以上领导干部进行了全面考察。党员队伍管理工作也得到进一步加强，中央和地方部分单位根据党的十三届四中全会精神进行的党员重新登记基本完成。参加重新登记的党员共 372.8 万名，占全国党员总数的 7.5%。在结束登记的单位中，有 356 万名党员准予登记，2.7 万名党员受到各种组织处理。其中，近万名党员暂缓登记，6690 多名党员出党。在不搞党员重新登记的地区和单位，广泛开展民主评议党员活动。1990 年，全国有 4330 万名党员参加民主评议活动。在民主评议中，有 116 万名党员被上级党委授予“优秀共产党员”称号，有 31 万名党员被认定为不合格党员并受到组织处理，其中，7.9 万名党员被劝退、除名、取消党员资格、开除党籍，7 万名党员受到其他党纪处分，16 万名党员被限期改正错误。①

第二，克服消极、腐败现象，夯实党群关系。

1989 年，邓小平在与即将组建的新一代中央领导集体成员谈话时交代的一个首要任务就是反腐败。以江泽民同志为核心的党的第三代中央领导集体坚持“两手抓、两手都要硬”，把惩治腐败摆在稳定全局的突出位置，从人民群众最关心的问题入手，开展反腐败工作。

1989 年 7 月，党中央、国务院发布《中共中央、国务院关于近期做几件群众关心的事的决定》，重点抓坚决制止高干子女经商，严格禁止进口小轿车，严格控制领导干部出国，严肃查处贪污、受贿、投机倒把等犯罪案件等七件事，并且要求首先从中央政治局委员、中央书记处成员和国务院常务会议组成人员做起。8 月 21 日，在全国组织部长会议上，江泽民深刻总结了党的建设的经验教训，明确提出，与群众的血肉联系是我们党的力量所在。只要我们始终代表人民群众的利益，全心全意服务人民，就能经得起任何风浪考验，永远立于不败之地。

① 中共中央组织部、中共中央党史研究室、中央档案馆编《中国共产党组织史资料》（第七卷·上），中共党史出版社 2000 年版，第 26 页。

8月28日发布的《中共中央关于加强党的建设的通知》指出，要“发扬党的优良作风，克服消极、腐败现象。集中力量抓紧查处利用权势贪污、受贿、投机倒把等严重违法违纪案件，严厉惩治腐败分子”。

根据党中央精神，9月18日，中共中央办公厅、国务院办公厅发布了《关于在国内公务活动中严禁用公款宴请和有关工作餐的规定》：（一）各级党和国家机关工作人员（含离休、退休人员）在国内进行各种公务活动，包括上级到下级（含到企业、事业单位）检查指导工作、调查研究，同级之间、地区之间公务往来、参观学习以及干部工作调动等，严禁用公款搞任何形式的宴请。（二）党和国家机关工作人员到外地进行上述公务活动，在住所需要就餐时，应由就餐个人自购就餐券就餐，自行交纳伙食费，回单位后按规定报销出差伙食补助费。（三）党和国家机关工作人员进行公务活动，在本埠不能回家或者回单位，在外埠不能回住所吃饭的，可在职工食堂就餐或由接待单位供给工作餐。工作餐采用分餐制，一般不得陪餐。工作餐不准上价格昂贵的菜肴，不准用公款购买烟、酒。工作餐的金额标准由各省、自治区、直辖市根据本地实际情况确定，并报财政部备案。用工作餐的人员需按当地规定标准交纳伙食费。（四）凡违反上述规定的，均属违纪行为。所动用的公款，必须由违纪单位向就餐者如数追还。对违反规定的单位和批准动用公款的责任人员，要按《国务院关于违反财政法规处罚的暂行规定》处理。是党员的，同时要按党的纪律进行处理。同时还规定，本规定适用于各级党的机关、国家机关和各人民团体、事业单位及兼有行政管理职能的公司、全民所有制企业和集体所有制企业。过去有关规定与本规定不一致的，一律以本规定为准。与此同时，最高人民检察院会同最高人民法院发布《关于贪污、受贿、投机倒把等犯罪分子必须在期限内自首坦白的通告》，在经济领域展开了一场声势浩大的打击违法犯罪活动的专项斗争。

1990年3月，党的十三届六中全会通过了《中共中央关于加强党同人民群众联系的决定》（以下简称《决定》）。《决定》开宗明义地指出：“人民群众是我们党的力量源泉和胜利之本。能否始终保持和发展同人民群众的血肉联系，直接关系到党和国家的盛衰兴亡。”

《决定》要求，全党必须坚持从群众中来，到群众中去，建立健全民主的、科学的决策和决策程序；坚持各级领导干部经常深入基层、深入群众的制度；坚持在深化政治体制改革中，加强社会主义民主和法制建设，积极拓宽党同人民群众的联系渠道；坚定不移地加强廉政建设和党风建设，发扬艰苦奋斗精神，克服消极、腐败现象；建立和完善党内监督与党外监督制度；充分发挥党的基层组织的战斗堡垒作用和共产党员的先锋模范作用。

经过全党努力，廉政建设和反腐败斗争出现新局面，党群关系有了一定程度的改善。机关干部下基层工作朝着制度化、经常化方向发展，在办实事、求实效上有较大进步。党员干部违纪违章建私房的歪风基本刹住，用公款请客送礼、大吃大喝的不正之风有所收敛，查处了一批党内违纪违法的大案要案。据统计，1989 年和 1990 年，查处党内违纪案件 39 万多件，处分党员 32 万多名，其中开除党籍 7 万多名。1992 年 10 月，党的十四大报告指出，党的基本路线要毫不动摇地长期坚持下去，社会主义的改革开放和现代化建设要搞得更快更好，国家要长治久安和繁荣富强，关键在中国共产党。报告要求，“密切党同群众的联系，坚决克服消极腐败现象”。报告指出：“坚持反腐败斗争，是密切党同人民群众联系的重大问题。要充分认识这个斗争的紧迫性、长期性和艰巨性。在改革开放的整个过程中都要反腐败，把端正党风和加强廉政建设作为一件大事，下决心抓出成效，取信于民。”①

第三，突出强调思想政治工作和理论宣传工作，强化执政意识。

1989 年 7 月 17 日至 21 日，全国宣传部长会议在北京召开。会议强调，要深入宣传党的十一届三中全会以来的路线、方针、政策的正确性，使人们了解改革开放是坚持四项基本原则的改革开放，而改革开放又赋予四项

---

① 江泽民：《江泽民文选》第一卷，人民出版社 2006 年版，第 248—249 页。

基本原则以新的内容，绝不能把改革开放与四项基本原则割裂开来，对立起来。要加强建设、改革和惩治腐败的宣传；各宣传舆论部门要及时加强以经济建设为中心的各项经常性的宣传报道；各级党委要确实加强对宣传、思想工作的领导，一定要克服一手硬、一手软的现象，党委书记要亲自抓，经常抓。党中央和中央有关部门还先后召开了全国党校工作会议，举办了全国企业思想政治工作研讨班、省部级领导干部参加的党建理论研究班，进行研究和部署。党中央还发出了《关于加强党校工作的通知》《关于学习〈毛泽东选集〉一至四卷第二版的通知》，中央宣传部下发了学习《关于社会主义若干问题学习纲要》的通知等。

在党中央的重视和领导下，各级领导干部的理论学习和培训迅速展开。各省、自治区、直辖市党委和中央部委普遍建立领导干部学习中心组，定期学习马克思主义基本理论和党的方针政策。干部学习理论的积极性和自觉性有了很大提高。

理论上清醒才能保证抓好党的建设工作。在1989年底中央党校举办的省部级领导干部党建理论研究班上，江泽民指出，要充分认识搞好党的建设的重要性、紧迫性。“要站在马克思主义的立场上，综观国内外全局，面对现实，把握未来，以高度的革命责任感和紧迫感，充分发动和依靠全党的力量而抓紧党的建设工作，在各方面从严治党，为全面提高党的战斗力而斗争。”在论及“必须坚持党的工人阶级先锋队性质”时，江泽民指出，中国共产党之所以要坚持工人阶级先锋队的性质不变，就是因为工人阶级是与现代大工业紧密联系在一起的，能够“代表先进生产力和先进生产关系，代表全体人民的根本利益”。

“两个代表”的观点，体现了鲜明的执政党意识。江泽民指出：“我们党是执政的党，党的领导要通过执政来体现。我们必须强化执政意识，提高执政本领。”[①]

---

① 江泽民：《江泽民文选》第一卷，人民出版社2006年版，第92页。

在邓小平南方谈话之后，1992 年 10 月召开的党的十四大对加强党的建设和改善党的领导问题进行了系统论述，强调“坚持党要管党和从严治党，加强和改进党的建设，努力提高党的执政水平和领导水平，使我们这个久经考验的马克思主义的党，在建设有中国特色社会主义的伟大事业中更好地发挥领导核心作用”[①]。

1993 年 8 月，江泽民提出要大力加强反腐败的三项工作：一是领导干部廉洁自律；二是查处大案要案；三是纠正部门和行业不正之风。根据这一精神，党中央、国务院出台了一系列措施，形成了反腐败的三项工作格局。党中央通过聚精会神抓党的建设，形成了一系列新思想新理念，出台了一系列新政策新措施，党风廉政建设取得了明显成效。

1994 年 9 月，党的十四届四中全会专门研究了新形势下党的建设问题，明确提出加强党的建设“新的伟大工程”的重大论断，并推出了一系列重要举措。在新的历史条件下应当如何建设党这样的时代课题，也逐步找到了答案。

1997 年 9 月，在党的十五大报告中，江泽民进一步论述了对党的建设的重大思考，将新时期党的建设新的伟大工程的总目标高度概括为：“把党建设成为用邓小平理论武装起来、全心全意为人民服务、思想上政治上组织上完全巩固、能够经受住各种风险、始终走在时代前列、领导全国人民建设有中国特色社会主义的马克思主义政党。”[②]“建设有中国特色社会主义的马克思主义政党”的提出，意义重大。这是邓小平“建设有中国特色社会主义”思想的题中应有之义，同时又包含着理论创新的种子和萌芽，特别是“始终走在时代前列”理念的提出，为后来“三个代表”重要思想的提出提供了思路。

1997 年 12 月，在全国组织工作会议上，江泽民对党的各级干部特别是

---

① 江泽民：《江泽民文选》第一卷，人民出版社 2006 年版，第 245 页。
② 江泽民：《江泽民文选》第二卷，人民出版社 2006 年版，第 43 页。

高级干部提出了“三严四自”的要求。他指出：“对领导干部要严格要求、严格管理、严格监督，而领导干部自己要自重、自省、自警、自励。这‘三严四自’，归结到一点，就是我们的高中级干部要意识到自己所肩负的重大历史责任，要有自知之明，要看到自己的差距和不足，要有一种时不我待的紧迫感，有一种坚韧不拔、奋发向上的良好精神状态。”①江泽民还提出了“三讲”要求，即“讲学习、讲政治、讲正气”，要求各级党员干部通过“三讲”不断提高自己的领导素质和能力。

为把这些思想落到实处，如前所述，从 1998 年 11 月至 2000 年底，全党深入开展了“三讲”教育。这场持续了两年多的党性党风教育，是改革开放之后开展的首次规模最大的党内教育活动，为党在新的历史条件下加强党的建设探索出了新的道路，提供了新鲜经验。

在开展“三讲”教育的同时，党带领人民开展了一系列重大斗争，包括应对 1997 年亚洲金融危机斗争、1998 年抗洪救灾斗争、1999 年反“法轮功”斗争等。这些斗争充分证明，党中央驾驭全局、应对挑战和抵御风险的能力愈加强大，广大党员干部在关键时刻能够冲锋陷阵、勇做先锋，在思想上和行动上愈加成熟，党的思想建设、组织建设、作风建设经受住了考验。

在即将跨入 21 世纪之际，回首过去展望未来，作为党的总书记的江泽民表现出强烈的忧患意识。2000 年 1 月，在中央纪律检查委员会第四次全体会议上的讲话中，江泽民指出：“二十世纪末，发生了东欧剧变、苏联解体，社会主义的发展遇到了严重曲折。在中国，由于邓小平同志领导我们实施改革开放的新政策，开辟了建设有中国特色社会主义的光辉道路，社会主义事业焕发出了新的生机。这样一个错综复杂、变化深刻的历史进程，向人们、向一切马克思主义者和共产党人提出了许多重大的课题。世界社会主义的这种发展变化究竟是什么原因引起的？中国共产党和中国社

① 江泽民：《论党的建设》，中央文献出版社 2001 年版，第 277 页。

会主义事业应该如何在已有成就的基础上继续开辟光明的未来？把这些问题思考和研究清楚了，我们党就会更好地巩固和加强自己，更好地领导人民在新的世纪谱写出中国历史发展的新篇章。这是中国共产党作为执政党，对国家、对人民、对历史所应该采取的负责态度。”[①]在思考不断发展、研究不断深入的基础上，“三个代表”重要思想呼之欲出。

第二节　“三个代表”重要思想的形成

2000年2月20日，江泽民出席了广东省高州市领导干部“三讲”教育会议并发表重要讲话，提出了“五个始终”的要求，即“我们要使党始终保持工人阶级先锋队性质，始终代表最广大人民群众的利益，始终成为社会先进生产力的代表，始终领导全国各族人民促进社会生产力的发展，始终坚强有力地发挥好领导核心作用，也必须结合新的历史条件进一步从思想上、组织上和作风上把党建设好”。

2月21日至25日，江泽民在广东考察工作，围绕加强新时期党的建设和推进高新技术产业发展两个题目进行调研。考察期间，江泽民完整地提出了“三个代表”重要思想。他指出：“要把中国的事情办好，关键取决于我们党。”

江泽民强调指出：“总结我们党七十多年的历史，可以得出一个重要结论，这就是：我们党所以赢得人民的拥护，是因为我们党在革命、建设、改革的各个历史时期，总是代表着中国先进生产力的发展要求，代表着中国先进文化的前进方向，代表着中国最广大人民的根本利益，并通过制定正确的路线方针政策，为实现国家和人民的根本利益而不懈奋斗。人类又来到一个新的世纪之交和新的千年之交。在新的历史条件下，我们党如何

---

① 江泽民：《论党的建设》，中央文献出版社2001年版，第360—361页。

更好地做到这‘三个代表’，是一个需要全党同志特别是党的高级干部深刻思考的重大课题。”[①] 江泽民要求，要紧密结合国内外形势的变化，紧密结合我国社会生产力的最新发展和经济体制深刻变化的实际，紧密结合人民群众对物质文化生活提出的新的发展要求，紧密结合我们党员、干部队伍发生的重大变化来深入思考这个重大问题。他指出：“所有共产党员和领导干部，都要深刻认识和牢牢把握这‘三个代表’，用以指导自己的思想和行动，这样才能使自己真正成为一个合格的党员、合格的党的领导干部。”[②]

“三个代表”重要思想是在科学判断党的历史方位的基础上形成的。中国共产党历经革命、建设、改革，已经从领导人民为夺取全国政权而奋斗的党，成为领导人民掌握全国政权并长期执政的党；已经从受到外部封锁和实行计划经济条件下领导国家建设的党，成为对外开放和发展社会主义市场经济条件下领导国家建设的党。党所处的地位和环境、党所肩负的历史任务的重大变化，给党的建设带来了新活力，同时也提出了许多新课题。世界局势的深刻变化，是“三个代表”重要思想形成的国际背景；我国在改革开放和现代化建设中发生的巨大变化，是“三个代表”重要思想形成的国内背景；党的全部历史经验特别是建设中国特色社会主义伟大事业、推进党的建设新的伟大工程的实践经验，是“三个代表”重要思想形成的历史根据；党的状况尤其是党的建设面临的新形势新任务，是“三个代表”重要思想形成的现实依据。

江泽民提出“三个代表”重要思想的时候，“三讲”教育正如火如荼地进行着。2000 年 3 月 5 日、7 日、9 日，《人民日报》以《始终代表先进社会生产力的发展要求——一论关键在党》《始终代表先进文化的前进方向——二论关键在党》《始终代表最广大人民的根本利益——三论关键在党》为题发表了 3 篇评论员文章。3 月 9 日，新华社发表了《按照“三个代表”的要求全面加强党的建设》的特约评论员文章，对“三个代表”重要思想

① 江泽民：《江泽民文选》第三卷，人民出版社 2006 年版，第 2 页。
② 江泽民：《江泽民文选》第三卷，人民出版社 2006 年版，第 3 页。

进行了初步阐述。

2000年5月8日至15日，江泽民在江苏、浙江、上海三地调研。在上海主持召开江苏、浙江、上海党建工作座谈会时，他再次强调指出：“始终做到‘三个代表’，是我们党的立党之本、执政之基、力量之源。按照‘三个代表’要求抓党的建设，同新时期党的建设新的伟大工程的总目标、总要求是一致的。推进党的思想建设、政治建设、组织建设、作风建设，都应该贯穿‘三个代表’要求。”[①]5月16日，《人民日报》报道了江泽民在江苏等地的党建调研情况以及对“三个代表”重要思想的深刻阐述。消息一经发出，立即引起高度关注和强烈反响，并迅速在全党掀起了一股声势浩大的学习、研究、宣传“三个代表”重要思想的热潮。

5月18日，《人民日报》发表了中共中央党校常务副校长郑必坚的长篇文章——《“三个代表”重要论述与面向21世纪的中国共产党》，全面阐述了“三个代表”重要思想的科学内涵和重大意义，成为中央级报刊发表的第一篇宣传“三个代表”重要思想的有分量的理论文章。同日，《光明日报》发表了评论员文章《深入学习“三个代表”，全面落实“三个代表”》。5月22日，《人民日报》发表社论《全面加强党的建设的伟大纲领》，强调“三个代表”重要思想“具有极为重大的现实意义和长远的指导意义”。同日，《解放军报》发表社论《立党之本，执政之基，力量之源》。与此同时，新华社、《求是》杂志以及全国其他主要报刊也先后发表社论或有关文章，阐述“三个代表”重要思想的重大意义。从中央到地方，不少单位和部门开始举办各种类型的学习“三个代表”重要思想研讨班、座谈会，并陆续出版了大量有关“三个代表”重要思想的辅导读物。

“三个代表”重要思想提出后，江泽民在多种场合、多次讲话中从不同角度和方面进一步阐述“三个代表”思想。

2000年6月9日，在全国党校工作会议上的讲话中，江泽民强调指出：

---

① 江泽民：《江泽民文选》第三卷，人民出版社2006年版，第15页。

“今年二月，我在广东考察工作时提出，各级党组织和全党同志都应按照‘三个代表’要求，全面加强和改进党的建设，使我们党永远立于不败之地，永远得到全国各族人民的衷心拥护并带领人民不断前进。我提出这个问题，是经过了长时期思考的。在实行改革开放和发展社会主义市场经济的条件下，建设什么样的党、怎样建设党，是一个重大现实问题，直接关系到我们党和国家的前途命运。党的十四届四中全会和十五大提出的党的建设新的伟大工程，就是回答这个问题的。我们在加强和改进党的建设上已取得了一些新的经验。我感到，我们要坚持毛泽东同志、邓小平同志关于党的建设的理论和一系列重要思想，集中起来最重要的，就是要在思想上、行动上坚持做到这‘三个代表’。这是我们的立党之本、执政之基、力量之源。”①

此后一年间，江泽民分别到北京、吉林、黑龙江、上海、江苏、浙江、安徽、江西、广东、海南、甘肃、宁夏等地考察，并主持召开了近 30 次党建工作座谈会，听取各个方面的意见和建议。在此期间，江泽民还先后在中央召开的经济工作会议、统战工作会议和中央纪委全会上，从不同角度对新形势下加强和改进党的领导问题作了论述，阐述了“三个代表”重要思想。

2000 年 6 月 28 日，江泽民在中央思想政治工作会议上强调，新形势新任务以及思想政治工作的现实情况，要求我们必须大力加强和改进党的思想政治工作。这是保证我们党始终做到代表中国先进生产力的发展要求、中国先进文化的前进方向、中国最广大人民的根本利益的必然要求。加强和改进思想政治工作必须全面贯彻落实“三个代表”的要求，这是党团结和带领人民建设有中国特色社会主义的长期战略方针。——这是从党的思想政治建设角度阐述“三个代表”重要思想。

10月 11 日，在党的十五届五中全会上的讲话中，江泽民指出：“我们

① 江泽民：《江泽民文选》第三卷，人民出版社 2006 年版，第 44 页。

开展的各项工作，都要贯彻落实‘三个代表’要求，看看我们所采取的措施、所做的工作，是不是符合‘三个代表’要求，符合的就毫不动摇地坚持，不符合的就勇于实事求是地纠正。”[①]——这是从党的作风建设角度阐述“三个代表”重要思想。

11 月 28 日，江泽民在中央经济工作会议上发表讲话。他指出，不断改善人民生活，是我们党全心全意为人民服务宗旨和“三个代表”要求的最终体现，是处理好改革发展稳定关系的结合点。人民群众的生活水平不断提高，推进改革就会得到更加广泛的支持，我们党的执政基础就会更加巩固。——这是从发展经济和改善民生的角度阐述“三个代表”重要思想。

12 月 26 日，在中央纪律检查委员会第五次全体会议上，江泽民指出：“进入新世纪，如何按照‘三个代表’要求把党建设得更加坚强，推动党风廉政建设和反腐败斗争深入开展，仍是全党同志需要进一步思考和解决的重大课题。”[②]——这是从加强党风廉政建设和反腐败斗争的角度来阐述如何贯彻“三个代表”重要思想。

2001 年 1 月 10 日，在全国宣传部长会议上，江泽民强调，在全党深入开展“三个代表”的宣传教育，是新世纪开局之年全党工作的大事，也是宣传思想战线的一项重要工作，“我们要用宽广的眼光去观察和把握当代世界经济、政治、文化的发展趋势，观察和把握当代中国的伟大实践，努力把‘三个代表’的要求研究好、宣传好、贯彻好，以利不断提高党的领导水平和执政水平，不断增强党的拒腐防变和抵御风险的能力，使广大党员和干部自觉地以‘三个代表’要求指导自己的思想行动，使我们党更加朝气蓬勃、更加团结一致、更加富有战斗力”[③]。

在“三个代表”重要思想不断得到充实完善的基础上，全党认真学习“三个代表”重要思想，并以此为思想武器开展深入的思想政治教育。2000

① 江泽民:《江泽民文选》第三卷，人民出版社 2006 年版，第 129 页。
② 江泽民:《江泽民文选》第三卷，人民出版社 2006 年版，第 173 页。
③ 江泽民:《论“三个代表”》，中央文献出版社 2001 年版，第 129—130 页。

年 11 月 30 日，中共中央办公厅下发了《关于在农村开展“三个代表”重要思想学习教育活动的意见》，要求从 2000 年冬、2001 年春开始，全国县（市）部门、乡镇、村领导班子和基层干部用两年左右时间，有计划、有步骤地开展“三个代表”重要思想学习教育活动。这是切实提高农村基层干部素质，增强农村基层党组织凝聚力、战斗力的一项重大决策。根据党中央要求，各级党委和政府制定实施方案，落实责任制，确定联系点，深入基层调查研究，面对面指导工作。这一活动推进了广大农村基层干部思想作风和工作作风的改进，推动了农村经济的发展和农民生活的改善，取得了“干部受到教育，农民得到实惠”的效果。对于加强和改进党对农村工作的领导、推动农业和农村经济结构战略性调整、促进农村经济发展和社会全面进步起到了重要作用。同时，各企事业单位和各部门认真学习、积极贯彻、以实际行动实践“三个代表”重要思想，使全国各条战线都出现了可喜的变化。

第三节 “三个代表”重要思想的深化和确立

实践没有止境，理论创新也没有止境。2001 年 7 月 1 日，党中央在人民大会堂隆重举行庆祝中国共产党成立 80 周年大会。江泽民代表党中央发表重要讲话，系统阐述了“三个代表”重要思想的科学内涵。他指出，我们党要始终代表中国先进生产力的发展要求，就是党的理论、路线、纲领、方针、政策和各项工作，必须努力符合生产力发展的规律，体现不断推动社会生产力的解放和发展的要求，尤其要体现推动先进生产力发展的要求，通过发展生产力不断提高人民群众的生活水平。我们党要始终代表中国先进文化的前进方向，就是党的理论、路线、纲领、方针、政策和各项工作，必须努力体现发展面向现代化、面向世界、面向未来的，民族的科学的大众的社会主义文化的要求，促进全民族思想道德素质和科学文化素质的不断提高，为我国经济发展和社会进步提供精神动力和智力支持。我们党要始终代表中国最广大人民的根本利益，就是党的理论、路线、纲领、方针、政策和各项工作，必须坚持把人民的根本利益作为出发点和归宿，充分发挥人民群众的积极性、主动性、创造性，在社会不断发展进步的基础上，使人民群众不断获得切实的经济、政治、文化利益。他强调，代表中国先进生产力的发展要求，代表中国先进文化的前进方向，代表中国最广大人民的根本利益，是统一的整体，相互联系，相互促进。发展先进的生产力，是发展先进文化、实现最广大人民根本利益的基础条件。人民群众是先进生产力和先进文化的创造主体，也是实现自身利益的根本力量。不断发展先进生产力和先进文化，归根到底都是为了满足人民群众日益增长的物质文化生活需要，不断实现最广大人民的根本利益。他提出，要按照“三个代表”要求加强和改进党的建设。“三个代表”要求，是我们党保持先进性、始终成为建设有中国特色社会主义坚强领导核心的基本要求，与坚持马克思列宁主义、毛泽东思想、邓小平理论，坚持党的工人阶级先锋队性质和全心全意为人民服务的宗旨是一致的。全党同志一定要坚持把全面落实“三个代表”要求，统一于党的建设的各个方面，统一于党领导人民进行改革开放和社会主义现代化建设的全过程。

对于按照“三个代表”重要思想加强和改进党的建设，江泽民强调，全党同志要坚持从新的实际出发，以改革的精神研究和解决党的建设面临的重大理论和现实问题，使党始终保持先进性和纯洁性，充满创造力、凝聚力和战斗力。江泽民指出：“贯彻‘三个代表’要求，我们必须坚持党的工人阶级先锋队性质，始终保持党的先进性，同时要根据经济发展和社会进步的实际，不断增强党的阶级基础和扩大党的群众基础，不断提高党的社会影响力。”① 他指出：“看一个政党是否先进，是不是工人阶级先锋队，主要应看它的理论和纲领是不是马克思主义的，是不是代表社会发展的正确方向，是不是代表最广大人民的根本利益。我们党是马克思列宁主义同中国工人运动相结合的产物。工人阶级的形成是建党的根本条件。民主革

① 江泽民：《江泽民文选》第三卷，人民出版社 2006 年版，第 284 页。

命时期，由于当时中国社会的特点，我们党的绝大多数党员来自农民和其他劳动者，也有不少来自知识分子，还有来自非劳动者阶层的革命分子。但是，我们党的理论和纲领是马克思主义的，代表了中国社会发展的正确方向；我们党高度重视在思想上建党，坚持用马克思主义理论教育和武装全体党员，不仅要求党员在组织上入党，而且要求党员首先在思想上入党，指导他们为实现党的纲领和任务而奋斗，因而保持了党的工人阶级先锋队性质。”[①] 他指出：“改革开放以来，我国的社会阶层构成发生了新的变化，出现了民营科技企业的创业人员和技术人员、受聘于外资企业的管理技术人员、个体户、私营企业主、中介组织的从业人员、自由职业人员等社会阶层。而且，许多人在不同所有制、不同行业、不同地域之间流动频繁，人们的职业、身份经常变动。这种变化还会继续下去。在党的路线方针政策指引下，这些新的社会阶层中的广大人员，通过诚实劳动和工作，通过合法经营，为发展社会主义社会的生产力和其他事业作出了贡献。他们与工人、农民、知识分子、干部和解放军指战员团结在一起，他们也是有中国特色社会主义事业的建设者。伟大而艰巨的建设有中国特色社会主义事业，需要全社会各个方面忠诚于祖国和社会主义的优秀分子，以自己的实际行动带领群众共同加以推进。能否自觉地为实现党的路线和纲领而奋斗，是否符合党员条件，是吸收新党员的主要标准。来自工人、农民、知识分子、军人、干部的党员是党的队伍最基本的组成部分和骨干力量，同时也应该把承认党的纲领和章程、自觉为党的路线和纲领而奋斗、经过长期考验、符合党员条件的社会其他方面的优秀分子吸收到党内来，并通过党这个大熔炉不断提高广大党员的思想政治觉悟，从而不断增强我们党在全社会的影响力和凝聚力。”[②] 他指出：“不能简单地把有没有财产、有多少财产当作判断人们政治上先进与落后的标准，而主要应该看他们的思想政治状况和现实表现，看他们的财产是怎么得来的以及对财产怎么支配和使用，

① 江泽民：《江泽民文选》第三卷，人民出版社 2006 年版，第 285—286 页。
② 江泽民：《江泽民文选》第三卷，人民出版社 2006 年版，第 286 页。

看他们以自己的劳动对建设有中国特色社会主义事业所作的贡献。”[①]

中国共产党80年的历史充分证明，“马克思主义不是教条，只有正确运用于实践并在实践中不断发展才具有强大生命力”[②]。江泽民的这一讲话，是“三个代表”重要思想进一步深化和初步形成理论体系的重要标志，它既坚持了马克思主义的基本原理，又反映了当代世界和中国的发展变化对党和国家工作的新要求，为党的十六大召开作了重要思想准备。

2002年5月31日，在中央党校省部级干部进修班毕业典礼上，江泽民就即将召开的党的十六大的主题和贯彻“三个代表”重要思想等问题发表讲话。江泽民指出，进入新世纪，我国进入了全面建设小康社会，加快推进社会主义现代化的新的发展阶段。国际局势正在发生深刻的变化。世界多极化和经济全球化的趋势在曲折中发展，科技进步日新月异，综合国力竞争日趋激烈。形势逼人，不进则退。我们党要坚定地站在时代潮流的前头，团结和带领全国各族人民，实现推进现代化建设、完成祖国统一、维护世界和平与促进共同发展的历史任务，在建设有中国特色社会主义的道路上实现中华民族的伟大复兴。这是历史和时代赋予我们党的庄严使命。他指出，开创建设有中国特色社会主义事业新局面，必须高举邓小平理论伟大旗帜，全面贯彻“三个代表”要求。“三个代表”重要思想是我们党的立党之本、执政之基、力量之源，是加强和改进党的建设、推进我国社会主义制度自我完善和发展的强大理论武器。联系党成立以来的全部历史经验，总结我们党带领人民建设有中国特色社会主义事业必须坚持的基本经验，归结起来就是，我们党必须始终代表中国先进生产力的发展要求，代表中国先进文化的前进方向，代表中国最广大人民的根本利益。江泽民强调，贯彻“三个代表”要求，关键在坚持与时俱进，核心在坚持党的先进性，本质在坚持执政为民。全党同志要牢牢把握这个根本要求，不断增强贯彻“三个代表”要求的自觉性和坚定性。贯彻好“三个代表”要求，必

① 江泽民:《江泽民文选》第三卷，人民出版社2006年版，第287页。
② 江泽民:《江泽民文选》第三卷，人民出版社2006年版，第270页。

须使全党始终保持与时俱进的精神状态，不断开拓马克思主义理论发展的新境界；必须把发展作为党执政兴国的第一要务，不断开创现代化建设的新局面；必须最广泛最充分地调动一切积极因素，不断为中华民族的伟大复兴增添新力量；必须以改革的精神推进党的建设，不断为党的肌体注入新活力。

在此基础上，2002 年 11 月召开的党的十六大把“三个代表”重要思想同马克思列宁主义、毛泽东思想、邓小平理论一道确立为党的指导思想。大会通过的《中国共产党章程（修正案）》明确规定：中国共产党是中国工人阶级的先锋队，同时是中国人民和中华民族的先锋队，是中国特色社会主义事业的领导核心，代表中国先进生产力的发展要求，代表中国先进文化的前进方向，代表中国最广大人民的根本利益。党的最高理想和最终目标是实现共产主义。党的十六大以后，以胡锦涛为总书记的党中央对全面贯彻落实“三个代表”重要思想作出部署：一是在全党兴起学习贯彻“三个代表”重要思想新高潮；二是在全党开展以实践“三个代表”重要思想为主要内容的保持共产党员先进性教育活动；三是决定编辑出版《江泽民文选》。2004 年 3 月，十届全国人大二次会议通过宪法修正案，将“三个代表”重要思想载入宪法，确立其在国家政治和社会生活中的指导地位，实现了国家指导思想的又一次重大发展。